Y0-BSL-594
3 3029 05743 2379

胡耀邦传

第一卷

(1915-1976)

主编：张黎群 张 定 严如平 唐 非 李公天

唐 非 撰

人民出版社

中共党史出版社

◇ 1933年，18岁的胡耀邦由共青团员转为共产党员，即被调任少共中央局秘书长。

◇ 抗日战争时期，时任中共中央军委总政治部组织部部长的胡耀邦在延安。

◇ 胡耀邦在延安时期。

◇ 抗日战争时期，胡耀邦（右）与表哥杨勇在陕北。

◇ 1937 年，胡耀邦（左五）在延安与抗大战友在一起。

◇ 胡耀邦 1949 年像。

◇ 1953 年 6 月，胡耀邦在中国新民主主义青年团第二次全国代表大会上作报告（新华社记者邹建东摄）。

◇ 1955 年 8 月 17 日，胡耀邦和周恩来、邓颖超等接见少年先锋队队员。

◇ 1955 年，在欢送北京市青年志愿垦荒队大会上，中国新民主主义青年团中央委员会书记处书记胡耀邦（前排左起第三人）授予北京市青年志愿垦荒队一面队旗（新华社记者喻惠如摄）。

◇ 1956 年 7 月 20 日，北京市高等学校暑假毕业生六千多人在中山公园举行联欢会，团中央书记处书记胡耀邦（右第一人）在联欢会上与毕业生们交谈（新华社记者时盘棋摄）。

◇ 1957年5月，毛泽东、刘少奇等接见中国新民主主义青年团第三次全国代表大会代表。中为胡耀邦（新华社记者侯波摄）。

◇ 1958年，胡耀邦和全国著名劳动模范孟泰一起接见青年工人。

◇ 1959年，共青团中央第一书记胡耀邦在全国群英大会上和陕西省代表交谈（新华社记者刘庆瑞摄）。

◇ 1964年，胡耀邦陪同毛泽东、刘少奇、周恩来、朱德、董必武等党和国家领导人接见共青团九大代表。

◇1965年，胡耀邦和参加第三届全国人民代表大会的邢燕子（右三）等青年代表交谈。

◇ 1970年，胡耀邦在河南省潢川县黄湖“五七干校”劳动。

目录

目录

第一章　山乡少年

中国共产党的历史，犹如波澜壮阔的长幅画卷，其中映现着如同星汉灿烂般的众多杰出人物。20世纪70年代后期以至80年代中叶，是中国一个革故鼎新的辉煌时期。胡耀邦在这一时期成为富有变革精神、民主思想、性格魅力的党的主要领导人之一。他所成就的种种事业，都以关怀人、解放人、造福人为鲜明特征，成为珍贵的历史遗产。

一　农耕之家

1915年（民国四年）11月20日（农历乙卯年十月十四日），胡耀邦出生于湖南省浏阳县中和乡一个贫苦的农耕之家。

浏阳地处湖南东部，毗邻江西。由于是在湘水支流浏水之北，故名浏阳。三国时属吴地，开始设县，隋时并入长沙县，唐时复置浏阳县，元中叶升为州，明洪武时复为县。浏水全长

230公里，发源于县东大围山，初为二溪，合流西南行，过县西名渭水，至县南名浏水，因县名而称浏阳河。复西行入长沙境，向西北汇入湘江，因此长沙城东门，亦名浏阳门。浏阳河逶迤舒缓，沿岸物产丰富，尤以夏布、花炮著称，近世更因一曲“浏阳河，弯过了几道弯”而为妇孺皆知。

古往今来，湖南三湘大地上，曾有多少往哲先贤、仁人志士，怀着忧国忧民的深情，发出激扬天地正气的呼声，做出报效国家、民族的壮举，甚至以身赴死。从三闾大夫屈原“长太息以掩涕兮，哀民生之多艰”的悲歌，到明清之际王夫之“宽以养民”的呐喊，千百年来，民本精神和慷慨捐躯的传统绵绵相承，历久不衰。同样在古朴的小城浏阳，这种传统也在孕育滋长，特别是近现代以来，更是志士辈出。戊戌变法中，“有心杀贼，无力回天，死得其所，快哉快哉”的谭嗣同，以及他的好友、发愤“树大节，倡大难，行大改革”的唐才常，最后都挺身就义，他们就是浏阳人的杰出代表。这里民风质朴，民气刚烈，20世纪初叶，革命风云激荡，浏阳虽然地处偏远，然而也已经感受到民主革命的气氛。民主革命以来，这里更是铁血壮烈，澎湃有声，涌现了众多的政治家、军事家。

胡耀邦就是在这样的历史和地域环境中出生、成长的。

他的家乡中和乡苍坊村在浏阳南乡约四十公里处。从县城往东南，冈峦起伏，地势渐行渐高；经大瑶，过南川河，渐次走进群山环抱之中。这里属湘赣两省交界的罗霄山余脉，已经没有过于险峻的峰嶂，在条条山冲中，已有大大小小的村落出现。苍坊村，就坐落在这样一条山冲里。小小的山村依山傍水，红土壤山上生长着低矮的松杉和油茶，蜿蜒的溪流跳跃着穿过石滩远去，起伏不平的山间小径傍着块块稻田。十多户人家的泥瓦房、土砖房散落地依山而建，掩映在周围的竹木树丛之间。

苍坊村东面一座小山叫笔架山，西面一座小山岭同它相对，叫做西岭。胡耀邦的祖居，就在这西岭山脚下。屋后是树木葱郁的山冈，屋前是一条叫做敏溪的溪流，清澈见底，长流不断。这是一座陈旧简朴的场屋，坐北朝南，泥土墙，茅草顶，据说始建于清代咸丰年间。中间正屋，相传是供奉祖先的地方，“祥钟淮海，秀毓苏湖”的门联十分醒目。两边的房屋由胡耀邦曾祖父弟兄两家分别居住，胡耀邦就出生在西屋东上房的卧室里。

胡耀邦的先人来到浏阳县中和乡西岭定居，已四百余年。据《胡氏族谱》记载：约在明万历年间，被尊为“始祖建十公”的胡允钦（字建十，1569—?）从江西高安县浯溏村，携带家眷来到这里，从此扎下根来，繁衍生息，到胡耀邦，已是胡允钦的第十二代子孙了。胡氏的后代，除胡耀邦这一支世代定居这里外，还有的迁到浏阳的文家市、岩前、山枣等乡，更有的远迁到了攸县。

从历史上的移民状况来考察，西岭胡氏应当算是客家人。顾名思义，所谓“客家”，即非本地土著。公元4世纪初叶，强大的北方少数民族频繁袭击西晋王朝，中原众多汉人特别是士大夫为躲避战乱，举族南迁，来到江南，其后唐末及南宋末年战乱之际，又有大批汉人渡江南下。他们带着宗谱、族谱，捧着祖先牌位，颠沛流离，寻求条件稍好的地方，开荒拓垦，安顿下来，“客而家焉”，因此被称为“客家”。这样的“客家”人，以落脚于粤东、粤北、福建、江西者为多。想当年，胡允钦也就是辗转流徙，又从江西来到西岭的。客家人由于艰辛备尝，有共同遭遇，身居异乡，需要互相扶助，所以他们崇尚团结，勤劳俭朴，有开创局面的奋斗精神，并且十分注重族人的文化教育。这些品格逐渐形成客家人的特征，世代相传。

胡耀邦的曾祖父胡名钟（约1840—1885），字秀卿，号毓源。前述场屋中房门联“祥钟淮海，秀毓苏湖”中嵌有“钟”、“秀”、“毓”三字，想来与他的关系至深。胡氏族谱为他立了传，说他“幼勤诵读，通经史，弱冠早已知名”，是个乡间知识分子。为村人津津乐道的是他在住所附近建了一个私塾，名“种桃书屋”，寓有培植桃李的意思，请来族中有文化的人来教授本族及乡民子弟。他的儿子胡成瀚（1858—1896），字海文，号彰五，即胡耀邦的祖父。据族谱记载，胡成瀚也是博通经史，崇尚圣道，能写古文，是族中有识之士。他一生倡导兴学济贫、修桥补路，所以在村中很有声誉，乡里间发生纠纷，常常请他来公断。只可惜此时家道中落，他尽力务农以维持生计，而不能专心于笔墨了。他38岁那年，续弦的妻子因病去世，他忧伤过度，不久也撒手人寰，身后撇下了两子一女。其中之一就是胡耀邦的父亲胡祖伦。

胡祖伦（1882—1954）在父母俱丧那年只有14岁，妹妹才12岁，弟弟祖怀8岁。族人帮助料理了丧事，然后由叔父胡成槛收养了胡祖伦，妹妹和弟弟由伯父胡成杓抚养。

叔父让胡祖伦继续在学馆读书，同时也干一些田里的农活。虽然有叔父的照拂，胡祖伦却总是摆脱不了作为孤儿的苦寂，加上胡成槛也希望他能早日自立，因此胡祖伦刚到18岁，胡成槛就张罗为他完了婚。

娶进来的是文家市镇五神岭黄花冲村的农家女儿，名叫刘明伦（1882—1967）。父亲刘大晋，以务农为主，兼做花炮。刘明伦也像那个时代的女性一样，自幼就缠了小脚。她淳朴厚道，吃苦耐劳。结婚以后，夫妻两人就回到西岭祖居安家，过着清贫的生活。

在随后的岁月里，他们总共生育了12个孩子，6男6女，但7个都是夭亡，只有三子耀福、四子耀邦和长女石英、三女菊华、五女建中得以成长。胡耀邦在12个子女中排行第九，父母叫他“九伢子”。

胡祖伦失怙之后，归属他名下只有几亩田土，原本就不宽裕，孩子又一个接一个降生，负担越来越重。而且时处清末民初，社会动荡，苛捐杂税名目繁多，加上灾害频仍，单靠种田已难以养家饷口了，胡祖伦不得不干起了挑脚的生计。每天一大早，他挑上箩筐快步赶到10公里外的文家市去，担起五十余公斤的煤，翻过十多公里山冈，到东乡的鸡婆尖、高坪、石湾一带，挣几个血汗钱。直到胡耀邦15岁离家参加革命时，48岁的胡祖伦仍以挑脚为生。胡耀邦晚年回忆父亲时，曾唏嘘地说：“我老爸（有）一根这么长的旱烟枪，他抽烟可厉害呢，他有时穷得用桐子叶当旱烟抽。”“他老人家因长期挑脚，两只肩膀肿起两个好大的茧包哟!”

二 勤勉好学的九伢子

1915年11月20日，刚刚秋收完毕的胡祖伦家，第九个孩子诞生了，是个男孩。

孩子出生后第三天，按照作“三朝”的古老习俗，胡家请族人和邻里吃饭。孩子的堂房三伯父胡祖仪也来了，他是乡里出名的饱学之士，又是私塾先生，颇有声望。胡祖伦请胡祖仪给孩子起个名字。胡氏一代代族人的取名，从先祖建十公起，便按宗法传统，制定了字辈谱，即：云谦甫育，元奇志中；名成祖耀，德厚家行；千年远绍，万代恒昌。胡祖伦下一代是“耀”字辈，所以先头几个男孩的名字都带“耀”字。胡祖仪按照这个规矩，并且寄意这孩子必有大出息，于是引用了《诗经·大雅·文王》篇："周虽旧邦，其命维新。……仪刑文王，万邦作孚"和《易经》里的话："观国之光，利用宾于王"，给这初生的孩子取名耀邦，字国光。

在这贫困而多子女的家庭里，小耀邦幼时的发育不算好。他的个头长得很慢；到了一般孩子都会说话的年龄，他却吐字困难，有些结巴。但他非常聪明，性格活泼。稍稍长大之后，他就常常随父亲和哥哥到山坡拾柴，或者到田里拔草。到收谷收薯时节，他更是奋力又背又扛，仿佛要跟大人比赛。他不贪玩，爱干活，伶俐懂事，所以深受喜爱。

胡氏人家虽然世代以农耕为业，但重文尚教以求知书识礼是他们的家风。胡氏宗族早就设有公益性质的祀田，由族长管理，收入大部分用于本族儿童的教育，成立了泮宫乐育会专司此事。胡耀邦的曾祖父胡名钟所倡立的"种桃书屋"，就由祀田支持，凡是胡氏子弟都可以免费进这个私塾性的学馆接受启蒙教育。1867年（清同治六年），种桃书屋的房舍被一场山洪冲毁，学馆就暂设在胡氏宗祠，仍然是由祀田的专款开支先生的"束脩"和学童的学费。

1920年，胡耀邦年满5岁，胡祖伦送他进种桃书屋"开蒙"。

胡耀邦很有灵气，模仿力强。入学之前，哥哥胡耀福放学回来，背诵课文，他听过几遍，就能跟着背起来。哥哥练习写字，他也拿根树枝蹲在地上照着写。现在入学了，他更是兴高采烈。他家离胡氏宗祠大约半公里，他每天早早就来到学馆，抹桌扫地，然后就摊开书本温习，静静地等着上课。他学习很认真，专心致志，虽然有点口吃，但朗读起课文来却琅琅上口，简单的对子也作得快捷工整。他入学后第一次考试就考了个第一名，使他的老师、堂伯胡祖仪满心欢喜，也顿时使同学们对他另眼相看。

胡祖仪思想开朗，热心公益，注重文教，而又勇于吸纳新思潮。"五四"运动之后，他认为不能再用"四书"、"五经"等陈旧学说教育族中子弟，于是积极创议开办新式学堂。在族中慎重商讨这个创议各个细节过程中，种桃书屋即将结束，新的学堂还没办起来，胡祖仪让儿子胡耀清带着6岁的胡耀邦到长寿村的琢玉私塾去暂读，那里的功课讲得扎实。长寿村距离苍坊村大约五公里，好在有长他好几岁的堂兄照顾，胡耀邦的父母倒也放心。琢玉私塾的课程里有唐宋诗词，这又大大打开了胡耀邦的眼界，他对那些优美的、几近神奇的句子发生了浓厚兴趣。凭着他过人的记忆力，没用多久，就可以背诵许多了。

到1922年，胡祖仪的新式学堂的创议获得通过，名为兴文小学的胡氏族学就此开办起来。这个学校不仅在科目设置和教学方法上不同于私塾，而且还招收女童入学，这在当地是破天荒的。胡祖仪担任了校负责人兼教师，胡耀清和胡耀邦也转回到这个学校来，胡耀清还当上了班长。

胡祖仪很器重胡耀邦，在学业上和品德上都严格要求，常常用高年级的作业让他试做，给他辅导，课余则常常给他讲些杨家将、岳飞、戚继光、谭嗣同等爱国英雄的故事。这使得童年时代的胡耀邦就受到勤奋好学等良好习惯的培养和精忠报国精神的熏陶。

1926年，11岁的胡耀邦在兴文小学读完初小，到文家市里仁学堂去读高小。

文家市在浏阳县东乡，罗霄山脉西麓，紧邻江西，是一个很著名的集镇。里仁学堂就在文家市街上的文庙里。这座文庙兴建于1814年（清嘉庆十九年），后来在这里创办了文华书院，辛亥革命后改为立人（里仁）学校。学校按新式教育的要求，开设了国文、算术、历史、地理、体育、音乐等课程，在国民革命高潮兴起之后，又增设了“三民主义”。校长陈世乔是既有丰富学识、又有革命思想的青年，此时已加入了中国共产党。教师里面的甘思藻、吴千晋、尤清风等也都是共产党员。这是一所充盈着进步色彩的学校。

胡耀邦去镇上读书，这在家里也算一件大事。虽然学费仍由泮宫乐育会供给，但报名费一块银元还要自己交，东借西借总算借到了。母亲也比以前更辛苦了。每天早晨天不亮，她就得给胡耀邦准备红薯丝饭，一半作早餐，一半带去上学。父亲一早就要到文家市去挑煤，胡耀邦就随他一起上路。这一段路坡冈起伏，来回20公里。少年胡耀邦就是这样，日复一日，在这崎岖的路上走着。他在里仁学堂两年，计算下来，里程二万五千余里，恰恰是他在10年后长征走过的里程。这一时期的天天长途步行，确实锻炼了他的脚力，使他一直到晚年还保持健步疾走的习惯。放学时碰上坏天气回不了家，有时他就到离文家市较近的外祖父家或姨母家，在那里住一宿。

里仁学堂的诸多课程，为胡耀邦打开了新的天地。他觉得这里一切都是那么新鲜诱人，强烈的求知欲望使他对各个科目都学得很认真。他勤奋、专心、肯思考，入学不久，在班级里就赢得了好学生的名声，也很快引起了教师们的注意。此时比他大两岁的表兄杨世俊（后来改名杨勇）也在里仁学堂读书。杨世俊的母亲刘世珍同胡耀邦的母亲刘明伦是堂姊妹，是他的姨母。杨世俊性格外向，骁勇好动，一身虎气，而胡耀邦则显得有些斯文。表兄弟两人虽然性格不同，但很合得来。几十年后，已身为中国人民解放军上将的杨勇回忆这段学校生活时说：耀邦是好学生，我是淘气包儿，念书他帮我的忙，打架我帮他的忙。当时正是国共合作时期，共产党员陈世乔、甘思藻等经常在学生里宣讲打倒列强、争取国家独立，农民要组织起来闹翻身，要进行国民运动等道理。杨世俊对这些道理总是接受得很快，而且能够发挥，所以甘思藻秘密发展杨世俊加入了共产主义青年团，后来又成立了共青团支部。甘思藻对年纪尚小的胡耀邦也加意培养，介绍他读《中国青年》上的一些文章，对他讲什么是帝国主义、封建主义，农民如何受剥削等。这些，在少年胡耀邦的心灵里，播撒了阶级意识的种子，唤醒了对革命的朦胧追求。不久，胡耀邦担任了里仁学堂的少年先锋队队长兼宣传组组长。他既热情又主动地参加教唱革命歌曲、宣传破除迷信等工作，有时也走到校外，在墙上涂写大字标语："打倒军阀"、"打倒列强"……

三　迎着星火走去

胡耀邦在里仁学堂读书的头一年，中国大革命运动出现了汹涌澎湃的高潮。

1926年7月9日，国民革命军在广州誓师北伐。其先头部队第四军叶挺独立团等快速向北推进。北伐军于7月中旬打败吴佩孚部队，占领长沙。北伐军的节节胜利，带动了湖南的农民运动蓬勃兴起。与此同时，毛泽东在广州主持的第六届农民运动讲习所的大批湖南籍学员，也纷纷赶回湖南，发动和领导农民运动。一时之间，湖南的广大农村，到处建立农民协会。农民们起来闹减租减息，斗争恶霸地主，摧毁封建剥削和统治，那种空前的农村大革命的局面，正像毛泽东在《湖南农民运动考察报告》中所说："其势如暴风骤雨，迅猛异常"。①

① 《毛泽东选集》第一卷，人民出版社1991年版，第13页。

早已积蓄革命力量的浏阳，此时农民运动也如火如荼地迅猛展开。1924年，经过共产党人潘心源、田波阳、夏明翰等的发动，浏阳县开始建立起党组织，以后两年陆续发展了三百多名党员，许多镇、乡都建立起了党支部；1926年又建立了共产主义青年团组织，不到一年就有二百多团员分布在镇、乡和学校。此时农民协会也普遍兴起。据1926年11月份湖南省各县农民协会会员统计资料，浏阳县有区农民协会21个，乡农民协会586个，会员人数近十四万。乡农民协会数目及会员人数，都居全省59个县的第三位。农民协会领导贫苦农民向封建特权和土豪劣绅展开了猛烈的攻击，“一切权力归农会”的口号响彻浏阳河畔。随着革命斗争的深入，许多镇、乡建立了农民自己的政权组织，甚至农军等武装。

这场农民运动的风暴，也使中和乡沸腾起来，乡民们兴高采烈地推举立场坚定、公道能干的人担任乡农会和各种革命组织的骨干。胡耀邦的父亲胡祖伦担任了乡农会的土地委员，母亲刘明伦担任了乡妇联主任和第八区的妇联主席，哥哥胡耀福担任了共青团支部书记和第八区工会执行委员。胡耀邦的母亲虽然子女众多，家务繁重，生活艰苦，且缠足不利于行，但她深明大义，热心公益事业，教育子女正派做人。担任了妇联领导工作之后，她在发动妇女参加革命斗争、破除歧视妇女的观念、维护妇女的权益等方面，都做了出色的工作，表现了不辞辛苦、沉毅果敢的精神。

无处不在的热火朝天的革命情景，父母、哥哥们投身革命运动的昂扬激情，都使胡耀邦受到深深感染。在不上课的时候，他也同小伙伴们一起出去作宣传，或者组织少年先锋队队员们拿着红缨枪站岗。这一时期，他也常常去五神岭将军庙舅舅那里。舅舅刘元阶粗通文墨，自学医术，能看点小病。他开朗豁达，有些驼背，没有妻室，在五神岭将军庙守庙。胡耀邦自从到里仁学堂读书，就常去看他，帮他做些打扫卫生等杂活。他也很喜欢小外甥胡耀邦，常常给外甥讲些《西游记》、《封神演义》的故事。刘元阶不是共产党员，但一向同情革命，乐于为革命活动做些有益的事情。因此，此时浏阳县第八区十三乡的农军和农民协会，就都把将军庙作为办公地点，很多会议都在这里召开。胡耀邦每次来到这里，也都主动帮助做些事。那些干部们见他机警勤快，往往派他一些工作，如抄写材料、发通知、送信等，他都干得很好，总是受到称赞。

但是轰轰烈烈的国共合作的大革命运动，发生了逆变。1927年4月，蒋介石在上海发动反革命政变，江、浙、赣、皖、闽等省迅即开始了对共产党人和革命群众的血腥屠杀。虽然武汉的汪精卫一时还维持同共产党合作的姿态，但是在湖南的国民党第35军33团团长许克祥调动军队，于5月21日袭击湖南省农民协会及其他革命组织（史称“马日事变”），白色恐怖迅速笼罩省城长沙，土豪劣绅乘势反攻倒算，大革命的成果丧失殆尽。此时，中共湖南临时省委号召各县组织农军，夺回长沙。在省农民协会秘书长柳直荀的组织下，浏阳等县农民集结起了浩浩荡荡的农军，头缠麻布长巾，手持梭镖、火铳，前往参加攻打长沙。然而，由于另外十几个县的农军没有按计划赶到，以致这一支农军成了孤军。许克祥的军队依仗先进的枪炮还击，打退了农军的进攻，并在城郊一带对工农群众展开了疯狂的屠杀。

当7月15日汪精卫在武汉宣布“分共”之后，国共合作的大革命彻底失败。三湘大地顿时乌云翻滚，白色恐怖席卷城乡。重新陷入国民党统治的浏阳，共产党人和革命群众横遭残酷迫害，每日都有农会的骨干被杀。里仁学堂也被查封，校长陈世乔，教师甘思藻、吴千晋、尤清风等远避他乡，后来陈、吴、尤都被国民党捕获，惨遭杀害。噩耗传来，胡耀邦和同学们冒险去老师家中悼念。胡耀邦几乎每天都要听说一些革命者流血牺牲的事件，他心中郁结着越来越多的悲痛和愤恨。

继“八一”南昌起义之后，8月7日，中共中央召开了总结教训、研究对策的紧急会议，即“八七会议”。会议确定了土地革命和武装起义的方针。会议以后，毛泽东作为中央特派员，到湖南发动秋收起义。

经过毛泽东大量的艰苦工作，9月9日，湘赣边界秋收起义爆发。参加秋收起义的主力，除了原北伐军第四集团军第二方面军总指挥部警卫团外，还有浏阳、平江等地的农军，安源煤矿的工人等，共五千余人，统一编为工农革命军第一师，下辖三个团，毛泽东任中共前敌委员会书记，师长为余洒度，卢德铭任总指挥。起义的最初意图是攻取长沙。9月11日，三个团分别从江西修水、铜鼓、安源等地出发，进入湘境，会合平江、浏阳的起义农民，准备向长沙挺进。这时，浏阳的农军在农会组织下，配合起义军占领了浏阳的县城和一些集镇。起义军在醴陵老关、铜鼓白沙的战斗也取得了胜利。但是国民党军队人多势众，武器精良，分路阻击向长沙进军的起义军，部分起义军遭到较大的损失。毛泽东鉴于敌我力量悬殊，14日，在浏阳东乡上坪召开紧急会议，决定改变攻打长沙的计划，下令起义部队到浏阳文家市集中。

9月19日，工农革命军第一师在文家市集中。师部就驻扎在里仁学堂。当天晚上，毛泽东在里仁学堂后栋一间教室里召开了前敌委员会会议，讨论进军方向问题。毛泽东主张放弃攻打长沙的计划，师长余洒度等坚持主张取浏阳、攻长沙，会上发生了激烈的争论。由于总指挥卢德铭支持毛泽东的主张，意见渐趋一致，最后通过了放弃进攻长沙，转向敌人统治力量薄弱的农村、山区，寻求落脚点，以保存实力、再图发展的决定。

9月20日清晨，工农革命军第一师仅存的一千五百余人全体集合在里仁学堂操坪上，毛泽东向大家讲话，宣布中共前敌委员会关于不打长沙转兵向南的决定。他说，中国革命没有枪杆子不行。这次秋收起义，虽然受了挫折，但算不了什么！胜败乃兵家常事。我们的武装斗争刚刚开始，万事开头难，干革命就不要怕困难。我们有千千万万的工人和农民群众的支持，只要我们团结一致，继续勇敢战斗，胜利是一定属于我们的。他还形象地比喻说，我们现在力量很小，好比是一块小石头，蒋介石好比是一口大水缸，总有一天，我们这块小石头，要打破蒋介石那口大水缸。大城市现在不是我们要去的地方，我们要到敌人统治比较薄弱的农村去，发动农民群众，实行土地革命。①

在工农革命军第一师陆续向文家市集结的几天里，文家市集镇又热闹起来。人们忙着欢迎和慰劳部队，街上的商贩也比往日多了许多。里仁学堂已经停课。这几天胡耀邦也从前一阵子的压抑心情中解脱出来，觉得无比兴奋。他是第一次见到这些从外地开来的革命部队。这支部队有的穿着正规的军服，有的还是工人、农民打扮，背着斗笠，穿着草鞋。他们很有纪律，不惊扰百姓。胡耀邦对这支队伍有一种自然的亲近感。他索性晚上不回家了，就住在离镇不远的表兄杨世俊家里，每天同杨世俊和其他一些同学在学校周围转悠，好奇地想看看那些战士都在干什么。这天一早，他和杨世俊听到吹集合号了，他们赶紧跑向学校，但门前有战士站岗，进去不得。他们于是攀上墙头，向里张望。只见战士们一排排肃立，一个个子高高的、瘦

① 《毛泽东年谱》（1893—1949）上卷，第219—220页。

瘦的、长发蓬松的人正在一边挥动着有力的手势一边讲话。他知道这就是这几天人们屡屡谈到的毛泽东了。毛泽东讲的话，他不能完全懂得，但那个小石头打破大水缸的比喻却使他印象至深。

这是中国共产党在革命战略上从进攻大城市转到向农村进军的新起点，少年胡耀邦目睹了这个历史性场面。

9月21日，工农革命军由毛泽东率领，排列整齐地向南走去。他们此行是沿罗霄山脉南下，向江西进军。一些乡民和许多学生娃子随在队伍后面送行，胡耀邦和表兄杨世俊也夹在人群中。陆陆续续有人停下了送行的脚步，胡耀邦和几个同学却执著地继续跟着向前走。直到登上了湖南、江西两省交界的高升岭，已是中午时分，在起义军劝阻下，他们才停了下来。

他们依依不舍地望着这支队伍的背影穿过杂树丛林，渐渐远去。

浏阳又被国民党占领，共产党的活动转入地下。学校还没有复课。这时候胡耀邦更经常地去五神岭将军庙，他知道这里仍是革命者的据点。十三乡地下党组织的领导们也早已知道这个伢子勇敢、机灵、靠得住，便派他组织孩子们暗地里张贴标语，做些宣传方面的工作。于是，他白天躲在舅舅家里帮助写“打倒帝国主义”、“打倒国民党”、“打土豪，分田地”、“实现共产主义”等标语，晚上就领着一些小伙伴出去张贴。他关照大家不要挨拢了，每个人之间要隔开一段，一旦有情况，大家就可以各自跑开。由于他熟悉文家市到五神岭这一带地形，所以标语能遍布四周村镇。对他们的活动，地下党组织领导很满意，常常夸奖，这使得他们越干越欢，每到天黑时分就不约而同来到将军庙领受新任务。这种到处出现的标语引起了国民党方面的注意，他们派人出来侦察。这些夜色中鬼鬼祟祟的人被胡耀邦发现了，他一方面及时向乡地下党组织领导作了报告，要求加派农军出去监视敌情，一面自拟了一条“七十二行早回家，晚上杀了莫怪他”的标语四处张贴，意思是奉劝各行各业的人晚上早早闭门，免受杀身之祸，也以此来警示国民党方面人员晚上要老老实实待在家里。在共产党地下组织还有较强力量的形势下，这个标语在一定程度上起到了震慑敌人的作用。

由于胡耀邦有文化，见识广，主意多，当过少先队队长，所以孩子们都把他当做“总指挥”。每逢假日，孩子们总要打听胡耀邦来将军庙没有，如果来了，他们就聚集到将军庙来，胡耀邦也就分派他们任务，或者带他们唱歌，给他们讲各种有趣的见闻。孩子们受着潜移默化的影响，逐渐萌生了对“革命”的信仰和追求。后来，这些孩子的大多数，如胡里秋、余代炳、余代松、郑家象、黄大谦、甘厚煌、余代桂、孙发渠、邓喜贵等人，有的参加了工农赤卫队，有的正式参加了红军，不少人在激烈战斗中献出了年轻的生命。①

四 踏上革命征程

1929 年春，浏阳县城里开了一所中学——浏阳县立初级中学。校长吴纪猷是老教育家，曾经留学日本。他的不凡的抱负，就是以新思想、新文化培育家乡的子弟。学校设立的课程有国语、英文、代数、物理、化学、历史、地理、美术、音乐、体育等，这在当地是开风气之先的。学校的二十多名教师，大多是受过高等教育、头脑开明的有志青年。在当时的浏阳县城里，

① 余根魁：《小耀邦在舅舅家》，《胡耀邦与家乡浏阳》，第 195 页。

这是唯一的中等学校。它一创办，便以新颖的课程、雄厚的师资和现代的性质，吸引了浏阳和邻县的众多小学毕业生。

1929年夏，胡耀邦高小毕业了。毕业考试时，他的作文写农民的艰辛，考了第一名。这时正值浏阳中学招考100名秋季班新生。胡耀邦同父母商量，要去报考。虽然供一个中学生到县城去读书在经济上有很大困难，而且胡耀邦独自在外住校也有些令人放心不下，但开明的父母还是答应了。于是胡耀邦欢天喜地地前去应考。考试的科目是国语、算术、历史、地理和三民主义。胡耀邦考得很好，发榜的时候，名字赫然列在前十名当中。

胡耀邦考上了中学，不但全家高兴，村民们也都看做是本村的光荣。在高兴的心情稍稍平静之后，父母又为筹措一年几十元光洋的学费和膳宿费忙碌开来。家里的积蓄有限，少不得卖鸡、卖粮，还要借债。姐姐石英为了支持弟弟读书，没日没夜地纺麻，也为他挣了两块银圆。这样，14岁的胡耀邦由哥哥胡耀福背着简单的行李，走了十几公里山路，来到浏阳中学。

少年胡耀邦很知道用功。他读书认真，肯于思考，勇于提问，作业交得快，学习成绩总是名列前茅。他在课余活动中也十分活跃，参加了校鼓乐队，担任鼓手，他还十分喜爱体育运动，担任篮球队队长。没有多长时间，许多老师就都对这个个子不高、但很有悟性的学生产生了深刻的印象。教英语的俞科盈老师看到胡耀邦的英语成绩出众，很惊奇这个来自偏僻的南乡孩子有这样高的天分。教国语的周乃经老师一次让他背诵《滕王阁序》，他一字不差地从头背到尾。胡耀邦终身喜好古典文学，跟这时打下的古汉语知识基础有很大关系。他擅长作文，写得条理清楚，简洁精练。一次，校长吴纪猷从板报学生作文栏里看到他的一篇作文，十分赏识，在全校师生一次集会上给予了表扬。

胡耀邦对这些老师也怀着纯真的感情。三十多年之后，胡耀邦下放湖南省湘潭地委任第一书记，一回到浏阳，就寻访当年的老师和同学，但大多早已谢世，或者下落不明，只有俞科盈老师仍然健在，却也不在浏阳，没有见到。1981 年，终于得到准确讯息，当时已担任中共中央主席的胡耀邦立即给俞老师写了一封信："得悉您玉体犹壮，健饭如常，儿女都已参加工作，不胜欣慰。我没有忘记您，没有忘记小学和初中的几位老师，因为老师那种正直廉洁和诲人不倦的精神曾经给我以巨大的感染力。"后来，他还把俞老师接到北京住了多日。胡耀邦"尊师重道"的精神，使俞老师感动不已。

表兄杨世俊此时也在浏阳中学读书。他们两人都关心时事，喜欢发议论，胡耀邦还时不时在同学中作些鼓动性演说。说来也怪，演说的时候，他就不怎么结巴了。他常常有独到见解，遇有不同观点，他勇于起而争辩和反驳。一次，训育主任何震吾上"三民主义"课时，说道：现在国民革命已经大功告成了，东北三省也易帜了，今后同学们要紧的是努力读书，要安分守己，毕业后为国家做事业，为个人争前途。课后，一些同学议论说何老师讲得很对，胡耀邦却大不以为然。他说，东北三省虽然易了帜，但是日本人的军队还驻在那里，长江里的外国军舰还挂着旗开来开去，咱们湖南的军阀还是换个不停：唐生智打败了，程潜上，现在又来了鲁涤平，将来还不知道谁来做湖南省的新主席。现在列强没有打倒，军阀也没有打倒，天下并没有太平，我们学生要读书也要关心国家大事，古人不是说"国家兴亡，匹夫有责"吗！此时恰好吴校长从这里走过，听了他们的争辩，想不到胡耀邦小小年纪，竟能说出这样一番大道理，越发看重了这个品学兼优的学生。①

1929 年 12 月，胡耀邦回家度寒假。这时候的浏阳农村，革命的力量正重新凝聚。中共湘鄂赣边区特委书记王首道潜来浏阳，恢复和发展党团组织，很快就发展了二千四百多名党员。接着，浏阳县委也恢复了活动，还组织了“浏东游击队”，开展武装斗争。这种日益蓬勃的形势，又一次把胡耀邦吸收到革命组织中来。苍坊村邻近的山村女青年杨贵英当时任中和乡少年共产党（即共青团）书记，对胡耀邦在里仁学堂当少先队队长时的积极表现早有了解。她找到胡耀邦，发展他秘密加入了青年团。杨贵英全家都是革命者。后来杨贵英和她的父母以及两个哥哥都在同国民党的斗争中英勇牺牲，只有大哥杨贵友（即杨建新，新中国成立后曾任林业部办公厅主任）经过长征到达了陕北。

青年团员的光荣称号，激励着胡耀邦更加奋发地工作。他写标语，编儿歌，向周围群众介绍共产党、中国工农红军的活动情况，认认真真尽着团员的责任。

1930 年春节过后，表兄杨世俊经县委介绍，到平江黄金洞红五军随营学校，正式参加了中国工农红军，从此改名杨勇。表兄正式走进革命队伍，这使胡耀邦既羡慕又神往。

开学以后，他又回到学校。

然而此时形势发生了急剧变化。1930 年 4 月，时任红五军军长、驰骋在湘赣边界的彭德怀，在率部攻占了江西万载、铜鼓之后，又进攻浏阳的东门市、文家市。按照中共湘鄂赣边区特委的统一部署，浏阳县委、县苏维埃、赤卫武装在东乡发动了武装暴动。不久，红六军军长黄公略又率领红六军直逼浏阳，

① 杨中美：《胡耀邦传略》，第 13 页。

一度占领了浏阳县城。国民党军四处拉夫，抢掠烧杀，人们已难以安居。浏阳中学一些学生四处避难，一些教师也请假不来，学校已无法继续开课。于是，一部分学生转移到长沙妙高峰中学上学，胡耀邦也一起去了长沙。

在长沙读书不久，长沙形势又骤然紧张。原来当时李立三"左"倾冒险错误在中共中央取得了统治地位，要求红军不断攻打大城市。1930 年 7 月，彭德怀奉命率红三军团攻打长沙，学校又停课。上了不到一年中学的胡耀邦不得不中止学业，辗转回乡，但他已身无分文。走出城去，胡耀邦正巧碰到了从浏阳前来配合攻打长沙的当赤卫队团长的堂叔。堂叔给了胡耀邦两块银圆，让他随着逃难的人群，赶快回了家。

从此，胡耀邦结束了正规的学校生活，踏上了革命工作的道路。

7 月 25 日，彭德怀率红三军团向长沙发动猛攻，突破国民党军一层又一层防御阵地，最后激战于长沙城东阵地，拂晓占领了全城。在随后几天里，成立了湖南省临时苏维埃政府、临时总工会，扩大红军约七八千人，放出了几千名政治犯，长沙城里天翻地覆。然而经过仅仅 11 天，8 月 6 日，红三军团在强敌的反击之下，又退出长沙，转战浏阳。与此同时，毛泽东、朱德率红一军团由江西直驱湖南，准备会合红三军团以扩大胜利。红一军团主力于 8 月 20 日到达文家市，一举打垮了盘踞在这里的国民党湖南省政府主席、第四路军总指挥何键部第三纵队，击毙第三纵队司令兼第 47 旅旅长戴斗垣。"文家市大捷"后，毛泽东、朱德同彭德怀在永和市会合，成立了红一方面军。一时间，平江、浏阳一带苏区分田地、建农会、打土豪，成立各级苏维埃政府，农民革命的烈火又熊熊燃烧起来。

胡耀邦回乡以后，由于能"识文断字"，所以很受器重，不久就当上了乡少年先锋队队长兼儿童团团长，以后又做了团支部书记、团区委委员。乡苏维埃召开大会的时候，乡干部文化水平低，有些事情讲不清，很多时候就让胡耀邦出来说说。由于见识多了，胡耀邦也更喜欢演说了。他演说时事，总是详细具体，鼓动性强，农民群众都很喜欢听。在红一军团攻打文家市时，胡耀邦率领少先队员们成为支援红军的一支活跃力量。他们为红军送饭送水、查路条、送信、写标语，表现得英勇机智，很受红军喜爱。后来，胡耀邦按照青年团的布置，着力做宣传工作。他组织了一个文艺宣传队，找一些会演会唱的孩子，到八区苏维埃所辖乡村去演出宣传。胡耀邦还自己动手，为宣传队编了一个剧本，名叫《打倒柴山虎》。剧情是：一个贫苦农民进山捡柴，回家路上遇见大恶霸柴山虎的走狗，抢夺这个农民的柴担和柴刀，并将他打伤。这时候，恰巧来了一群砍柴人，拔刀相助，将这伙走狗杀伤了。柴山虎得知大怒，纠集反动团总，寻衅报复，烧杀抢劫，逼得农民无路可走，于是纷纷参加了赤卫队。这个剧的反压迫的主题和情节，很打动人。胡耀邦自己也常常登台演出，而且能即兴发挥，经常得到群众的喝彩。

在局势稳定之后，胡耀邦又生出一个想法，就是要让农村贫苦孩子们都能够上学。当时浏阳县苏维埃政府规定，在全县办各种红色学校，免费入学。苏区范围内的学校也都改为红色学校或列宁小学。胡耀邦根据这个精神，想创办一所“少共列宁学校”。当时少先队组织里有两名工作人员，都是胡耀邦的小学同学。胡耀邦同他们商量这个想法，三个人一拍即合。乡苏维埃十分支持他们这个创举，为他们腾房子，找板凳，学校很快开办起来。课程有政治、经济、文化、军训等，教材是县苏维埃政府统一编写的。胡耀邦担任政治和文化课教员，他讲得生动有趣，孩子们很爱听。学校由于办得有特色，因此受到浏阳少共儿童局的表扬。

胡耀邦的姐姐胡石英（人们都称呼她石姑）非常疼爱耀邦这个小弟弟。但石姑是个苦命人。她先是嫁给一个姓刘的，婚后备受虐待，屡遭毒打，几乎被打疯，后来又被一纸休书撵回胡家。她整天忧虑地、默默地干活，独自吞咽着内心的痛苦。她以后再嫁，在一次分娩后死去。胡耀邦也很爱这个姐姐，姐姐的不幸遭遇给了他很大的精神创痛。他更深切感到这个富人压迫穷人、男人压迫女人的世道太不公平，不打倒封建的制度和习俗，大多数人就永远不能翻身。他越发明确地知道了只有跟着共产党闹革命，才能真正改变旧社会。

思想上的日渐成熟，要求革命的积极表现，日益显露的宣传、组织才干，使上级党组织看到这个少年是个优秀之才。1930年10月，胡耀邦被调到第十八区区委做宣传工作。

不久，中共湘东特委派人前来物色年轻干部。起先选中的是当过团支部书记、很有活动能力的二哥胡耀福，耀福也愿意去。但是父母觉得家庭困难，他是主要劳动力，而且又新婚不久，不愿让他离开。于是来人又把视线移向虽然年少，但是有文化、朝气十足的胡耀邦，稍加考察，便选中了他。

奔向更广阔的天地，这正是胡耀邦的愿望。他对同学说：男儿怎能恋守几亩地几间房，要离家出去闯天下。他虽然对亲人十分留恋，但对革命工作的美好向往，使他决计走上革命征途。

1930年11月，刚刚年满15岁的胡耀邦告别了父母兄嫂，迎着初冬的寒风，出发前往江西。他的母亲在哥哥耀福的陪同下为他送行。她一路哭着，不断嘱咐耀邦要学会自己照顾自己。她总不肯停步，一直送到数里外的大桥边。耀邦依依不舍地独自走去，他频频回头，看见母亲瘦小的身影还伫立在那里，直到渐渐隐没在浮动的雾霭中。

从此，胡耀邦掀开了他生命的多彩篇章。

第二章 苏区的磨砺

一 活跃的"红小鬼"

去湘东特委的路，一共走了三天。越过罗霄山脉北段之后，胡耀邦一行来到江西境内，准备从芦溪渡过袁水南去。到了河边，却发现国民党部队已经封锁了渡口，难以通过。他们只好退回来，又选了另外的途径，才辗转到达莲花县花塘村。

关于这一段经历，现在唯一能找到的，只有胡耀邦在一次同基层干部闲谈时对当年情景的回忆。他说："我参加革命工作，还不满十五岁。第一个任务就是随部队冲过敌人的一道封锁线。这里是平原，还有一条河。部队一出发，我就紧跟部队往前冲。穿过封锁线到达安全地带后，宿营号吹响了，大家都烧着大火团团围在火旁烤衣。我查看了一下自己，脚上的鞋袜掉光了，身上的衣服扯破了，全身上下到处都是血迹。由于我年小疲劳过度，全顾不上这些，一坐下就睡着了，直到天亮吹行军号才醒过来，开始随部队进发。”① 但这是发生在什么时间、什么地点，都已经难以考证了。

胡耀邦先是在湘东特委儿童局工作，1931年2月，改任少共湘东南特委技术书记。7月，湘东南特委并入湘赣临时省委，10月，湘赣省委正式成立。胡耀邦来到省委所在地永新，担任湘赣省儿童局书记。湘赣革命根据地是1929年井冈山根据地的红军粉碎了国民党军的“会剿”后建立起来的，此时已扩展到宁冈、莲花、上犹、崇义等十多个县。湘赣省委设在永新县城的天主教堂里，省委书记王首道也是浏阳人，敦厚老成，坚定果断；宣传部部长甘泗淇精明干练，雄姿英发。胡耀邦工作的儿童局，是在县城北门内一座二层小楼的二楼。

来到苏区半年多了，胡耀邦仍然沉浸在无所不有的新鲜感里。从换上统一的灰色制服起，他就为自己已成为一个革命者而欣喜万分。从领导的谈话里，从各种会议上，从接触到的书报上，他已经明确认识到自己的终身任务就是为共产主义事业而奋斗，而当前的任务，就是要打倒新旧军阀，打倒剥削压迫，解放工农大众。这里随处都可以看到马克思的画像，他也好奇地翻过用土纸印刷的马克思著作的小册子，知道了就是这个大胡子的德国人揭示了阶级斗争的规律和指明了社会发展的方向。胡耀邦对共产党也有了更深一层的认识，知道了这个党是要解放全人类的，是有严格的组织纪律的。

从莲花到永新，革命队伍里都一致注视着毛泽东、朱德领导的中国工农红军第一方面军的动向。此时粉碎蒋介石的第二次“围剿”未久，根据地里充满胜利的欢腾。胡耀邦从人们兴致勃勃议论的毛泽东采取的“敌进我退，敌驻我扰，敌疲我打，

① 李挥武：《三日夜谈》，《胡耀邦与家乡》，第85页。

敌退我追”，“大步进退，诱敌深入，集中兵力，各个击破”等战略思想中，也增长了许多军事方面的知识。特别是，1931年9月份传来了日本军队侵略中国东北三省的消息，而蒋介石不加抵抗，却集中兵力进攻苏区，这使胡耀邦更增加了对日本帝国主义和国民党反动派的仇恨，更坚定了只有共产党才能救中国的信心。在这里他眼界大开，仿佛一下子成熟了许多。

省儿童局和少先总队部在同一层楼上。这是一座木质结构小楼，楼下是一个杂货铺，门前挂着儿童局和少先总队部的牌子。少先总队队长叫谭启龙，胡耀邦很快同他熟悉起来。谭启龙是永新当地人，比胡耀邦大一岁，3岁丧父，10岁丧母，是个孤儿，没进过学校。他性情豪爽，乐于助人。两个少年朝夕相处，很快成了好朋友。谭启龙帮助胡耀邦克服独处异乡在语言和生活习惯方面的不适，胡耀邦帮助谭启龙读书认字，学习文化。

少先队是16岁以上青少年的组织，半军事化，队员打黄绑腿，戴红领巾，手持梭镖、大刀，经常操练，必要时配合红军作战。儿童局的工作，是组织16岁以下儿童们的活动，如动员和组织扫盲识字、唱歌跳舞、站岗放哨等。儿童团员也佩戴红领巾，但是比少先队的红领巾小一些。胡耀邦由于在家乡做过儿童工作，同时这里根据地的条件更好些，任务更加明确，因此他得以充分施展才能。他经常到苏区周边各县去，建立儿童组织，开展儿童活动。他的富有鼓动性的演说，一个又一个新鲜的主意，把儿童活动带动得热热闹闹。儿童工作在短期内便有明显起色，使省委领导对他刮目相看。

1931年秋季，在赣南兴国、宁都一带，毛泽东领导中央红军粉碎了蒋介石调动30万兵力所进行的第三次“围剿”。又一次反“围剿”的重大胜利，大大鼓舞了根据地广大军民的斗志，湘赣边区的建设也随之进入鼎盛时期：根据地扩充了，红军壮大了，少先队、儿童团也更加活跃了。在一派喜气洋洋气氛中，1932年5月，湘赣省举行了一次规模盛大的少先队、儿童团的总检阅活动。

经过胡耀邦和谭启龙的紧张筹备，总检阅在永新县沙罗洲举行。那一天，会场上搭起了三个检阅台，王首道等省委领导登台检阅，从瑞金来到这里巡视工作的共青团苏区中央局巡视员、童工出身的冯文彬也参加了检阅。从湘赣苏区20个县选派来的近一万名少先队员和儿童团员们身背大刀、肩扛梭镖，在嘹亮的军乐、口号声中，列队通过检阅台。他们个个生龙活虎、神气十足。检阅过后，又依次进行了集体操表演、政治业务测验和文艺歌舞表演。经过评选，给优胜者发了奖。这次令人们情绪振奋的活动组织得活泼热烈，井井有条。

这是冯文彬第一次见到胡耀邦，这个在场上指挥得很有章法的儿童团负责人立即引起了他的注意。冯文彬在出发前来湘赣省时，共青团苏区中央局书记顾作霖交给了他一个任务：在巡视中挑选几个优秀干部到中央局来工作。因为在“立三路线”期间，共青团和工会的中央和各级领导机构都被合并成各级行动委员会，以准备暴动，党的六届三中全会纠正了“立三路线”，这些组织陆续恢复，亟须补充一些干部。冯文彬带着这个任务，在湘赣省巡视时，每到一地都注意发现所需之才。

冯文彬有意地找胡耀邦多次交谈。他觉得孩子般的胡耀邦言语不多，却很有点见地，思想比较开朗，想问题也开阔。开会时他听胡耀邦的发言，条理清晰，很有内容。他听说胡耀邦正在编《共产主义儿童报》，自己写文章，自己画版面，自己刻蜡版，自己搞发行。他找来报纸翻看，感到编得生动活泼，胡耀邦的文章写得实在，字也秀气。他觉得这是个很有希望的人才，从此对胡耀邦有了深刻印象。

1932年夏，胡耀邦受湘赣省委的派遣，随部队去湘东做扩充红军的宣传工作。前卫连连长潘豹是他的浏阳老乡。这一天，队伍来到湖南醴陵白兔潭。正行进间，胡耀邦发现迎面过来的行人都步履匆匆，惊慌不安，他觉得奇怪，拉住人们一问，才知道是由于红军尖刀班的疏忽，没有发现前来“清剿”湘赣革命根据地的国民党部队正从西头向白兔潭镇开过来，行人说：“队伍有蛮长一溜。”

白兔潭小镇依山傍水，只有一条窄窄的麻石小巷，两军相遇，必有恶战。对方有多少兵力不清楚，万一接上火，红军也许会吃亏。胡耀邦明白情况严重，马上通知了前卫连连长潘豹。

当下，潘豹传令队伍撤出小巷，避开与敌军正面冲突，自己带了一班人迅速跑下河堤，解开一条渔船，拼力撑向对岸。小河只有二三十米宽，对岸是一片开阔地。潘豹和战士们上岸后，就朝着进镇的敌军开火，吸引敌军的火力。当敌军把队伍摆开掉头，要向对岸发起攻击时，红军队伍全部进入了小镇，猛袭敌军后路。这样两面夹击，使敌人以为中了埋伏，赶紧狼狈逃窜了。

战斗很快结束，胡耀邦找到潘豹说：这场战斗真让人捏把汗，你老哥真是艺高人胆大呀！①

这次“扩红”取得了很好的成果，胡耀邦圆满完成了宣传任务。

二　蒙冤“AB团”

正当胡耀邦以一颗赤诚之心，努力从事艰巨的革命事业的

① 卢风五：《胡耀邦与他的老战友》，《中华英烈》1989年第4期。

时候，一场意想不到的灾难落到了他身上，他被指认为“AB团”分子。

“AB团”是1926年国民党右派在江西省党部中的一些极端反动的分子纠合起来的秘密组织，所谓“AB”，就是英文“反布尔什维克”的缩写。“AB团”在大革命时期已经被共产党人和革命群众摧毁。以王明为代表的“左”倾教条主义在中央占据了统治地位以后，在苏区许多地方猛烈地开展“反对取消派”、“肃清AB团”的肃反运动。各地在执行过程中，又层层加码，扩大到大抓“改组派”、“第三党”、“托陈取消派”，以至莫须有的“蝴蝶采花团”之类。只要有一点捕风捉影的因由，就会被定为“AB团”，而且大搞逼供信，大搞株连。一旦罪名确立，就可能被杀害。这样，一大批干部，包括许多领导干部陷入冤案，他们有口难辩，一些人在酷刑下不肯屈招，最后背着“反革命”的罪名被处决。一时之间，革命队伍中相互怀疑，人心惶惶，一片紧张气氛。

湘赣省委肃清“AB团”的斗争开展较晚，同样也错捕错杀了一些好同志。省委书记王首道是个比较实事求是的人，他逐渐察觉了这种做法的严重后果。他虽然要竭力压下这种势头，但肃反机关学苏联“契卡”的做法，自成系统，党委的话可听可不听，因此难以控制。在肃反日益扩大化的情况下，1932年年底，省政治保卫局根据逼供信中有人的乱供，把胡耀邦和谭启龙也列入“AB团”的名单。

名单提交省委常委会讨论，意见分歧。有的委员认为，根据揭发人的供词，胡耀邦的一个老师就是“AB团”，已经被处决了。胡耀邦受这个老师影响很大，能不是“AB团”吗？有的委员提出了异议，说胡耀邦只是个17岁的娃娃，而且来苏区后一直表现非常好，这件事要慎重。王首道处境两难，不好下决心。恰好共青团苏区中央局巡视员冯文彬在回中央苏区前列席了这次会议。他本来已选定了胡耀邦、谭启龙、宋新怀三个人，要带回中央苏区去工作。现在听说他经过多番考察、印象极好的少年竟然是“AB团”分子，他无论如何难以置信。他有心对胡耀邦和谭启龙加以保护，就说，既然大家意见不一致，胡耀邦和谭启龙又都属于团中央系统的干部，我就把他们带到团中央去审查吧。大家同意了冯文彬的意见。

1933年元旦过后，冯文彬带着胡耀邦和谭启龙，通过国民党军的封锁线，来到中央苏区驻地瑞金。

冯文彬向共青团苏区中央局书记顾作霖作了汇报。顾作霖是六届四中全会以后，同任弼时、王稼祥一同被派到中央苏区来的重要干部。他按组织系统，把胡耀邦和谭启龙交给了少年先锋队中央总队部总队长张爱萍，对他说：交给你两个“AB团”嫌疑分子，是从湘赣省转过来的。对他们要认真审查，既不能冤枉好人，也不能漏掉坏人。

张爱萍本人不久前也曾被怀疑是“AB团”在共青团中央局的负责人，幸亏有顾作霖和中共苏区中央局副书记兼组织部部长任弼时的力保，才得免厄运。因此，他早已对这种随便怀疑人、审查人和乱整人的做法极其反感。此刻一看转来的是两个尚有几分稚气的娃娃，张爱萍就先有几分疑惑。他分别找他们详细询问了出身、经历、爱好和特长，就越发不相信他们是“AB团”。他向顾作霖汇报说，谭启龙是苦出身，胡耀邦是在大革命风暴秋收起义影响下投身革命的，都是很优秀的干部呀。张爱萍和顾作霖商量后，决定解除对胡、谭的审查，分配工作：谭启龙担任少先总队巡视员；当时张爱萍兼任反帝拥苏总同盟的青年部部长，就留胡耀邦在青年部当干事。

其时，湘赣省委已被中央派去的执行王明路线的人所把持。

他们指责湘赣省委有“平（江）浏（阳）地域观念”，撤销了省委书记王首道的职务，变本加厉地进行“肃反”，甚至将湘赣苏区苏维埃主席袁德生、省委常委刘德凡等人，也都作为反革命分子而秘密杀害。他们查到了胡耀邦、谭启龙一案，认为谭启龙是孤儿，可以不再审查，胡耀邦是知识分子，政治思想和社会背景肯定复杂，况且他又有“AB团”的老师，于是派人前往瑞金，要把胡耀邦带回来重新处理。

顾作霖、张爱萍、冯文彬都不同意这样做，但是心里也没有底，只得暂时停止胡耀邦的工作，把他隔离在一间小屋子里。

胡耀邦觉得非常委屈，也非常恐惧。他知道“AB团”的罪名如果定下来，那就一切都完了。他觉得不能这样“坐以待毙”，一定要找组织陈述冤屈。他独坐在空荡的小屋里，愁苦地等待着……

一天傍晚，趁来人开门送饭，他不顾一切地冲出去，径直跑到顾作霖的住处。一进门，他就扑在顾作霖的面前，呜咽地哭着说：顾书记，我不是“AB团”呀！顾作霖安慰他说：是不是“AB团”，会弄清楚的，你别急，先回到那屋里去好好等着。

不久，顾作霖就亲自来找他。那是一个晚上，月光皎洁，他们慢慢向村边走着。

“说实话，你究竟参加过‘AB团’没有？”顾作霖慈爱地看着他，问道。

“什么‘AB团’，我是共产主义儿童团嘛。”

胡耀邦动情地讲述了他出生贫苦之家，读过一年初中，15岁就出来参加革命，加入了共青团，后来又到湘赣省委做少年儿童工作等。顾作霖很专注地听着胡耀邦的倾诉，不时提出一些问题。他们谈了很久，直到深夜。

顾作霖把同胡耀邦的这次长谈说给张爱萍听。张爱萍说，胡耀邦当青年部干事这一段的表现非常好，聪明活泼，热情能干，虚心好学，还颇有文采，遇事喜欢寻根问底，小小年纪就有为共产主义奋斗终生的强烈愿望和坚强决心，干起工作又是个拼命三郎。他说，从籍贯、年龄到工作经历，特别是现实表现，都足以证明胡耀邦不但不是“AB团”，还是很好的革命同志。顾作霖也说，耀邦确实是个很有培养前途的好干部。

但碍于湘赣省委等着带人，对胡耀邦还不能解除审查。

几天后，顾作霖告诉张爱萍、冯文彬：中央准备派任弼时去湘赣任省委书记，耀邦的事等弼时同志去了再说。但现在不能让湘赣省委的人把他带走，不然太危险了。

随后，顾作霖命令解除了对胡耀邦的隔离，还嘱咐冯文彬多跟胡耀邦谈谈，对他多加关心和照顾。

几十年后，冯文彬回忆这一段往事说：我鼓励耀邦要相信党，耐心等待，有话就找领导和同志谈，不要闷在心里。不久，我被派去福建工作，耀邦眼泪汪汪地来送我，一边走一边说：你走了，我怎么办？我安慰他：组织上会作出正确结论的，不要急，更不要想不开。他一直送我到村外的桥头，我骑上马走了一阵，回过头来看他还站在那里目送着我。

后来，在顾作霖主持下，终于给胡耀邦作了实事求是的结论，冤案得以解除。

这一段遭遇，在胡耀邦可以说是刻骨铭心的，在以后的数十年间，他屡屡提到这件事：在谈到党必须爱护干部、必须有实事求是的作风时，他以此为例；在谈到干部要经得住误解、委屈、考验时，也以此为例；特别是，他始终怀着深深的感激之情，追忆当年保护过他、救助过他的那些老领导、老战友。1988年3月，已辞去中共中央总书记职务的胡耀邦生病住在三〇五医院，谭启龙来北京参加十三届二中全会，去医院看他。谭启龙在“文化大革命”前后先后做过中共浙江、山东、福建、青海、四川省委书记，退下来后落户济南。两个少年时结交的老战友，如今都已年过古稀，多年未见，此刻相逢自是高兴万分。他们说这说那，很自然地说到“AB 团”的那段故事，两人一起回忆当年种种细节，不胜感喟，都庆幸碰到了三个好领导：一个是冯文彬、一个是顾作霖、一个是张爱萍。胡耀邦惋惜地说：“可惜顾作霖同志在第五次反‘围剿’的战斗中牺牲了，不然这个同志是很有发展前途的。”① 胡耀邦逝世后，他的长子胡德平在整理遗物时，发现一首胡耀邦写给谭启龙的诗：

> 年逾古稀能几逢？逆交难忘六十春。
> 蒙冤 AB 双脱险，战处南北俱幸存。
> 牛棚寒暑相忆苦，开拓岁月倍感亲。
> 遥祝康复更添寿，寿到雏声胜老声。

这首诗写于 1988 年 9 月，胡耀邦从烟台休养“回京路过济南，拟访问老战友谭启龙，始悉因病去沪治疗，怅然若失，书此相寄”，但不知为什么没有寄出去。诗中的“蒙冤 AB 双脱险”，就是说的上述这段经历。1989 年 4 月，就在胡耀邦去世前几天，冯文彬到医院去看他，他还深情地说：当年如果不是你把我带出来，我就完了；如果把我送回去，我也完了。冯文彬后来说：不难看出，耀邦同志坚持实事求是，坚决平反一切冤假错案、包括历史上的一切重大错案，是深刻总结了我们党的

① 实际上，顾作霖于 1934 年 5 月 1 日深夜因肺结核症病情恶化被送入红军医院治疗，经抢救无效在 5 月 28 日于瑞金逝世。

历史经验教训的。

三 渐露头角

1933年8月，胡耀邦担任中央苏区反帝拥苏总同盟青年部部长，以后又兼任宣传部部长。反帝拥苏总同盟是一个群众团体，1933年6月召开第一次代表大会，周恩来和项英都曾到会讲话。总同盟在瑞金、湘赣、福建、江西等地都有省盟。同盟的主要工作对象是红军战士和广大青少年、儿童，宣传和动员他们反对日本帝国主义对中国的侵略，反对蒋介石对苏区的进攻，拥护苏联。胡耀邦一面做扩大红军、拥护红军的宣传工作，一面继续做扩展儿童团组织、对少年儿童进行政治思想和文化教育方面的工作。

1933年9月，胡耀邦写有一篇题为《共产青年团领导之下的苏区共产儿童团三个月来的活跃情形》的文章。文中写道：

> 苏区共产儿童团在共产主义青年团领导之下，继续着红五月的工作热情，进行“八一”与国际青年节运动中两件工作，在工作中收到很大的成绩，这使苏区的共产儿童运动更加开展起来。

文中说：

> 拥护红军方面：在创造少共国际师，工人们、少先队员们以很大的力量帮助动员，如组织宣传队、组织突击队、帮助新战士家属秋收砍柴、组织调查队、督促逃兵归队等。

特别是在长汀、兴国、万泰、博生①、瑞金、永丰，有许多儿童团员能够一人鼓动七八名甚至十多名青年去当红军，因此在扩大红军上、归队上，儿童团做了四千以上的数目。

拥护苏维埃方面：六月间，宣传队里和群众节省粮食，借谷运动，在七、八两月中参加查田……查出隐藏地主、富农十余家，搜出许多隐藏的金银首饰，在参加赤色戒严方面也表现了他们的勇敢精神。

发展一倍组织的回答：中央儿童局“九三”指示的两件工作中的一件是发展组织一倍。这一工作，许多少先队员是给了光荣的回答，如宁化三个月发展了五千名，……他们不但完成了一倍数目，而且还超过了许多。但总的方面来说，还只完成了七分之一。这是由于许多地方对这一工作很疏忽，没有将它深入到下层儿童群众中去执行。

这时候，他已能以全局的眼光，观察和总结诸多方面的工作，并且提出指导性的意见。

1933年9月，未满十八岁的胡耀邦由青年团员转为共产党员。

1934年初春，他接替张爱萍的工作，任少共中央局秘书长。

少共是共产主义青年团在当时的称谓。少共中央局就是共产主义青年团中央局。1933年春，在上海处于地下状态的中共中央机关，由于叛徒的出卖遭到严重破坏，已不能存身，于是先后转移到中央苏区。少共中央局也于稍晚些时候来到瑞金，与共青团苏区中央局合成一个机构。少共中央局驻地是下肖区

① 博生：即博生县。为了纪念牺牲的红五军团副总指挥、宁都起义领导人赵博生，中华苏维埃共和国中央政府决定将宁都县改称博生县。

上场屋，离中共中央局驻地很近。这里聚集了一批十分精干的年轻人。凯丰（何克全）任少共中央局书记，刘英任组织和宣传部部长，陈丕显为中央儿童局书记，谭启龙、赖大超也都是少共中央局的干部。

很快，胡耀邦同年龄相仿的“红小鬼”陈丕显、赖大超也建立了友谊。这群年轻人当时过的是半军事化生活，十分艰苦，每天只吃两餐，每餐只有三两蒲苞米饭，缺油缺盐，顿顿清水南瓜，但他们充满乐观精神，朝气十足。他们都爱唱山歌，一有机会就唱起来，赖大超唱得最好，胡耀邦也唱得不错。他们打山歌、斗山歌，总是引来阵阵喝彩，众声应和。后来成为张闻天夫人的刘英像大姐姐一样照拂他们，集体里一片欢乐。

在担任秘书长后，胡耀邦除了要帮助领导抓全面工作，还要管机关事务。尽管工作繁忙，他还是要参加各项实际工作，并且争取多到下面去作调查研究。当时的许多突击性活动，如“义务星期六”、“突击周”等，胡耀邦都是积极组织者和参与者。扩大红军是当时各地的中心任务，胡耀邦更是经常去作鼓动演说，直至个别动员。他还常常跨过武夷山，到闽西根据地一些县份去巡视，广泛了解实际问题。一次，他在调查中发现不少家庭甚至学校用打骂的方法“教育”孩子，童养媳现象也十分严重。他向少共中央作了反映，同时协同教育部门指示进行纠正，并且在《红色中华》、《青年实话》、《时刻准备着》等报刊发表了报道、评论，推动问题的解决。他还常常同机关团员一起，到驻地附近的群众中去访贫问苦，帮助解决一些实际困难，同周围群众关系十分融洽。

胡耀邦来少共中央工作不久，就兼任儿童局刊物《时刻准备着》的主编。在《时刻准备着》创刊号上，他写了一首诗歌：“你们是贫苦工农的弟妹，我们是从小做工的苦姐哥，我们都是皮安尼尔（儿童团员），我们要时刻准备着！……先努力把这些怪物打掉，再携手向鲜红的苏维埃乐园走！……”像在湘赣省编儿童刊物时的情形一样，他既要组稿、审稿、定稿，又要编排版面，还要校对、发行。版面有空白的时候，他就编一些有趣味的补白。这个刊物由于言之有物，能提出问题，编得丰富多样，所以很得好评。

在少共中央机关，阅读的条件较好些，一向勤奋好学的胡耀邦益发如饥似渴地读书、读报，努力提高革命觉悟和追求新鲜知识。机关里所有的书报，他都一一拿来读过。时时有从国统区运进来的书报，他亦是带着很大的兴趣和好奇，恨不得一口气读完。有时读得兴浓，几乎就是废寝忘食。他和同样酷爱读书的少共中央机关刊物《青年实话》主编魏挺群，就总是一边吃饭一边看书、看报，这成了机关一景。在这里，胡耀邦接触了更多的马克思列宁主义著作，有的尽管读不太懂，他也坚持不懈地读下去，对其中精辟的地方，尽量背熟记住。一次，他同赖大超一起读20世纪20年代翻译的恩格斯的《德国农民战争》，看到扉页上所引的德国农民领袖汤玛斯·闵采尔的话："亲爱的诸君，我主上帝将握着铁杖，敲击这些家伙！当我说这些话时，我是被认为暴徒了，就是这样吧。"觉得精彩极了，便都抄在笔记本上，胡耀邦很快背熟，甚至数十年后还能够完整地引述。他们也一起阅读当时能够找到的一切中外文学名著。胡耀邦即使出差，也要带上一些书刊。他的好学精神，当时就被许多人所看重。

来到中央机关这一年，胡耀邦进步很快，成绩突出。当时在王明“左”倾教条主义影响下，一些人讲话、写文章空话连篇，“八股气”十足，但胡耀邦在工作中起草的文件、发表的意见多是言之有物，持之有据，且多新见解，显得很不一般。因此，当时中共中央宣传部部长、主管青年团工作的张闻天和主管组织工作的李维汉以及少共中央领导人都很喜欢这个年轻人，把他作为优秀干部培养和使用。

四 告别红都

然而中央苏区的形势，已经愈来愈险恶。

蒋介石在连续四次“围剿”被挫败之后，1933 年 10 月，调集百万大军，在中央苏区外围修筑了数千个碉堡，在大炮和飞机的配合下，步步为营，节节推进，逐步合围，又开始了第五次“围剿”。

在此之前，在上海的中共临时中央负责人博古（秦邦宪）转移到了中央苏区，直接领导中央苏区的工作。博古是王明路线的坚定执行者。1931 年中共六届四中全会后，以王明为主要代表的教条主义在中共中央取得统治地位，推行一条极左的路线。他们以“游击主义”和“富农路线”等罪名，撤销了毛泽东在中央苏区党的领导职务和在红军中的领导职务，迫使毛泽东离开红军，专做中华苏维埃政府工作。

1933 年 9 月，共产国际派遣的“军事顾问”、德国人李德来到中央苏区。李德曾参加过第一次世界大战，后来在苏联伏龙芝军事学院接受了战略战术方面的训练。他的朋友说他是一个“僵硬而又迂腐”的人。他把在国外打阵地战和街垒战的经验带到中国来，并为此而自命不凡。

李德“高深”的战争理论使不谙军事的博古等人大为折服。李德说，游击战争的黄金时代已经过去了，现在红军应该站稳脚跟，开展常规战争，不能放弃一寸土地。在前四次反“围剿”

中已被证明是正确的毛泽东的游击战、运动战的战略战术原则，被彻底否定。李德虽然名义上是“顾问”，但博古已经把反“围剿”战争的指挥大权都拱手交给了他。

广大红军指战员和干部们还在奋力保卫这块红色根据地。在战局紧急时刻，少共中央根据中国工农红军总政治部的提议，正式建立了“少共国际师”。全师由一万多名青年组成，共青团员占百分之七十以上。当时19岁的萧华被任命为“少共国际师”的政委。一批共青团干部也转入了战斗部队，张爱萍就在其中。萧华和张爱萍在新中国成立后都被授予上将军衔。

胡耀邦仍然从事政治工作。当时少共中央局和少共先锋队总队部联合发起动员少先队员参战和扩大赤卫队组织的运动，胡耀邦的全部工作都围绕着“扩红”、征粮和支前展开。胡耀邦和同事们到各村去，宣传关于参加红军的种种优待政策，诸如军属在家的土地有人代耕；在商店买东西可以享受百分之五的折扣，有时还免征税收；给军属送慰问品，包括最稀罕的盐、火柴、大米等。他们还动员农家妇女为红军编草鞋，动员少年儿童们加紧站岗放哨，严防奸细混入。到“义务星期六”的日子，要去给红军家属种地或做家务。胡耀邦回到机关里还要写文章，编刊物，印制宣传品。这是一段异常紧张、繁忙的日子。

前方的战事越来越不利。博古、李德把红军几个主力军团调来调去，采取死打硬拼的战术，大大消耗了红军的力量。黎川的失守，已经是不祥之兆。1934年春，蒋介石军队又直扑中央苏区北面的门户广昌。敌人动用七个师的兵力，炮兵轰击，装甲车、坦克车开路，三四十架飞机配合，向前推进。在这种局面下，博古等人还高谈阔论，说第五次反“围剿”即是争取中国革命完全胜利的斗争。博古和李德不愿意红军像前四次粉碎“围剿”那样大踏步前进、大踏步后退，实行机动作战，而提出“以碉堡对碉堡”，“短促突击”，死守每寸“国土”，“御敌于国门之外”。红军虽然作战英勇，然而构筑的土碉堡难以抵御敌人的坦克、大炮，红军的劣势武器和装备在阵地战上也难以攻破敌人的钢筋水泥碉堡。经过18天的浴血苦战，红军付出了重大的伤亡代价，广昌还是失守。国民党军队推进到中央根据地腹地，中央苏区岌岌可危。

1934年10月，中共中央机关和中央红军不得不退出中央根据地，开始了二万五千里长征。

撤退之前，刘英还在于都忙着“扩红”。一天，毛泽东带着一名警卫员来到于都的共青团分部，他要刘英马上赶回瑞金，去接受一项非常特殊的任务。刘英回去后便去找少共中央书记凯丰，但他已经走了，他留给刘英一封信，说他已经编入战斗部队，上级指示，以后少共的事情就由刘英负责。

那些天里，前方失利的消息接连传来，敌人的飞机经常到瑞金盘旋，中央机关忙碌异常，人们都感觉到要有“大动作”了。

终于有一天，组织部门发出了“转移”安排：少共中央机关干部刘英、胡耀邦、赖大超等都“转移”。此前已调任闽赣苏区团委书记的陈丕显、湘鄂赣苏区少先队总队长的谭启龙等留下不走。

胡耀邦只得结束工作，清理和销毁文件，打点行装，准备出发。

先后在湘赣省和中央苏区工作的这4年，是胡耀邦从一个只有初步革命要求的少年成长为自觉的革命者的4年，是他增长知识和才干最快的4年。这4年来的磨砺，给了他一副坚强的体魄，去迎接未来的一切考验。

第三章 不怕远征难

一 带病行军

深秋的赣南大地，已经初显凉意。浑茫的暮霭在山峦间腾起，归鸟在林梢间鸣叫着盘旋。这是1934年10月16日黄昏时分。长庚星已出现在西方天际，闪烁着俯视人间。于都东门外的于都河边，正拥挤着大批红军战士和党政干部等待过河。中共中央和中央红军主力部队就要撤离经营了六七年的红都瑞金，撤离中央根据地，向西作战略转移了。

中央各系统组成两个纵队：中革军委、红军总司令部和总政治部以及直属队组成第一野战纵队（简称军委纵队），叶剑英任司令员，代号“红星”；中共中央机关、中华苏维埃共和国中央政府机关和军委后勤部门，工会、共青团等单位组成第二野战纵队（简称中央纵队），李维汉任司令员，邓发任政委，代号“红章”。两个纵队居中而行。由林彪、聂荣臻率领的第一军团为左锋，其后为罗炳辉率领的第九军团；彭德怀、杨尚昆率领的第三军团为右锋，其后是第八军团。这4个军团在两翼护卫。董振堂、李卓然率领的第五军团殿后。

胡耀邦被编在中央纵队的“中央工作团”里，在总政治部做民运工作，并担任共青团组织的思想政治工作。

1934年10月10日，胡耀邦从瑞金出发，经过两天的行军，随队来到于都河边。他同那些年轻干部一样，背着由一条毛毯、几件衣服打成的简单背包，带着一袋干粮和5公斤米，肩上的挎包里装着几本书和笔记本，腰带上挂着搪瓷饭碗，筷子别在绑腿里。他无语地伫立着，神色凝重地注视着前面的部队缓缓移动。

于都河并不宽，又是枯水季节，水流平缓。除原有的一座木桥外，工兵又架设了几座浮桥。但由于桥面狭窄，等待过桥的人员和辎重过多，所以通过得十分缓慢。

众多的“老俵”赶到河畔来为红军送行。出发的队伍里有他们的子弟，也有已与他们结下深深情谊的干部和战士。一些安置在老乡家里的伤病员也来了，他们被留下来坚持敌后斗争。天渐渐黑了，老乡们举着火把和灯笼，一面把带来的辣椒、干菜、鸡蛋等塞到战士手里，一面沉重地重复着一句话：“你们可要早些回来啊。”

中央纵队出发了，排成一路队列，一个紧跟一个。谁也不说话，只听得桥上的脚步声，武器碰撞声。胡耀邦渡过河去，已是后半夜了。他回过头去远望河对岸，灯笼、火把仍然亮着，照得周围一片通红，可以看到后面队伍的憧憧人影。

队伍先是向西南行，准备绕过赣州后，再西折进入湖南。

为了躲避敌人飞机的袭击，开头总是夜间行军，白天休息。那时正是农历九月上旬，夜间的山林里幽深昏暗，路径难辨。

于是大家在肩上或背包上拴上白布条，以便后面的人能够跟上。后来就用松枝和竹批扎起了火把，以后火把越来越多，远远望去，这些火把随着崎岖的山路隐现起伏，像一条蜿蜒游动的火龙。到破晓，人们便隐蔽在山坳里、树丛间休息。

胡耀邦所属的中央纵队有一支后勤部队，负责转移各种器材和用具，一些精壮的战士和大批民夫抬着印刷机，制造枪支弹药的车床、铣床，印钞机，X光机，以至办公桌椅、文件档案、大批的纸张文具及印刷品等。那些机器庞大而沉重，在往往只容一人通过的山径上，艰难地向前挪动。中央纵队又有一些年纪大的领导干部和三十多名妇女（包括孕妇）需要照顾。这样，中央纵队只能是缓缓地前行，每天只能走十几公里。

胡耀邦跟着队伍，就这样走着。这样的行军不算疲劳，也不怎么紧张，人们万没想到不久就将有那样严酷的惊险和苦难，所以也没有多少政治工作要做。只是休息下来的时候，如果周围没有敌情，连队之间就会互相拉歌。这也是红军的一个传统。这时候，胡耀邦就要站出来，指挥大家唱个《红军歌》，再不就自己来一首高亢的兴国民歌。

夜里行军，白天休息。行军，行军……

但不久，胡耀邦染上了疟疾。

持续的一阵高烧又一阵冷得发抖，折磨得他浑身绵软，已无法走路。领导派了担架来。虽然好强的他不愿为大家增加麻烦，但大家还是不容分说地把他抬了上去。

他躺在担架里，忍受着疟原虫的折磨。好在前面就是贺诚领导的野战医院，医生时时过来照拂。由于过去营养太差，身体虚弱，这次又大大耗损了体力，以致这场病缠缠绵绵总不见好。

二　险过封锁线

五天之后，部队来到敌人设立在赣南的封锁线，这一带是由广东军阀的军队扼守，从安西到赣州、南康共部署了三个师两个旅的兵力。红军突围第一仗首先在信丰与安远间打响。这里重要路口及山上都有砖石筑成的各种碉堡。10月21日、22日经过两天激战，敌人抛下大量武器弹药、军用品、食物等，落荒而逃。在追击途中，红军俘敌三百多人，比较顺利地通过了敌人的第一道封锁线。

中央纵队在各军团护卫下，从这里西折，沿江西、广东边境运动，在五岭崇山中穿行，指向湖南。刚刚进入湖南境内，就碰到第二道封锁线。

第二道封锁线设在湖南桂东、汝城至广东城口一线山上。碉堡和碉堡之间，沟壕相通，火力相连。然而这一线守军，保安队居多。蒋介石虽然正急急调动军队堵截，但一时部署不起来。红军只用两个营的兵力，就从城口突破，生俘敌人一百多人。这样，几乎没有经过严重的战斗，红军就通过了第二道封锁线。

在通过第二道封锁线时，胡耀邦的疟疾已经止住，他坚决不再坐担架。而且部队已进入战斗状态，思想政治工作和宣传鼓动的任务也日益繁重起来。

前面第三道封锁线设在粤汉铁路南段郴州良田到宜章之间，这里有铁路和公路，敌人调兵十分方便。沿线有大量用修铁路的水泥、器材修筑的碉堡。此时蒋介石已经判明红军主力是在突围，已调动嫡系部队从福建、江西追赶上来。这里的形势，比前两道封锁线要严峻得多。因此，必须赶在敌人集结之前占领阵地，以争取主动。

一军团在左翼抢占了险峻的九峰山，三军团在右翼先后攻占了良田、宜章等城镇，两个军团密切配合，经过苦战将敌人打退，从南、北两个方面，掩护着中央纵队从九峰山和五指峰之间通过了封锁线。

这里是湘粤边界的一条荒谷，胡耀邦跟随中央纵队在夜间从这里通过。这里没有村庄，看不到一户人家，遍地是茅草、碎石。两侧高山苍黑如墨，天空乌云翻滚。忽然又下起瓢泼大雨，谷底狂暴的秋风挟着雨水，打得人睁不开眼。雨很快停了，深山老林里格外阴冷，冻得人们打颤。越过长长的荒谷之后，前面又攀一座大王山，山上在不停地下雨。身体刚刚有些起色的胡耀邦，经过寒雨的反复淋浇，又发起烧来。

但胡耀邦支撑着。红军打下宜章县城之后，没收地主豪绅的财物，召开群众大会，动员贫苦农民和修路工人参加红军，宣传共产党的政策，政工人员们有大量工作要做。一旦忙碌起来，胡耀邦就忘了病痛。

部队继续沿五岭山脉西行。由于军情紧急，中央纵队不分晴雨，不分昼夜，连续急行军。然而由于辎重过多，爬山越岭极端困难，还是走不快。

此时蒋介石嫡系薛岳、周浑元几个师已经尾追上来，湖南军阀何键的部队和广西军阀的部队也从两边夹击过来。被蒋介石任命为“追剿军”总司令的何键下令以15个师的兵力分五路对红军围追堵截。一段时间里较少出现的敌人飞机，也成队地在空中盘旋。

特别是西边横着两条大江：在东的是潇水，在西的是湘江。

敌人的计划是要在道县附近的潇水之滨围歼红军。但英勇善战的红军部队以日行50公里的速度，抢占了道县，阻击了南下的敌军，掩护中央纵队渡过了潇水。

本来，此时可以乘势急进，抢渡湘江。但是博古、李德等人仍然让人抬着那些笨重的机器，按常规行军，每天只走二十多公里，足足走了四天，才到达湘江附近，以致贻误了时机。

而敌人却争取了时间，调集了25个师，从四面八方包围过来。他们在广西全州、灌阳、兴安之间修筑了大量碉堡，建立了第四道封锁线，计划在湘江之滨将红军消灭。

11月底，当部队接近湘江的时候，敌人的数十万大军渐次逼拢过来。已慌了神的博古、李德等只是命令部队硬打硬拼，被动招架。在各个阵地上，英勇的红军同敌人进行着殊死的搏杀。战士们喊着"一切为了苏维埃新中国"的口号，一次次向敌人冲去。12月1日，战斗越发激烈。在方圆十多公里的战场上，在茂密的松林间，展开了浴血苦战。敌人大炮轰击，飞机滥炸，红军战士毫不退缩，凭着刺刀顶住了气势汹汹的敌人。

中午时分，中央纵队渡过了湘江。

湘江之战，红军付出了惨重代价。中央红军和中央机关人员从中央根据地出发时共八万六千余人，此时只剩了不足四万人。殿后的红五军团第34师、红三军团第18团都没能渡过江去。湘江之滨，许多红军忠骨长埋，红三军团两个团的团级领导干部全部牺牲或负伤，营、连干部所剩无几；被打散的队伍后来转到湘南打游击去了；许多民夫也跑掉了。

湘江一战的失利，众多战友的牺牲，引起人们强烈的悲痛和不安，一时间议论纷纷："博古、李德会打仗吗？""为什么四次反'围剿'净打胜仗，他们一上台就净打败仗？""我们到底要走到哪里去？"……胡耀邦感到，这时的思想工作十分难做，大家提出的问题他难以回答，况且他自己同样有这些迷惑。他听说少共国际师的战友在这一战役中也损失大半，感到一种前所未有的沉痛。虽然过了江，但谁也高兴不起来，整个气氛无比沉闷。

从一开始，博古等的意图就是要去湘西同贺龙、任弼时率领的红二军团和萧克、王震率领的红六军团会合。这个计划，直到当时还在对中、下层人员严格保密。然而蒋介石已经窥知了这个动向。他调集了20万大军部署在湘西，也是设了四道防线，等着红军一到便聚而歼之。博古等判断不出这里已杀机四伏，仍然要按原先的设想，将队伍开往湘西。

头脑清醒的毛泽东却看到了中央红军已不宜去湘西。到达湖南通道以后，毛泽东建议召开中共中央负责人紧急会议，重新审定前进方向。毛泽东力主放弃同红二、六军团会合的计划，以免投入敌人罗网。他提议西进国民党统治势力较薄弱的贵州，在那里创建根据地。博古已被湘江惨败弄得六神无主，李德却粗暴拒绝了毛泽东的建议，执意要去湘西。

12月18日，在贵州黎平召开中央政治局会议，再次讨论行动方针问题。经过毛泽东的充分陈述和努力说服，大部分领导人同意了毛泽东的不去湘西而西进贵州的主张，作出了关于在川黔边建立根据地的决议，预定以黔北重镇遵义为新根据地的中心。

随后中革军委就发出指示，要各级政工人员向部队说明黎平会议精神，并且“在我们内部，坚决反对对自己力量估计不足的悲观失望和正在增长着的游击主义危险”。胡耀邦按照指示的要求，抓紧做着说服和解释工作，同时关照：现在进入了苗族、侗族地区，要执行民族政策，尊重少数民族的风俗习惯，买卖要公平，执行三大纪律、八项注意。

部队取道黔东南，进军遵义。此前抢渡湘江时，一路抬来的机器、辎重等扔到了江里不少，部队得以轻装。从黎平北进，虽然一路上还是绵延的山脉和河流，但都不算险峻。特别是中途改道，把国民党大军甩在了湘西，而贵州国民党兵人人吸食鸦片，战斗力差，防守空虚，因此已无须夜间行军，行军的速度也加快了。

一路西进，每逢占领城镇，红军就没收地主土豪的财产，其中的粮食一部分留做军用，一部分分给贫苦群众。贵州有道是“天无三日晴，地无三里平，人无三分银”，人民普遍贫困，家徒四壁，称做“干人”。部队分粮、分衣的消息一经传开，老百姓纷纷走出来欢迎红军。只要停留时间稍长，红军就举行群众大会，宣传共产党，宣传红军，文工团给老百姓演戏、唱歌，政工人员则刷标语、发传单。只要在一个地方过夜，他们就教群众写六个字：“打土豪”、“分田地”。

胡耀邦是这些活动的组织者和参加者之一。每到一地，他就根据当地情况拟写宣传词，在群众大会上发表鼓动性演说，到“干人”家里去做些调查，或者自己提起石灰桶在墙上刷写标语，教儿童们唱《少年先锋队队歌》。

三　遵义负伤

时间进入1935年，中央纵队（黎平会议后，为了紧缩机关，已将第一、第二纵队合并）已来到乌江南岸。元旦这天，还像在中央苏区那样，组织了庆祝新年的晚会，胡耀邦等活跃分子也照例要出节目。游艺会后又有会餐。一个月前那种低沉情绪大大减少。这时大家只有一个话题，就是突破乌江，拿下遵义。

第二天就传来了好消息：乌江已经突破了。接着，1月7

日，红军智取了遵义。

在中央领导人相继到达遵义之后，1月15日至17日，召开了中央政治局扩大会议，即“遵义会议”。会议集中全力解决当时具有决定意义的军事和组织问题。会上，张闻天、毛泽东、王稼祥等尖锐批判了王明教条主义错误，批判了博古以及“顾问”李德的错误、特别是军事路线的错误，重新肯定了毛泽东正确的军事路线。会议将毛泽东增选为中央政治局常委。会议决定取消博古、李德的最高军事指挥权，仍由中革军委主要负责人朱德、周恩来指挥军事，周恩来为党内委托的对于指挥军事下最后决心的负责者，毛泽东为周恩来军事指挥上的帮助者。以后，又由洛甫（张闻天）代替博古负总责，主持党中央日常工作；并组织了由周恩来、毛泽东、王稼祥组成的军事领导小组，即“三人小组”，负责指挥军队。

遵义会议的决定传达下来，人们无不欢欣鼓舞，特别是毛泽东又回到了中央和军队的主要领导岗位，使大家在危急中看到了希望。人们很久以来的那些迷惑、不满，都得到了答案，大家对前途又充满了信心。

在遵义的那些日子，胡耀邦和所有政工人员一样忙得不可开交。热情洋溢的遵义青年学生们，从红军进城第一天起，就组织起了宣传队，手执红旗，上街演讲，为红军宣传。政工人员们立即同他们结合起来，运用各种形式，介绍共产党的抗日主张，号召各行业都组织起来，同剥削阶级作斗争。他们在全城大街小巷，写满了“红军是工农自己的军队!”“帝国主义滚出中国去!”“打倒卖国的国民党!”“取消苛捐杂税”等标语。有些干部还深入到学校去组织“红军之友”协会，在工人中组织“赤色工会”。只几天时间，全城就一片沸腾。1月18日，由各革命团体出面，在遵义贵州省立第三中学操场举行了遵义全县民众大会。毛泽东和朱德出席了大会，毛泽东上台讲了话。他讲述了共产党与红军的各项政策，说明共产党愿意联合国内各界人民、各方军队一致抗日的主张和政策。人们情绪热烈，不断鼓掌。以后在总政治部帮助下，成立了遵义县革命委员会，还组织了工人游击队和革命先锋队等群众武装组织，全城洋溢着革命气氛。

但中央领导人在进入贵州以后，看到这里人烟稀少，经济不发达，党在贵州又没有工作基础，要建立以遵义为中心的川黔边新根据地困难重重。而蒋介石已经调集了他的嫡系薛岳兵团和黔军全部，以及川、湘、滇、桂军的主力向遵义地区进逼包围，薛岳指挥的吴奇伟、周浑元两个纵队八个师，已经进入了贵州。因此遵义会议决定，由重庆上游宜宾到泸州一线打过长江去，到川西北地区去建立根据地。

部队西渡赤水河（一渡赤水），向四川古蔺开进。这时侦知，敌人已调重兵赶到宜宾防守，从宜宾渡过长江已无可能，于是改道到滇黔边威信（扎西）、镇雄一带休整。在扎西，对部队进行了整编，大幅度压缩了机关，中央纵队也被精简了，各级领导人员大部分调到了作战部队。

胡耀邦从"中央工作团"被编进了红三军团。红三军团已由三个师整编为第十、十一、十二、十三四个团，从师长、政委到连、排、班长层层下放。胡耀邦来到了由彭雪枫任团长、甘渭汉任政委的十三团，担任了党总支书记。从此，他参加了作战部队的行动。

不久，大批国民党川军和滇军又从北、南两面向扎西压来。毛泽东指挥红军出敌意料地掉头东向，去打击遵义、贵州之敌。红三军团奉命，千里回师二渡赤水，会同兄弟部队强攻遵义的门户——娄山关。2月25日，十三团以急行军速度抵达娄山关，经过肉搏，占领了点金山制高点，又五次夹击冲锋，终于在黄昏时分占领了娄山关隘口。随后，红军再次占领了遵义。

2月27日，胡耀邦随部队来到遵义城外不远处待命，等待依次进城去维持秩序。忽然，一队国民党军飞机低空飞来，投下的炸弹在四处爆炸，一块弹片击中了胡耀邦的右臀部，大量鲜血流出，他负了重伤。

担架队急速把他抬进遵义城，送进临时安置伤病员的天主教堂。医生王彬用“鸦片水”给他麻醉，做了手术，但弹片未能取出，后来这个弹片一直留在他的身体里。

同胡耀邦一起住在这个临时医院的，还有著名的“罗明路线”的代表罗明①、红三军团政委钟赤兵。他们也是被炸伤的。后来胡耀邦回忆这一段负伤经历时说，同时住院的老侦察员“孔宪权使我整夜睡不着，他一直喊：‘杀！杀！’这是红军战士向敌人发起冲锋时喊的口号。”胡耀邦说：那时“我已经把死亡置之度外了。没有任何选择，我只能战斗下去。不战斗，也得被（敌人）杀死”。②

红三军团和红一军团密切配合，在遵义城南聚歼了吴奇伟所率从贵阳北上增援的两个师，歼敌20个团，俘获三千多人。这是长征以来中央红军取得的最大的一次胜利。这次胜利使蒋介石极为震惊，他急忙飞到重庆“督剿”，命薛岳、周浑元纵队再次进逼。为了进一步调动和迷惑敌人，红军于3月10日撤出遵义，向北由茅台镇附近三渡赤水，再次西进开往四川古蔺。

---

① 1933年2月，中共福建省委代理书记罗明，由于不赞成王明的“左”倾政策，提出“党在闽西上杭、永定等边区的条件比较困难，党的政策应当不同于根据地的巩固地区”等建议，被“左”倾领导认为犯了右倾机会主义和对革命悲观失望的错误，即所谓“罗明路线”，受到撤职处分等种种打击。

② 哈里森·索尔兹伯里：《长征——前所未闻的故事》，第182页。

西进途中，胡耀邦又躺了两天担架，然后就改骑十一团政委张爱萍让出的马匹了。不多久，胡耀邦把马让给更需要的人，自己坚持徒步行军。

蒋介石以为红军仍是要北渡长江，急令川、黔、湘、滇各路军阀截击合围。这时毛泽东指挥部队突然掉头东向，于3月21日四渡赤水，然后折而南进，在敌军的间隙穿插急驱，直指乌江。这样，就把北线敌人甩得远远的，红军渡过乌江后直逼贵阳。

这样声东击西，大踏步地机动作战，不断地调动敌人，使红军由被动变为主动。四渡赤水是毛泽东在军事指挥上的“得意之笔”。

由于毛泽东出来指挥作战，胡耀邦见到毛泽东的机会也多了，后来回忆长征时他对人说：毛主席指挥作战的灵活性真了不起，但也不是像一些书上说的那样从容不迫，轻松自如，他看上去消瘦憔悴，常常显得不安而焦急，有时候急得骂人。

飘忽难测的红军竟在贵阳附近出现，使正在贵阳督战的蒋介石着实吃惊不小，贵阳城一时四门紧闭。但红军并没有攻打贵阳，而是渡过北盘江长驱黔西北，奔向云南，在这一带寻觅建立黔滇根据地的适宜之地。这一带敌人兵力空虚，红军几乎是日下一城。但这里也是山势纵横，只有云南曲靖是一个平坝子，平坦开阔，但也嫌逼仄，无法建立根据地。而且追敌周浑元、吴奇伟两个纵队已尾随进入云南，滇军也调大量兵力前来合围，估计各路敌人有70个团之众。于是中革军委于4月29日发布命令，红军急速北渡金沙江，甩掉敌人，去川西与红四方面军会合。

四 生死跋涉

红军部队绕过昆明北进，仍是一军团走左翼，三军团走右翼，在皎平渡口，渡过了急湍奔腾的金沙江，进入四川。

通过凉山彝族地区时，红军执行了灵活的民族政策，总参谋长刘伯承同彝族果基部落首领果基约旦（小叶丹）拜结了金兰之盟，得到彝族群众的支持，顺利通过了这一民族关系复杂的地区。

再北行，隆隆吼叫的大渡河挡住去路。杨得志指挥红一团的17名勇士，在安顺场渡口，冒着敌人的密集火力，强渡成功。王开湘、杨成武指挥红四团于5月27日拂晓至29日凌晨强行军160公里，来到泸定桥渡口，在敌人火力封锁下由22名勇士，攀附着光溜溜的桥索，夺得泸定桥，中央红军主力胜利渡过大渡河。

胡耀邦所在的十三团这一时期没有大的战斗任务，他随着部队一直在强行军。臀部的伤口虽然已经愈合了，但是在多雨的环境里总是疼痛不止。他们有时走在悬在峭壁的小径上，碰到雨雾弥漫时道路难辨，危险万分；有时又走在一川乱石的峡谷里，从山上滚下来的又大又滑的石头延绵不绝，人们只能在石头上跳来跳去。一条又一条的江河，常常是既无桥，也无船，那就得蹚着没胸深的水徒涉，或者临时砍竹做筏，伐树造桥。行军过程中，胡耀邦仍然要做政治鼓动工作，临时编些歌曲或顺口溜，吸引大家忘去疲劳。每占领一座县城，他们也仍然要做宣传工作和发动群众的工作。夜间，如果赶不到城镇，他们就在山间或旷野露宿。一到宿营地，来不及吃饭，战士们就坐在地上抱着枪睡着了。

渡过大渡河之后，摆脱了敌军的尾追，同红四方面军已经会师有望。但这里一个最大的障碍横亘在面前，就是邛崃山脉的一座大雪山——夹金山。

过了宝兴，远远就可以看到这座莽苍苍的银白大雪山了。再向前，地势越来越高，峡谷越来越多，有时几乎无路可通，便只能在原始森林里从粗壮的葛藤和倒地的枯树间穿过，或者攀援上行，跳崖而下。急流上的铁索桥也越来越多，大多已没有桥板，只能踏着晃悠得令人头晕的铁索走过。经过艰苦的行军，队伍终于来到大雪山脚下。

红军长征以来，不知经过了多少险峰峻岭，但像这样的大雪山，还是头一次遇到。经过向当地居民了解，必须在太阳出来以后才可以上山，一上一下35公里，必须在五六个小时以内走完，不然就有冻死的危险。

军委对过山次序作了周密安排：一军团先走，五军团跟进……三军团跟在五军团后面。同时要大家作好过山的充分准备：要拿一根拐棍，要带上辣椒等发热的东西，要用布把脚裹好，要用布条遮一下眼睛以防雪盲症……还特别提出：不要掉一个人，不要失一匹马。

部队小心翼翼地向上攀登。开头一段比较平缓，加上大家思想准备充分，觉得并不像说的那样可怕。山坡上片片原始森林，苍翠挺拔，山谷间条条冰川，到处悬挂着巨大的冰柱，构成一片奇异的冰雪世界。这些来自赣闽地区的战士头一次看见这样壮观的景色，都觉得新鲜而惊喜。

胡耀邦继续着他的行军鼓动工作。他同政工人员们一道，挥动着手臂为大家“加油”，临时触景生情地编一些快板等，鼓舞士气。

忽然，他看见远处空中出现了国民党军飞机，那些飞机飞不到红军所在的高度。大概是被国民党军飞机炸伤的旧恨又涌上心头，胡耀邦朝着飞机放声高喊：上来，上来呀，你们这些孬种！战士们哈哈笑起来，有的也随着高喊：上来呀！上来呀！

但这样的轻松情绪没有保持多久，顷刻之间，天气骤变。浓雾扑面而来，瞬间笼罩一切，气温突然下降，寒风刺骨，接着就下起雨来，转眼又成了霏霏白雪，猛然又化做冰雹，强劲地砸下来。一向转战南方的红军战士衣裳单薄，这时一个个变成雪人。刚刚爬山时满身大汗，此时一冻，如同全身结冰，冻得人们从心里发抖。环顾四周，一片茫茫白雪，上边是雪的陡壁，不时有积雪从山头崩落，下边是雪的深渊，令人目眩。脚下的路已经冻得又硬又滑，空气也逐渐稀薄起来，胸口像压着石块，透不过气来，心跳急剧加快，头晕腿软，一步一喘。有些人坐下来休息一下，就在原地冻僵了，也有的走着走着突然倒下，再也起不来了。临到山顶时，已陆续看到先头部队战士的遗体。每一步都艰难异常、筋疲力尽的胡耀邦同其他政工人员还不忘执行自己的任务，不能讲话，就用拍手鼓舞大家坚持前进！

直到暮色苍茫，红军才算翻过了夹金山。大家就在人迹罕至的深谷中宿营。

这时传来消息，先头部队在达维村已经同红四方面军相遇了。这个消息使人们欢喜若狂，疲劳顿消。胡耀邦同部队来到达维时，果然看到了身穿深蓝色军装的红四方面军官兵。虽然素不相识，但都同样经历了千难万险、无数血战的两军指战员流着热泪相互拥抱，唱歌，欢呼“我们会师了”。接连两个晚上，都举行了会师联欢晚会，到处充满了欢乐气氛。

红四方面军是1931年11月在鄂豫皖革命根据地组建的一支

工农红军部队，徐向前任总指挥。这支部队同样英勇善战，取得多次战役的胜利，根据地不断扩大。1932 年 7 月，蒋介石对鄂豫皖根据地发动第四次“围剿”。由于张国焘实行盲动主义，导致步步失利，10 月，红四方面军主力不得不撤出根据地，转战至川陕边界，建立了川陕根据地。其后同川东游击队会合，部队发展到八万余人。1935 年 5 月，红四方面军退出川陕根据地进行长征，辗转抵达懋功（今小金）。

两军会师大大提高了部队的士气，增强了人们的信心。

6 月 26 日，在两河口举行了中央政治局会议。前一天刚会面的毛泽东和张国焘都参加了会议。会议讨论以后的发展方向，毛泽东等主张向北，张国焘主张向西，一开始就谈不拢，但最后在多数人坚持下，还是作了决定：红军“主力向北进攻，在运动战中大量消灭敌人，首先取得甘肃南部，以创造川陕甘苏区根据地”。

部队继续北进，还是一重又一重的雪山。在到达卓克基之前，来到了雪山第二高峰——梦笔山。

胡耀邦随部队来到山脚下，向上望去，峰巅遮在厚厚的浮云里。他的一个好朋友向上仰望良久，突然停下了脚步。

也许是翻越夹金山那段经历太惊心了，也许是过于疲惫再没有攀登的力气了，也许是觉得再走下去前途太渺茫了。那个朋友掏出枪来，射向自己的头部。

这件事给胡耀邦的震惊和触动太大了。他从来没想过一个人的革命生命可以这样自我结束。他觉得，即使死也要战斗而死，而不能畏缩而死。他深深为这个战友惋惜。

过梦笔山用了两天时间，夜间不得不在山坡上宿营，战士们用毯子裹住身体，互相挤在一起取暖。但由于有了过夹金山的经验，都知道了如何避险履夷，所以陷进雪窟的很少。他们下山时越过隘口，沿途大都是雪线以下的牧场，就比较好走了。翻过山去，胡耀邦又久久想着那个朋友。他觉得千难万险、千辛万苦，总是可以逾越的，但有时一念之差，却很难逾越。

若干年后，胡耀邦在谈到一个人要经得住艰苦、困难的考验时，还常常举这个例子。他说，我们干事业就像过大雪山，确实充满了凶险，谁勇敢面对凶险，谁就能取得胜利；谁动摇或退缩，那只能当失败者。

以后又连续翻过了长板、打鼓、拖罗岗几座雪山，才踏上平地。

部队向毛儿盖方向前进，这时缺乏口粮成为极严重的问题。这一带是藏族地区，人烟稀少，缺乏粮源。正是仲夏，地里的青稞麦已经黄熟，但是藏民们误听国民党的宣传，大都躲起来了。为了筹集到粮食，军委成立了“筹粮委员会”，组织人力在几个生产粮食的地区，分头筹粮。

胡耀邦也投入了筹粮工作。他同筹粮队员们一道，出去张贴保护藏民的布告，在田里插上保护牌，通过通司[①]去动员藏民们回来，然后召开藏民兄弟群众会，宣传红军的民族政策和筹粮办法。对动用和收割的群众的粮食，红军都付了现款。

由于得到藏民群众的支持，筹粮任务完成得较为顺利。

一天，在筹粮路上，胡耀邦意外地遇上了赖大超。他们也是好久没见了。赖大超在红一师，战士们早已连每天二两半青稞麦的饥困生活也很难维持了。他奉师政治部之命跟红三营到这一带来筹粮。乘部队休息的时候，胡耀邦拉赖大超到他的住地，正好张爱萍也在那里，大家都为能邂逅相遇高兴万分。一谈起来，知道彼此都是筹粮的。胡耀邦和张爱萍把自己那份一

---

① 通司：即翻译。

点点蜂蜜和麦饼拿出来，让赖大超充饥，还一定要他带走一些留用。数十年后，赖大超还追忆说：现在回味起来，那些粗糙的麦饼，比任何山珍海味都鲜美和珍贵啊！然而他（指胡耀邦）在过草地时，由于备带不足而挨受了难以忍受的饥饿。每想到此事，我都难以抑止激动的泪水，赞叹我们的同志友爱是多么无私和崇高啊。

在毛儿盖滞留的时间不短。部队在这里进行休整，修理枪械，医治伤员。8 月初，中共中央召开了政治局扩大会议，确定了北上甘肃南部，在夏河至洮河流域建立新的根据地的方针。

这时候人们逐渐了解到，张国焘自恃红四方面军的兵员和装备都超过了红一方面军，个人野心急剧膨胀，拒不执行北上的方针，而执意西行，到川西去建立根据地。由于张国焘横生枝节，延误了时间，国民党军胡宗南部得以在松潘附近集结。这样，原先的打通松潘北上的计划已不能实现，红军要去甘南，就不得不改而穿过茫茫草地。

大草地方圆几百公里，一片沼泽，空气稀薄，气候多变，没有道路，从这里通过，得好几天时间。因此各部队纷纷作了准备——准备 7 天用的炒青稞麦、足够的柴火，以及同样不可缺少的拐棍等。

8 月 21 日，先头部队杨成武率领的第一军四团出发，从东部边缘进入草地。毛泽东、张闻天、博古等领导人随后，患阿米巴肝脓肿、已 6 天没进饮食的周恩来率第三军殿后，第三军负责收容掉队战士及掩埋烈士遗体。

胡耀邦担任了第三军直属总收容队队长。

出发走了多半天，进入了一片原始森林。一棵棵粗大的树木，树冠密密相连，遮天蔽日，潮湿、霉烂的气味呛得人喘不过气来，脚下是厚厚的落叶拌着泥水。越往里走就越是阴暗。

出了这片森林，就进入了大草地。

这里是名副其实的草地，极目望去，只见天边有一抹起伏的岷山山脉。而地上，除了无边无际的野草之外，一无所有，没有飞鸟，没有虫鸣，没有一块石头，没有一棵树木。惟一的点缀，是野草上面星星点点的淡红淡黄的小花。野草下面是黑水黝黝的泥潭。一条条不知何来何去的小河纵横流淌着。完全没有人烟。这里好像处在洪荒世纪，充满着恐怖和神秘。

第一天行军还算幸运，因为是草地边缘，沼泽较浅，偶尔可以碰到一点土地。红军指战员们在毛儿盖经过较长时间的休整，大家精神饱满，心绪平静。因此胡耀邦等几个干部还能有一点“闲情逸致”。

一天傍晚，张爱萍来找随三营行动的胡耀邦。张爱萍在强渡大渡河之前由十一团调来十三团，任政委。他说总政治部巡视员冯文彬牵着马来到十三团，带着一些牛羊肉干，说是来“登门慰问”的。张爱萍已找了彭雪枫，现在来找胡耀邦，一道去“共”冯文彬的“产”。

胡耀邦好久没有见到冯文彬了，此时见到老领导，无比亲热。四个人席地而坐，说说笑笑，吃着牛羊肉干，可惜没有酒。一向喜欢诗赋的张爱萍随口吟了一句：牛羊肉干邀明月；胡耀邦立即接上：水乡泽国没酒喝；彭雪枫：该请老乡杜康来；冯文彬：打倒老蒋醉弥陀。四句吟罢，四个人哈哈大笑。

到夜间，气温骤降到摄氏零下六七度，野草上挂满了白霜，人们只能瑟缩蜷卧着。八九月正是草地雨季的高峰，在随后的几天里，说来就来的寒雨一会儿是蒙蒙细雨，一会儿又是卷着狂风的倾盆大雨，瞬间又是雨雪交加，不多久就变成漫天的鹅毛大雪。雪后又是寒风，风后又是雨……人们知道，又一场考验开始了。

再向前去，满眼野草连着野草，有的草高达腰际，有的地方大片死草上面又生出新草，暗绿的，褐黄的，漾着水汽。脚下是一片片水洼子，底下是枯枝败叶和烂泥，那泥不但软，而且滑。浮草较少的地方，多是泥潭，深可及膝，有的地方深不可测，一旦踏进去，就会一直下沉。有的骡马只顾吃草，陷进泥潭，挣扎着想上来，结果越陷越深，很快就会全被泥水吞没，那泥水咕嘟咕嘟冒几个大泡，就又恢复了平静。有的战士跌倒，滚得浑身泥水，在战友的竭力救援下才解脱出来；也有的搭救不及，眼看着一点点沉下去；有的即使被救上来，也无力再站起来，终于躺倒在这阴冷的荒原里。

两三天后，吃饭又成为绝大困难。柴火潮湿无法点燃，炊事员难以煮麦米饭，大家只得嚼自带的炒青稞麦粒。然而连日来这些口粮遭雨水浸泡，已结成疙瘩。待这些也吃完了，就去采摘野菜，胡乱吞咽。到野菜也找不到的时候，有的就煮皮带，而草地的水又大都有毒。粗糙的食物几乎要磨破人们的肠胃，半数以上的人染上了痢疾和便血，一个个剧烈腹痛。

每天晚间，筋疲力尽的人们来到先头部队搭建的简陋宿营地，相互依偎着休息下来。第二天早晨，有些人却怎么也醒不过来了。

胡耀邦和收容队员们沿路不断地救助和运送由于饥寒而猝然倒下的战友，所有的骡马都调集来主要用于驮载病号，担架队更是劳累不堪；一些已牺牲的战友只能就地掩埋。

后来周恩来在给第一军的一封电报里说："据三军收容及沿途掩埋死尸统计，一军掉队落伍与牺牲的在四百以上……"①

已经快走出草地了，胡耀邦却又病倒了。饥饿的折磨，加

① 《周恩来年谱》（1898—1949），第290页。

上寒气和疲劳，疟疾复发了。他越走越慢，渐渐落在人们的后面，终于身子一歪，倒在了一条沟边。

不知过了多久，他看到有人骑马慢慢走来。他认出来了，那是表哥杨勇。担任第三军十团政委的杨勇在土城战斗中被子弹击穿右腮，打落了六颗牙齿，负伤后骑马随休养团行动。胡耀邦无力地连声呼着："世俊，世俊。"杨勇下马，见是耀邦，见他是那样消瘦憔悴，痛楚不堪，急问道："你是不是病了？"胡耀邦点头。杨勇立即把他扶上马，自己忍着伤痛，牵着马送他追上队伍。①

正像胡耀邦自己说的："好在我们年纪轻，挺过来了。"走到第七天，终于走出了草地。病中的胡耀邦感到这一段最难忍受的是死一样的孤寂，他说，"我连一个人也没见到。村子里空空荡荡的。我只记得有几只野鸟；到达班佑时，我们才见到了一些牲口。但是房子里还是空空的。"②

到了班佑，得知张国焘在阿坝并不来同红一方面军会师，而是一意孤行地带着红四方面军向南开去了。

五　踏上黄土地

9月中旬，部队冒着雨雪交加的严寒，沿着白龙江源头残破的栈道，进入甘肃南部。

要向甘肃腹地前进，首先必须经过腊子口。腊子口是两座

① 这件事是发生在哪里，一些相关著作所记都很模糊，只有吴东峰《开国将军多轶事》明确地说："耀邦由此走出草地"，姑从此说。

② 哈里森·索尔兹伯里：《长征——前所未闻的故事》，第309页。

峭壁间狭狭的关隘，前面有河阻拦，是“一夫当关万夫莫开”的“天险”。英勇的红军从后坡悬崖攀藤附葛而上，从天而降似地奇袭了敌人，一举攻克了腊子口天险。

部队到达岷县南部的哈达铺，在这里获得了一堆国民党的报纸，送给了毛泽东。毛泽东从报纸上得知陕北还有相当大的一片苏区根据地和相当数量的红军，喜出望外。9月20日，毛泽东向陕甘支队团以上干部作行动方针与任务的报告。他说：雪山、草地的困难我们已经胜利地克服过来了，然而今天摆在我们面前的，还有更艰巨更困难的任务。民族的危机在一天天加深，正处在狂风暴雨中。我们坚决主张停止内战，完成我们北上抗日的原定计划。首先要到陕北去，那里有刘志丹的红军。毛泽东号召说，从这里到刘志丹创建的陕北革命根据地不过七八百里的路程。经过两万多里长征的、久经战斗的、不畏一切艰难困苦的指战员们，你们一定能够以你们的英勇、谨慎、灵活的战略战术，和以往的战斗经验来战胜困难，而达到北上抗日的目的。

红军由此向东，且战且行。跨过六盘山高峰之后，打退了宁夏二马（马鸿逵、马鸿宾）骑兵的追击，10月19日，中央红军主力到达陕北根据地吴起镇（今吴旗）。

这标志着红一方面军正式结束了长征。

胡耀邦随着部队来到了陕北。

中央红军长征，从瑞金算起，历时367天，转战赣、闽、粤、湘、桂、黔、滇、川、康（原西康省）、甘、陕十一省，长驱二万五千里，历尽难以想像的艰险，创造了人类历史上的伟大奇迹，是震惊世界的不朽英雄史诗。毛泽东在总结长征的胜利时豪迈地说：长征是宣言书，是宣传队，是播种机，长征是以我们胜利、敌人失败的结果而告结束。他说，我们中央红军从江西出发时是八万人，现在只剩下一万人了，但是留下来的是中国革命的精华，都是经过严峻锻炼和考验的。我们的力量不是弱了，而是强了。

胡耀邦就是这样的“经过严峻锻炼和考验”的“革命的精华”之一。他经历了残酷的战争，极端艰苦的环境，革命的信念、意志和坚定性，以及生与死的严峻锻炼和考验。锻炼使他更加成熟和坚强，考验证明了他是一个过得硬的革命者。对他来说，这一年来的经历是一部无比丰富的革命的百科全书，他从中吸取了不尽的智慧和力量。

长征的经历，在胡耀邦以后几十年革命生涯中始终是巨大的激励因素。在从事青年团中央领导工作之后，他经常对青少年们讲长征的故事，以教育革命的接班人继承和发扬红军的光荣传统。1975年在领导中国科学院工作时，他又把今后从事经济建设和推进科技事业的发展比喻为“新的长征”，用以说明这将是一个无比光荣伟大、艰苦卓绝的历程。

第四章 陕北十年

一 走入毛泽东的视野

红军来到陕北，看到的景象同南方截然不同：这里没有茂林修竹，青山绿水，而只是望不尽的黄土高原，布满着起伏的沟梁，山坡上参差地开凿出用来居住的窑洞。这里人烟也不密集，时常能够看到的只是牧羊老汉，他们披着破旧的羊皮袄，坐在山坡上看守着羊群。

一眼就可以看出这里是贫瘠穷困、荒凉衰败的。

红军经过短暂的休整后，开始考虑下一步的发展目标。

1935 年 12 月 17 日至 25 日，中共中央在瓦窑堡召开政治局扩大会议，讨论军事战略问题。会议确定了抗日民族统一战线的策略方针，提出要把国内战争同民族战争结合起来，红军作战的主要目标，应该是汉奸卖国贼的军队。根据毛泽东的提议，具体步骤是东征山西。因为山西军阀阎锡山正在同日本人勾结，东征讨阎是义师所指，会得到人民拥护。自山西向东，就是河北，河北阜平一带有过暴动，会有一定的工作基础；而近期平津学生掀起了“一二·九”抗日爱国运动，向东发展也可以相互配合，相互策应。毛泽东还提出，我们执行的是“在发展中求巩固”的方针，希望通过东征能建立一块根据地，与陕北根据地连接，在山西“筹款”、“扩红”，以解决陕北根据地“太穷”的问题。

1936年1月下旬，东征军组成，命名为“中国人民红军抗日先锋军”，彭德怀任司令员，毛泽东任政委。东征军兵分两路：一军团为右路军，十五军团和第二十八军为左路军。负责大军后勤供应和“扩红”、“筹款”的地方工作团政委是李富春。

胡耀邦随中央机关到陕北后，仍然担任少共中央局秘书长。在准备东征之时，他被调到地方工作团。地方工作团下辖12个工作队，他是石楼县工作队队长。

胡耀邦带领工作队在出发前认真学习了瓦窑堡会议制定的各项“新策略”：对俘虏，一经解除武装，则不得搜身，不得讥笑，而是热烈欢迎，诚恳招待；对商人，一律不得没收其财产；对富农，除封建性高额出租的土地外，其自耕及雇人经营的土地一概不予没收；对小地主，在群众同意下按富农对待。这些，都同在中央苏区时有很大不同。

2月20日，红军分别由绥德县沟口、清涧县河口等地强渡黄河。

此时胡耀邦已经有了一个名叫李柱的15岁的小警卫员。他带着李柱从瓦窑堡出发，一路急进，来到河口渡口。后勤人员一千多人都已汇集这里，随毛泽东所在的十五军团，在无月无星的暗夜，乘着木船，一批一批渡过去。

十五军团很快攻占了距黄河四十余公里的石楼。毛泽东视石楼为“东征战略要地”,① 以石楼县的义牒镇为指挥中心。在较长一段时间里，毛泽东一直在石楼一带活动，在这里召开了许多工作会议。

胡耀邦工作队的驻地就在义牒镇。他和工作队队员们怀着很高的热情，分头下到各村去。胡耀邦觉得工作队里许多人过去都做过“扩红”、“筹款”工作，有一定的经验，工作可以立即见效。但很快就发现这里的工作并不好做，原因是“土皇帝”阎锡山早已作了无孔不入的宣传，散发了大量《共产主义的错误》、《防共应先知共》等小册子，把共产党的政策加以歪曲；还搞了“军事防共”、“政治防共”、“经济防共”、“思想防共”等花样翻新的反共活动，组织了“防共保卫团”、“主张公道团”，要群众联保防共。因此，群众不敢同工作队接触。还有，有的工作队队员还沿袭旧的工作方法，手里拿一面写着“招募新兵”字样的小旗，用人们听不懂的南方口音，讲一些人们听不懂的道理，这也是一个原因。

胡耀邦向工作队重新部署了工作。他提出工作中要贯穿抗日民族统一战线的思想，运用多样形式，生动具体地宣传党的各项政策，以揭穿阎锡山的欺骗宣传，发动广大群众。同时要选准目标，惩办地主恶霸，给群众以看得见的利益。干部要以身作则，买卖公平，说话和气，尊重当地习俗，同群众亲密无间，让群众从实际榜样中认识共产党。他说，只要工作做得好，老百姓一定会相信共产党，不会相信阎锡山的。

于是，工作队成员又分头下去，把《中国人民红军抗日先锋军布告》贴遍全县穷乡僻壤。布告里提出：“一切爱国人士，革命仁人，不分新旧，不分派别，不分出身，凡属同情于反抗

① 《毛泽东年谱》(1893—1949) 上卷，第514页。

日本帝国主义者，本军均愿与之联合，共同进行民族革命之伟大事业。本军所到之处，保护爱国运动，保护革命人民，保护工农利益，保护知识分子，保护工商业。本军主张停止一切内战，红军、白军联合起来，一致对日。”工作队还深入到各家各户，宣传红军是主张打土豪、分田地、为穷人闹革命的队伍，揭露阎锡山一向敲骨吸髓地压榨老百姓，现在又同侵略中国的日本人勾结起来，是老百姓的共同敌人，他的那些小册子都是欺骗宣传，不能相信。队员们还用歌曲、壁画、演戏、开群众会发表演说等通俗活泼的形式发动群众。在语言上，他们尽量向老百姓学北方话。饱受阎锡山压榨之苦的老百姓，很快就接受了共产党的政策。经过认真的工作，很快打开了局面。

按照党的政策，工作队对商人、富农、小地主的财产、土地一概不动，只是在贫苦农民得到充分发动的基础上，没收了地主郝彦昌的财产，分给了农民。

警卫员李柱后来讲述了这样一段故事：

首长（胡耀邦）工作很忙，有一天他去十里路远的另一个区政府开会去了。我在家没事干，就在郝彦昌家住房内翻箱倒柜地乱翻，在房顶天花板上发现两口大木箱，装的都是一些老衣、布匹、羊羔皮大衣等。我把翻出来的布、皮大衣、毛巾等留在房内，准备给首长换两件衣服。耀邦同志回来看见炕上堆些东西，问清情况，便大发脾气说：“我们是共产党，不是发财党。”我说：“这些东西是上次没收财产时没有找到的东西。”耀邦更生气地说：“这些东西是地主剥削人民的血汗，应还给人民。马上把这些东西送到区政府去！”我无可奈何地找了几个人将两个木箱送到区政府，仍然想不通，自己没有衣服换，留点布做衣服都不行吗？

工作队在胡耀邦领导下，十多天就组成了两个区政府，广泛开展了分粮斗争。群众发动起来了，主动把鸡、鸭、猪、羊送到前方，工作队在各地设立的“参加红军报名处”，每天都有一批一批穷苦的青年来报名。石楼县很快就成为东征军在黄河东侧的一块补给基地与根据地。

由于在两个多月时间里连续不断地拼命工作，劳累过度，本来就脸色青黄、身体瘦弱的胡耀邦一下病倒了。他发高烧，上吐下泻，呕血不止。区政府找来当地草药医生，开了几服药，毫无效果。四天后胡耀邦已呼吸微弱，但昏迷中还谈工作：“我有病，有事去找富春同志解决。”那草药医生认为：“他可能时间不会很长了。”李柱哭着忙去报告李富春。李富春立即请前线医生赶来抢救。经过医生的急救，胡耀邦脱离了危险，第二天就醒过来，数日之后，已能扶着炕沿来回走动了。

李富春十分喜欢胡耀邦的顽强工作精神，大会小会上不止一次表扬了他。

红军在山西势如破竹的进攻和声势浩大的政治影响使阎锡山大为惊恐。他历来拒绝国民党其他部队进入山西，此时却不得不急电蒋介石请求派兵增援。蒋介石原是一直想染指山西而不能，现在有了机会，立即答应阎锡山的请求，调汤恩伯的第十三军、关麟征的第二十五师等部队，分别由河南、陇海路、正太路入晋，并在太原成立了晋、陕、绥、宁四省“剿匪总指挥部”，以陈诚任总指挥。4月中旬，蒋介石的十个师，阎锡山的五个师、两个旅由晋中向南共编成七路纵队，向红军压来，这些部队都有一定的战斗力。黄河以西陕西境内的东北军、西北军部队，在蒋介石驱使下也企图沿河北上，卡住黄河渡口。他们想将红军压在河东狭小地区，包围而消灭之。

毛泽东根据敌情的重大变化，决定将抗日先锋军撤回陕北，以保存实力。

5月2日，胡耀邦随后勤支队撤退。区政府安排行李、书籍、文件用马驮着先走了。胡耀邦仍然很虚弱，由民夫抬着来到兴关渡口。这时忽然来了两架敌机，在黄河上空盘旋。这一带都是黄土高原，无处隐蔽，红军和民夫只能就地卧倒。李柱一下扑在胡耀邦身上，将他掩护起来。敌机似乎没有发现什么目标，只胡乱丢下几颗炸弹，向北飞去了，所幸胡耀邦他们都没有负伤。

红军大部队白天休息，夜间渡河，到5月5日，全部撤回陕北。

红军东征，历时75天，一军团沿同蒲路东侧南下，横扫山西南部各地；十五军团挥师北上，逼近太原；战斗中共歼灭和击溃敌31个团，击毙、俘敌一万七千余人。同时，扩大新兵八千余人，筹款三十余万元，在山西20个县开展了群众工作，宣传了共产党的抗日主张，扩大了中国共产党和红军的政治影响。

胡耀邦负责的石楼县一地，“扩红”中就招募新兵一千多人，在12个工作队中，成绩最为显著。

5月中旬，在延川县大相寺举行东征总结会议。会上毛泽东高兴地说，这次东征，打了胜仗，唤起了人民，扩大了红军，筹备了财物。由于李富春在此之前就曾向毛泽东介绍过21岁的“小青年”胡耀邦的工作成绩和工作精神，加上总结当中大家都认为石楼的工作做得好，这时毛泽东似乎有意要突出一下胡耀邦，问道，胡耀邦来了没有？站起来给大家看看。胡耀邦站起来，毛泽东说，哦，是个小个子呀。毛泽东很有兴趣地问了他一些情况，并让他向大家说两句。

胡耀邦把工作情况说得既简要又条理分明。这是他同毛泽东的第一次面对面的交谈，他的热情、精干和深思、机敏给毛泽东留下很好的印象。

二　重返青年工作岗位

东征回到瓦窑堡以后，胡耀邦重又走上共青团工作岗位。

“少共”这个名称，到陕北后渐渐用得少了，而被“共青团”所代替。

中共中央也及时对共青团中央局的组成人员作了任命。书记仍然是凯丰，副书记是冯文彬。委员有关向应、博古、陈昌浩、陆定一、王儒程、黄林义、刘英、胡耀邦、王生平、陈士法、潘志明、高朗山、李瑞山。胡耀邦还被任命为组织部副部长，以后又被任命为组织部部长。冯文彬认为他更擅长宣传，所以提议他当了宣传部部长。

胡耀邦在青年工作系统已经脱颖而出，成为领导成员之一。

但共青团的工作，随着国际、国内形势的变化，正面临着历史性转变。

1935 年 7—8 月间，共产国际在莫斯科召开了第七次代表大会。大会根据德国和日本法西斯势力迅速膨胀、欧洲和亚洲面临严重战争危机的形势，要求各国共产党要努力争取建立世界反法西斯统一战线。同年 9 月，少共国际召开了第六次代表大会，根据共产国际七大的精神，提出建立世界青年反法西斯统一战线的任务，并要求各国共青团要做根本改造，使之成为“广大群众的非党青年团”。少共国际还指示中国共青团：“要与民族解放组织和民族改良组织的青年经常合作与联合，与还在国民党影响下的青年合作。”

正在努力建立抗日民族统一战线的中共中央也认为有对共青团进行改造的必要。因此，1936 年 7 月，中共中央在东征归来之后，把共青团的改造提上了日程。

事实上，在1935年“一二·九”运动之后，平津学生的抗日救国运动波澜壮阔地开展起来，有越来越多的爱国学生汇入运动的洪流，早已突破了共青团的狭小范围。1936年2月，北平学生成立了“中华民族解放先锋队”（简称“民先队”）。这是以抗日、民主为奋斗目标的先进青年的组织。中共中央北方局很快肯定了这个做法。在边区，群众性更为广泛的“青年救国会”也正得到广大青年和社会各界的认同。这些组织的出现，都为共青团的改造提供了理想的契机。

胡耀邦按照中共中央的部署，积极投入改造共青团的工作。他到边区各县去作调查研究，组织青年救国会，宣传抗日民族统一战线思想，组织各种抗日救国活动。经过努力，青救会组织一直发展到基层。

1936年7月11日，胡耀邦在中共中央机关刊物《党的工作》第4期发表了《目前子长的团应做什么》一文，指出子长县共青团组织应以最敏捷的手段去号召青年加入游击队，加强游击队中团的工作，整顿少先队组织并加强其训练，进行部分团与青年群众组织改编的准备工作。这里，胡耀邦提出了“改编”即“改造”的任务。

共青团改造的具体做法，到1936年11月1日中共中央政治局会议经过专门讨论才确定下来。包括胡耀邦在内的团中央负责人都参加了会议。会议作出的《中央关于青年工作的决定》指出，“由于中国国内形势的剧烈的变动，最广大青年群众参加到救亡运动与民主自由的斗争中来，在中国共产党前面提出了根本改造青年团及其组织形式，使团变为广大群众的非党的青年组织，吸收广大青年参加到抗日救国的民族统一战线中来，把建立为发扬文化与争取民主自由的广大青年运动，当作自己为民主共和国而斗争的最中心任务。”决定中提出：一、取消国民党统治区内共青团组织，所有团员按照各地具体情况需要，去参加或组织合法和公开的青年组织。二、大批吸收团员入党。没有入党的团员，应成为党支部周围的积极分子，但不另设团支部和团小组，在各地党组织设立青年部和青年工作委员会及青年干事。三、抛弃一切“第二党”的关门主义的工作方法，采取青年的、民主的、灵活的、公开的活动方式，扩大各级青年组织成员。

根据这个精神，共青团中央局正式取消。

胡耀邦继续从事青年工作。

共青团改造之后，各地青年运动迅速打开了局面，风起云涌般地向前发展，大批热血青年参加到抗日救国洪流中来。1936年12月初，西安市学生在蒋介石到达西安时掀起了大规模的要抗日、反内战的游行示威，蒋介石命令张学良对学生开枪，这大大激怒了张学良，成为促使张学良、杨虎城于12月12日发动西安事变的诱因之一。

西安事变和平解决之后，国共两党开始第二次合作的谈判，抗日民族统一战线初步形成，历史翻开了新的一页。

胡耀邦此时的工作，都是围绕宣传统一战线新形势，动员青年参加抗日武装斗争展开。1937年2月13日，他在《党的工作》第25期发表了《延安青年工作的一些经验》一文，指出当前青年工作主要任务是：组织广大青年到抗日战线上来；武装青年；争取青年的特殊利益；开展广泛的国难教育。

随后，他参加筹备西北青年救国代表大会。这是为适应西安事变后迅猛发展起来的青年抗日救亡运动，明确今后方向的大会。4月12日至17日，西北青年救国代表大会第一次会议在延安中央大礼堂正式召开。出席大会的代表312人，胡耀邦是代表之一。毛泽东、周恩来、洛甫、朱德、博古等中央领导人都出席了开幕式。毛泽东发表了演讲。在演讲中，他将中国共产党过去的策略与口号同目前新的策略与口号的关系及变化作了解释。他着重指出，西安事变的和平解决，使建立民族统一战线的第一个步骤——争取国内和平基本完成。现在是进入第二个步骤——巩固国内和平，争取民主，开展争取民主权利来团结全国人民到抗日战线上来。他希望大家把共产党的策略口号向全国青年宣传解释，使全国青年都懂得。①

大会拟定了《全国青年救国纲领》（草案），制定了《中华青年救国联合会组织简章》（草案），并决定建立西北青年救国联合会的组织，作为在全国青年救国会成立前，现有各地青年团体的最高领导机关。大会选出55名执委。18日举行第一次执委会，选出冯文彬为主任，白治民、高朗山、刘秀梅、黄庆熙、徐克仁、李瑞山为执行委员，胡耀邦、刘西元为候补执行委员。

为继续加强党对青年运动的领导，中共中央成立了青年部，后来改为中共中央青年工作委员会，由冯文彬负责。正是此时，胡耀邦被调到抗大去学习。

三 抗大磨炼

在瓦窑堡时，胡耀邦有了一间小卧室兼办公室，生活相对稳定。他的好朋友赖大超同他比邻。每当思念遥远的父母亲人，或者晚间皓月当空之时，两个年轻人便同住一室，说些心里话。他们一起回忆在中央苏区和长征时的种种经历，谈论几年来印

① 《毛泽东年谱》（1893—1949）上卷，第669页。

象最深的事物。他们一起怀念战斗在南方的战友，推想着谭启龙和陈丕显在南方坚持游击战争会经历怎样的艰难困苦。他们低声唱着《国际歌》、《武装上前线》、《渔光曲》等歌曲。他们也怀着青春躁动的心绪谈论爱情。他们都憧憬着未来，对前途充满着信心。

1936年5月，中共中央决定陕甘宁省委、省苏维埃迁往保安（今志丹县）。保安当时还有两个区毗邻游击区，组织不纯，治安也不大好，组织部门决定派胡耀邦和赖大超各带一个工作组，在红军配合下，先到那里去帮助整顿。中央组织部部长李维汉同冯文彬打招呼后，便直接向他们两人交代了任务。李维汉走后，胡耀邦对赖大超说：省委搬家让我们打先锋，这可不是玩的，先想想，晚上到我房里，一起交换个初步意见吧。胡耀邦把工作步骤、工作方法都作了精心考虑。后来，他出色地完成了任务。

1936年6月，中共中央也迁到保安。1937年1月，中共中央迁至延安。

还在红军东征回师不久，1936年5月，中共中央就决定要建立红军大学，以"为时局开展，准备大批高级干部"。中共中央历来极其重视有计划地培养高中级军事指挥人才。在江西中央苏区，就曾创办过中国工农红军大学，培养了一批优秀的军事干部。现在，就以原红军大学为基础，重新创办。中共中央政治局常委会对红军大学的方针、学制和教育内容，都作了决定，并任命林彪为校长，刘伯承为副校长（1936年12月至1937年1月间任职），罗瑞卿为教育长。教员由洛甫、博古、周恩来、毛泽东、林育英、凯丰、李维汉、杨尚昆、叶剑英、林彪、罗瑞卿、罗荣桓、张如心、袁国平、董必武等担任。

1936年6月，红军大学第一期在瓦窑堡开学，学员1065

人，分为第一科、第二科、第三科三个科。第一科和第二科学习政治（世界革命和中国革命的基本问题，时事问题），军事（中国革命战争中的基本问题，时事问题），以自学研究为主。第三科加学文化，政治、军事学习相对浅显。学时六个月，部分学员为九个月到一年。新中国成立以后被分别授予大将、上将军衔的谭政、杨成武、刘亚楼、张爱萍、陈士榘、王平、苏振华、耿飚、赵尔陆、杨立三等，都是第一期第一科的学员。

从第二期起，红军大学更名为中国人民抗日军事政治大学（简称抗大）。这一期学员共1362人，分为14个队：第一、第二队由军、师、团级干部组成，其他各队由营、连级干部和各地奔来延安投身革命的青年组成。胡耀邦被选派进抗大第二期学习，他编入了著名战将陈赓任队长的第一队，入学不久就被选为党支部书记。

1937年3月2日，中国人民抗日军政大学第二期在延安开学。毛泽东出席开学典礼并讲了话。他为第二队学员题词："要学习朱总司令：度量大如海，意志坚如钢。"

抗大初建，一切因陋就简。学员们都住在窑洞里，露天上课，背包当凳子，膝盖当桌子。没有教科书，讲义都是印在又黄又粗的土纸上，或者废旧的传单背面。生活也十分艰苦，学员们除基本口粮外，每人每天只有三分钱菜金。

一天，副校长刘伯承来到学员中间，风趣地说："我们这所学校的名字叫'抗日军政大学'。同志们，我是上过大学的，而且是在外国上的。毛主席问过我，说：我们这个大学可不可以和人家的大学比呢？我说可以比，硬是可以比咪！他们有宽敞的教室——大得很咪——我们没有；他们有漂亮的教学用具——我说的不只是桌椅板凳噢——我们没有；他们有许多教授——大名鼎鼎咪——我们呢？有！毛主席就是头一位嘛！周恩来同志就是嘛，他可是吃过面包的咊！徐特立、林伯渠、吴玉章、谢觉哉等同志就是嘛！他们是老教授了。还有朱德和好多老同志都是嘛！你们在座的不少同志指挥过不少漂亮的战斗，也可以当'教授'嘛！怎么不可以呢？完全可以嘛！我们还有他们根本没有的，那就是延安的窑洞。所以那天我对毛主席说：我们这个学校也可以叫'窑洞大学'嘛！"等学员们一阵热烈鼓掌过后，刘伯承继续说："我们这里还有马克思列宁主义，有中华民族的正气！同志们，你们打了多年的仗，有丰富的实践经验。现在中央要你们从理论上加以提高，还是为了打好仗。用战士们的话说：学好本领打日本嘛！"①

由于学习目的明确，所以学员们都有很高的学习自觉性，饱满的学习热情。一向好学的胡耀邦更是为能够有这样的学习机会而高兴万分。他那种如饥似渴的顽强的学习精神一如既往。但这时有了那么多作为"教授"的高级干部的讲授、指点和答疑，他自己又有了更扎实的工作经历，加以他有很高的悟性，所以这一时期的学习使他原有的基础理论素质和淳朴的革命意识得到很大的提高。他大量阅读马克思列宁主义著作，并且联系着实际用心去体会。

他也阅读一切当时能够搜寻到的书籍，特别是历史的和古典文学方面的。

胡耀邦和他的同学们最爱听的还是毛泽东的讲课。毛泽东讲课总是联系中国革命实际，把深刻的道理讲得通俗易懂，常常打生动的比喻，引用故事性和知识性很强的典故。他在讲促进国共一致抗日时，就说，对付蒋介石，就要像陕北的农民赶着毛驴上山，前面要有人牵，后面要有人推，牵不走还得用鞭

① 杨得志：《横戈马上》，第203页。

子抽两下，不然他就要赖，捣乱。和平解决西安事变，我们用的就是陕北老百姓这个办法。胡耀邦不仅从这类妙语横生的比喻中获得思想上和政治上的教益，也获得了语言表述方面的启迪。

在抗大的课余生活里，胡耀邦仍然是活跃分子。每逢开展娱乐活动，总是他指挥大家唱歌，当然首先是唱那慷慨激越的《抗大校歌》：

黄河之滨，
集合着一群中华民族优秀的子孙。
人类的解放，救国的责任，
全靠我们来担承。……

这飞扬的歌声里，洋溢着学员们的无比自豪和无限遐想。

但抗大生活也有波澜。1937 年 4 月，抗大发生了一起由红四方面军一些学员引起的不仅震惊全校，也震惊了中央领导层的重大事件。

长征中，张国焘同中央分手以后，一意孤行地率红四方面军南下，另立中央，使红四方面军受到重大损失。不得已，张国焘只好会同第二、第六军团组成的红二方面军北上。1936 年 10 月上旬，第一、第二、第四方面军终于在甘肃会宁会师。其后，红四方面军大约五百名军、师、团级干部到抗大第二期第一、第二队学习。

1937 年 3 月间，中央政治局作出了《关于张国焘同志错误的决议》。这之后，以抗大为中心，开展了对张国焘错误的批判。对这场批判，张国焘从一开始就抱抗拒态度。正在“顶牛”的时候，传来了西路军在甘肃遭到西北“二马”骑兵的阻击、全军覆没的消息，更激起了大多数学员对张国焘的义愤。于是在以后的一次批张大会上，出现了对张国焘的揪打行为和伤及红四方面军的言辞。本来就对批张想不通的红四方面军的著名战将、性情火暴的许世友这时霍地站起来，将一腔不满都倾泻出来："妈的，这是干啥？开的是批判会，还是打人会。这些混账东西说了这么多，有几句是真话？说我们四方面军撤离川陕根据地是逃跑主义，我就不服！哪来这么多主义……"这一下，会场上的声讨全部转向了许世友："打倒反动军阀许世友""许世友是混进革命队伍的土匪头子"等口号声响成一片。"土匪"两个字使许世友一抖，同时猛然吐出一口鲜血，猝然倒地。①

后来，许世友串联了三十多个在抗大学习的红四方面军高中级干部，准备逃出延安，重回大巴山打游击。事情败露，成了"反革命事件"，许世友他们全被抓起来，关在牢里。毛泽东得知后，下令立即停止斗争，说绝不能这样干。他到许世友等人那里，看望他们，把三十多人都放出来，给他们讲道理，说明张国焘不能代表红四方面军，中央对红四方面军同对其他红军的态度是一样的；同时指出，你们几个人跑出去能干什么呢？应该和我们团结在一起干革命。他并且亲自去抗大对学员们讲话，说中央认为，红四方面军广大指战员在这场批判张国焘错误的斗争中受到的待遇是不公正的！这样，又经过深入的工作，化解了红四方面军干部的对立情绪，使他们心悦诚服地认识了张国焘的路线错误。

在批判张国焘错误的初期，学员们的思想还比较纷乱。对于怎样看待张国焘，怎样看待第一、第四方面军长征会师后出

---

① 罗学蓬：《带刀侍卫——张国焘原警卫排排长何福圣自述》，《今晚报》连载(2002年)。

现的一系列矛盾，有种种说法。胡耀邦作为思想分歧表现十分突出的第一队的党支部书记，敏锐地意识到维护中央的权威是极端重要的。他坚定而鲜明地表示长征中毛泽东的坚持北上抗日的路线是正确的，张国焘的南下路线与另立中央的分裂主义是错误的。以后批张大会上出现许世友呕血的一幕，事态急剧发展，引起了学员中的动荡。胡耀邦竭尽全力做稳定工作，分别同一、四方面军学员谈话，分析是非，要求大家消除对立，团结一致，在毛泽东领导下干革命。

四 向毛泽东约稿

1937 年 7 月 7 日，日本侵略军向北平西南部中国守军发动进攻，卢沟桥事变爆发，全国性抗日战争由此开始。8 月，根据国共两党谈判的协议，中国工农红军主力改编为国民革命军第八路军。抗大校长林彪就任八路军第 115 师师长，副校长刘伯承任第 129 师师长，他们都率部奔赴山西前线。为适应抗日前线对干部的急迫需要，抗大二期提前毕业，学员们也都赶赴前方。

但是抗大还有 28 名学员留下来，编成高级研究班，继续学习，胡耀邦是其中之一，并且仍然担任党支部书记。高级研究班主任邵式平，是同方志敏共同创建赣东北根据地的老红军，人称“邵大哥”。

从 1937 年 4 月起，毛泽东每周二、四上午来到抗大，根据他自己撰写的《辩证法唯物论（讲授提纲）》，讲授马克思主义哲学。这是他经过近一年时间的准备和酝酿，阅读了许多马克思主义哲学著作和其他哲学书籍，下很大功夫写成的。他总共授课一百一十多小时，历时三个多月，后来编入《毛泽东选集》

的《实践论》和《矛盾论》，就是讲课所用讲稿的主要部分。他上午授课，下午还参加学员讨论。由于抗大二期提前毕业，没有讲完，在办起了高级研究班后，毛泽东就接着讲授。每次听课，胡耀邦因为个子小，总是坐在前面，于是也就成了毛泽东的经常提问对象："胡耀邦，听懂了没有?""胡耀邦，你说说。"胡耀邦便站起来，有条有理地一一回答。毛泽东对这个二十多岁青年头脑之清晰、理解力之强十分赞赏。

1937年8月1日，抗大举办第三期，学员1272人，除部分八路军干部外，大部分是从各地奔来延安参加革命的知识青年。校长仍由林彪挂名，实际上是教育长罗瑞卿在负责。1937年秋，胡耀邦从高级研究班毕业，被留在校内工作，经毛泽东提名，任抗大政治部副主任（主任莫文骅），正式进入了抗大的领导层。

9月的一天，毛泽东把胡耀邦找去谈抗大工作，对他说，做好抗大工作，必须要有一个校刊，你要把校刊办起来。胡耀邦说，就怕没有人写文章。毛泽东说，你自己动手写嘛。胡耀邦说，怕写不好。毛泽东说，写不好可以学嘛！也可以让各队负责人写文章呀！胡耀邦趁势说，那我就先向主席约稿，请你写一篇发刊词吧。毛泽东不禁大笑说，你这个胡耀邦，马上就将军了。他要胡耀邦说说学员中的思想表现。胡耀邦汇报说，学员多数来自国民党统治区，组织纪律观念比较薄弱，自由散漫现象严重，比如有意见当面不提，背后议论，或者意气用事，闹无原则纠纷等。毛泽东思索着点点头。

没几天，文章送来了。毛泽东在文章里针对干部中带有普遍性的倾向倡导"积极的思想斗争"，分析了"取消思想斗争，主张无原则的和平"的种种"自由主义"表现，尖锐指出了"自由主义的来源，在于小资产阶级的自私自利性，以个人利益放在第一位，革命利益放在第二位”。这篇文章就是后来编入《毛泽东选集》的《反对自由主义》。

作为抗大政治部编辑出版的校刊《思想战线》，经过胡耀邦的积极筹备，不久就创刊了。

胡耀邦把《反对自由主义》加了按语，郑重地在创刊号上刊登出来，随后他又写了一篇读后感：《关于自由主义与反对自由主义》发表在下一期的《思想战线》上。他结合学员的思想实际，指出了自由主义的危害和反对自由主义的重要意义。

胡耀邦按毛泽东的指示，精心编辑《思想战线》。像在中央苏区编辑《时刻准备着》一样，他除了组稿，自己写文章之外，还要编排、刻蜡版、校对、印刷，以至发送。他还是那样兢兢业业，精雕细刻，使刊物不但文章质量高，而且形式也清新爽目。

胡耀邦在《思想战线》上发表的另一篇文章，是关于轰动延安的“黄克功杀人案”的。黄克功是抗大第三期第六队队长，是长征干部，过去立有战功。1937 年 10 月，他对陕北公学女学生刘茜逼婚未遂，开枪将刘茜打死。是宽恕他，让他戴罪立功，还是严肃处理，干部和学员中都有争论。胡耀邦在文章里说：“执行纪律也是教育形式的一种。我们开除了一个坏分子，不但不会使我们的队伍减弱，相反的只有使我们的党，我们的队伍更加强健起来。”后来经陕甘宁边区高等法院审判，判处黄克功死刑。

这一时期，胡耀邦经常到学员队去讲政治课，讲统一战线，讲党纲党章。他的讲课也跟演说一样，既富鼓动性，又生动活泼。同时，他还负责在知识青年学员中发展党员的工作。这项工作要求对发展对象要有全面、细致、准确的了解。胡耀邦同组织科的干部们认真地一一分析哪些人够了入党条件，哪些人还要启发教育，针对不同情况同他们谈话，审阅他们的入党志愿书，了解他们的历史和家庭，然后分别吸收。这些奔赴延安的知识青年，绝大多数都是追求革命，追求进步，反内战，要抗日的。剥削阶级出身的背叛了家庭，已上大学的放弃了学业，他们视延安为光明的圣地，跋山涉水来到这里。经过党纲党章的学习，他们对共产党有了更深入的了解。因此，胡耀邦发展了相当一批知识青年入党。

五 统战与斗争

1938 年 4 月，抗大举办第四期，胡耀邦兼任新组建的第四期一队政委，队长为新中国成立后的海军上将苏振华。

第四期学员 5562 人，绝大部分是来自各地的知识青年，还有从国外留学回来的高级知识分子。后来担任毛泽东秘书的田家英就是当时的学员。由于中国共产党高举抗战和统一战线旗帜，深得人心，声誉日隆，知识青年奔赴延安的越来越多，因而抗大学员也急剧增加，抗大原有的校舍虽然不断改善和扩大，也难以容纳。因而除第二、三、四、八队在延安附近外，其他队移往外地：何长工为队长的第五队移往庆阳，韦国清为队长的第六队移往洛川，徐德操为队长的第七队移往蟠龙，胡耀邦所在的第一队移往瓦窑堡米粮山。

当第一队新学员集中在延安东门外延水河畔，即将出发去瓦窑堡时，毛泽东在罗瑞卿陪同下，来为大家送行。他在不长的讲话中，特地提出要“向你们推荐两个人。”他说：“一个是我敬佩的老师，从苏联吃面包回来的张如心教授，他可以把许多马列著作背诵如流，你们可以向他学习系统的马列主义理论；

一个是大队政治委员胡耀邦，他的年龄比你们大不了多少，是我亲眼看着长大的热爱学习、朝气蓬勃的‘红小鬼’，现在还不断写些文章在报上刊登，很受读者的欢迎。希望你们以这两个同志为榜样，好好地学习。”①

瓦窑堡距离延安90公里，是子长县（原安定县）政府所在地。这是一个古朴的、整洁的城镇，胡耀邦曾住过这里，但这次重来，情况有了不同。

自从国共合作建立抗日民族统一战线之后，陕甘宁边区各县国共双方都互设机构，所以瓦窑堡这里既有国民党的安定县政府，又有共产党的子长县抗日民主政府；既有国民党的保安队，也有共产党的保安队。根据双方协定，国民党管城内，共产党管城外。双方共处一地，矛盾就不断发生。

7月7日，国共双方在安定县联合召开大会，纪念国共合作建立抗日民族统一战线一周年。国民党方面派六百多名全副武装的保安队员参加，共产党方面参加一千多人，许多是由胡耀邦率领前来的不带武器的抗大学员。在大会上，双方负责人讲话中都竭力宣传各自在统一战线中所起的重要作用。大会进行当中，突然国民党队伍里有人带头高喊：“中国国民党万岁！”部分老红军战士被激怒了，他们站到凳子上高呼：“中国共产党万岁！”于是乎，双方人员全部参加，竞相高呼。但国民党方面人数少些，声音很快被压了下去。他们的一些人见处于劣势，就拉动枪栓，子弹上膛，武装冲突一触即发。在这紧急时刻，在主席台上的胡耀邦霍地站起来，大声叫道：同志们，请大家冷静一下！请大家冷静一下！我领大家唱首抗日歌。他奋力挥动手臂指挥着：“枪口对外，齐步前进，不杀老百姓，不打自己

① 冯征：《在胡耀邦领导下工作》，《炎黄春秋》2004年第11期。

人……勇敢杀敌人……"看到双方渐渐平静下来，他接着说道：现在请大家坐下，我来领着大家喊口号："国共合作万岁！""国共合作万岁！"这个口号很快被接受，双方人员都随着他高呼"国共合作万岁！"一场冲突得以平息。

当时在陕甘宁的边远地区，国民党还有较大的势力，他们中的顽固派总是寻衅制造矛盾，同共产党搞"摩擦"，绥德专区的国民党专员何绍南、国民党安定县县长田杰生等就都是"摩擦专家"。八路军留守兵团的一支部队驻扎在绥德城外，这些"摩擦专家"就很不舒服，现在抗大第四期第一队又有三百多人来瓦窑堡，他们越发不舒服。于是田杰生制造谣言，说"抗大不敢上前线打日本，跑到这里与民争利"，并且煽动群众不给抗大腾房子，不借给学员生活用品，操纵流氓地痞夜间扔石头砸抗大宿舍，围攻、袭击独自外出的抗大人员。

胡耀邦和苏振华在认真研究了国民党方面的实力和特点，以及当地的民情社情之后，召集全队人员开会，决定：一、重申"三大纪律，八项注意"，全队人员都要严格遵守群众纪律，密切军民关系，向群众广泛开展宣传活动；二、将学员们的房东都请来，开座谈会，由胡耀邦向他们讲抗大是做什么的，为什么要驻在这里，并且介绍抗战形势和八路军战绩，揭露国民党顽固派闹摩擦的真相；三、必要时由领导干部亲自出面，警告田杰生，同他作面对面的斗争。

一天，胡耀邦亲自去找田杰生面谈。

他昂然走进国民党安定县政府，开门见山地对田杰生说：抗大到贵县以来，对民众秋毫无犯，这是有目共睹的，可是有人却说抗大来与民争利，这明明是挑拨我军民关系，破坏后方安定。还有人侵占抗大校舍，袭击抗大人员，贵县不能对这些情况坐视不问。

圆滑的田杰生一方面撒谎说并不知道这些情况，一方面又说此地老百姓负担不起这样多的抗大人员，所以不欢迎。

胡耀邦说：老百姓对抗大了解之后，对我们是欢迎的，我们买卖公平，住房付租，并不增加老百姓负担。

胡耀邦语气平和，但话含锋棱。田杰生虽然想表现强硬，但他理不直，气也就不壮，终于只能取守势。

胡耀邦本着又斗争又联合的统战精神，对田杰生说："抗日是全民族的大事，抗大是共产党培养干部的学校，维护抗大就是支援抗日，就是维护抗日民族统一战线。希望田县长认清形势，顾全大局。"

这一场交锋过后，抗大第一队太平了许多。但1939年年初，田杰生又制造事端。他骗中共子长县县长薛兰斌到县城去开会，却以征兵、职权方面的纠纷为借口，将薛兰斌扣留起来。胡耀邦闻讯，立即紧急集合第一队学员，作好同田杰生交涉的准备，同时又与八路军留守兵团紧急联络，请他们戒备待命。胡耀邦只带一个警卫员去见田杰生，田杰生却布置一个排防守，个个荷枪实弹，虎视眈眈。胡耀邦把手枪掏出来，往桌子上一放，说如果动武，我们早有准备，还是不要这样的好。他进一步向田杰生说明了一致抗日的重要性，警告他不能胡作非为，并提出了解决纠纷的方案。田杰生自知理亏，不得不将薛县长交胡耀邦护送回去。

事后毛泽东把胡耀邦找去，详细了解了这件事，说：哦，你还演了一出单刀赴会呀！

第一队正常教学生活开始之后，胡耀邦和苏振华对学员进行严格的军政训练，用中共中央制定的《抗日救国十大纲领》武装学员，培养学员服从党的领导的观念、密切联系群众的观念、组织纪律观念，要学员经常下乡去做宣传工作，同农民群众打成一片。同时，胡耀邦还立意要办一个队刊。他把这项工作交给了宣传干事牛克伦。他对牛克伦说，有两件事是毛主席特别重视的，一个是办学校，培养干部；一个是办报刊，宣传党的路线。在这两个方面，要认真地向毛主席学习。胡耀邦就是这样认认真真向毛泽东学习的，所以终其一生，无论在哪个领导岗位上，他都极其重视报刊工作。他也注意毛泽东写文章的笔意，甚至学习毛泽东讲话的寓深刻内涵于浅显风趣的语言中的特点。现在，他又用那种一丝不苟的精神，指导着牛克伦编队刊，包括怎样刻蜡版，刻错了如何修改，一张蜡纸上可以刻几篇文章，如何编排得错落有致，如何设计报头，等等。约来的重要稿子和刻好的版样，胡耀邦都亲自审定；这样编出来的队刊内容扎实，形式活泼，队员很喜欢。队刊送到毛泽东手里，受到了毛泽东的表扬。①

抗大有较好的学习条件，知识分子多，图书多，又有教员可以请教，一向酷爱读书的胡耀邦这时一面努力工作，一面抓紧一切时间，更加勤奋地读书。他读书真是如饥似渴，只要有时间，就抓过书来贪婪地读起来，甚至到外地去时，骑在马上还读书。他自己也逐渐有了相当丰富的藏书，中国的，外国的，古典的，现代的，政治的，历史的，哲学的，文学的等等，摆满了书架，光列宁的著作就是长长的一排。这些书他边看边作批注，在重点地方画上红杠杠，有的作摘抄笔记。他感到自己正规教育受得不够，所以有一个时期里，他还读物理，读代数。去过他小小窑洞的人都惊奇于这个红小鬼出身的政委，竟然读了这么多的书。很快，胡耀邦爱读书、读书多在抗大出了名。他喜欢同知识分子交朋友，常常真率地向知识分子朋友请教各

① 牛克伦：《从瓦窑堡的窑洞开始》，《炎黄春秋》总第101期。

种问题。知识分子也喜欢同年轻、热情、勤于思考、富有创造力的胡政委接近。胡耀邦的各方面知识之丰富，常常使一些知识分子大为钦佩。一次他同教授政治经济学的教员彭友今闲谈，得知彭友今曾在北平大学法商学院读过书，他立即很感兴趣地问："是不是李达教书的那个学院？"彭友今说："是。我就是李达的学生，学校还有许德珩、张西曼、陈豹隐等十来个进步教授。"胡耀邦说："李达是一位著名的理论家，我很敬佩他。他在日本留学，那时就颇有影响了。"彭友今说："李达教我们政治经济学和哲学，他讲《社会学大纲》，听课的学生很多，还有很多其他大学的学生都跑来听课，教室里挤得满满的。"胡耀邦说："毛主席看了李达的《社会学大纲》六七遍，认为是最好的教材，最高明的一部书。"彭友今后来回忆说：从谈论中，我感受到耀邦同志非常重视知识和知识分子，他本人的知识面很宽。胡耀邦对知识分子也十分爱护，发现了他们的弱点总是真诚地给予提醒和告诫。他也从来没有"领导"的架子，交谈到投机处，他往往就敞开心扉，使人洞见肺腑。他以朋友看大家，大家也以朋友看他。

六　年轻的总政组织部部长

1939年3月，抗大第五期第五队由傅钟率领进驻瓦窑堡，中央调胡耀邦回延安，另有任用。

胡耀邦同第一队学员一起回到延安。经毛泽东提名，任命他为中央军委总政治部组织部副部长。

军委总政治部主任为王稼祥，组织部部长为方强。对王稼祥，胡耀邦敬重有加。因为他早就听说，王稼祥是党内的老资格，在关键时刻有过大功劳。在第四次反“围剿”战斗中，王稼祥腹部受了重伤，随后他和病中的毛泽东都是坐着担架出发长征的。毛泽东一路上向他谈论各次反“围剿”的经验教训，分析王明“左”倾教条主义错误造成的严重危害，王稼祥从历史的发展中看到了毛泽东的正确。遵义会议上，在张闻天、毛泽东作了批判博古“左”倾错误的发言之后，王稼祥紧接着站起来支持毛泽东，为确立毛泽东的领导地位起了关键作用。长征到陕北后，王稼祥去苏联治伤，1938 年 8 月回国后，继续担任总政治部主任。胡耀邦为能够在这样的老同志直接领导下工作而由衷高兴。

当时组织部部长方强正在华北工作，胡耀邦代行部长职务。总政治部主任王稼祥和副主任谭政也对胡耀邦早有了解，都很喜欢这个 24 岁的年轻人，放手让他工作。总政组织部负责部队领导干部的考察、任免和调动事项，是一个重要部门。当时整个干部队伍中，军队干部占大多数，所以总政组织部工作量很大。当时全国抗战开始，战区不断扩大，新的根据地也不断建立，干部的选派、调动、升迁频繁。胡耀邦专心致志地熟悉军队干部的情况，了解他们的简历，掌握他们的特点。他要办理中央交下来的种种关于干部的事务，包括起草文件、制订规则条例；要根据军委的需要，提出推荐名单；要找准备擢用的干部谈话，对违反组织纪律的干部提出批评；要听取干部对某一问题的申诉，派人外出调查和核实。对从前方回来或将赴前方的干部，他要接待安排，引导他们去见上级领导，为他们接受或转移组织关系，签署鉴定意见。这时总政组织部不仅负责向八路军调派干部，也负责向中原和华中的新四军，甚至向重要的游击根据地派遣干部，胡耀邦的工作任务十分繁重。

这一段经历，使胡耀邦接触了一大批部队将领，也深谙了组织工作的特点和规律。他后来回忆说:“毛主席提议我当中央军委组织部长,那时我才二十三岁①。当了组织部长,就要找高级干部谈话。那时陈赓大将、王树声大将、萧克上将等等,我都找他们谈过话”,有时“即使批评严厉一些,高级将领还是要听”。40年后他在拨乱反正中担任中央组织部部长的正气与魄力,此时已经闪现了光芒。

胡耀邦很快对部队建设有了总体上的考虑,他在当年《八路军军政杂志》第5期发表了《目前八路军中建设党的几个问题》,论述了在八路军中加强党的建设的重大意义,指出作战中党员的伤亡数占百分之六十以上,所以应在保证质量的前提下注重数量,以便在部队中源源不断地补充党的力量。

当时总是有些人认为,胡耀邦承担总政组织部副部长这样的重任,还嫌太年轻。但王稼祥对他的工作十分满意,而毛泽东表示说:他当副部长年轻,那就让他当正部长。这样,胡耀邦不久又被任命为军委总政治部组织部部长。

1940年,胡耀邦兼任军委直属机关政治部主任。这时候,印度医生柯棣华为首的印度援华医疗队正在设于离延安十余公里拐峁的八路军总医院工作。柯棣华医生在1939年来到这里担任外科主任,救治了大批八路军伤病员,现在他准备到晋察冀白求恩国际和平医院就任院长。总政治部副主任谭政派胡耀邦代表总政,去向“柯大夫”和医疗队表示感谢。同时,有人反映说医院管理不善,有的工作人员对印度医生不尊重,也要胡耀邦一并调查一下。

胡耀邦带上翻译,骑马来到拐峁。他拜会了柯棣华医生,看望了医疗队一些成员,向他们表示感谢印度人民对中国人民

① 胡耀邦初任总政治部组织部部长时,还不到二十四周岁。

的友谊和对抗日战争的支援。这是胡耀邦第一次同外国人交谈。他的热诚和恳切给了比他大5岁的柯棣华医生十分愉快的印象。柯棣华向他提出了改进医院管理的建议，并且以印度式饭菜招待他一起进餐。胡耀邦又看了医院的门诊部和病房，同医院政委汪东兴交换了意见，了解到医院管理上虽有些缺点，但不像有人反映的那样严重。柯棣华那些建议，是合理可行的，采纳以后可以更好地改进医院的工作。一切都处理妥善之后，胡耀邦便带着翻译回去“复命”了。

这一时期，胡耀邦还参加了中央华北华中委员会的工作。这个委员会是中共中央处理在华北、华中地区党建、军事、统战、宣传、情报等事务的领导机构，主任为王稼祥，秘书长为王若飞。胡耀邦被任命为这个委员会的委员，其他委员还有罗瑞卿、萧劲光、萧向荣、杨松、柯庆施、郭化若、王鹤寿、李昌、王德等。委员会几乎每两周开会一次，听取各根据地来延安的干部的报告，并为中央准备指示意见。

1939年年初，成立中央青年工作委员会，凯丰任书记，冯文彬任副书记，胡耀邦是委员之一。这一时期，胡耀邦虽然已不专职做青年工作，但是在延安举行的青年活动，他仍以青年界的代表身份参加。1939年5月4日，延安各界青年举行纪念五四运动二十周年暨首届中国青年节纪念大会，胡耀邦与冯文彬、艾思奇、胡乔木等当选为主席团成员。大会在抗大第五队坪场上举行。坐在主席台上的胡耀邦，全神贯注地听着毛泽东讲话。毛泽东说：看一个青年是不是革命的，“只有一个标准，这就是看他愿意不愿意、并且实行不实行和广大的工农群众结合在一块”。这个讲话，就是后来编入《毛泽东选集》的《青年运动的方向》。1942年1月，延安举行中国青年反法西斯代表大会，胡耀邦与凯丰、冯文彬等19人当选为中国青年反对法西斯临时委员会委员。其后，朱德、贺龙、林伯渠、叶剑英等19人共同发起开展国民体育运动，胡耀邦也是发起人之一，并且成为叶剑英任主任的陕甘宁边区首届运动会资格审查委员会的委员之一。

1941年11月，胡耀邦同延安中国女子大学毕业生、21岁的李昭结婚。胡耀邦后来同秘书聊天时说，当时有一阵子他总是魂不守舍，连书也看不下去了，因为谈恋爱了。李昭原名李淑秀，1921年生于湖南宁乡，幼时随母亲到安徽宿县定居。1937年抗日战争爆发，她放弃高中学业，投身新四军领导的战地服务团，加入革命行列，1938年参加豫东游击队，1939年来到延安，进入中国女子大学学习。

"中国女大"学生绝大部分是来自各沦陷区的追求进步的女知识青年。校长由王明担任。1939年7月20日，"女大"在延安中央大礼堂举行开学典礼，毛泽东前来出席并讲话。他说：创办中国女子大学，是革命的需要，目前抗战的需要，妇女自求解放的需要。女大叫我题字，我就写了下面几个字："全国妇女起来之日，就是抗战胜利之时。"只有全国妇女都起来了，革命才能得到成功。

"女大"共分普通班、高级研究班、特别班三种，高级研究班培养具有较高理论水平的干部，特别班主要培养有妇女运动经验的干部。李昭是高级研究班毕业生。

现在，胡耀邦有了一个家庭。妻子李昭是位同样有很强的事业心，性格宽厚豁达的女性。在以后漫长的岁月里，他们携手并进，互敬互爱，相濡以沫，相伴终生。1942年11月，他们的第一个儿子降生，取名飞飞（胡德平）。其后，他们又育有二子一女。

七　七大的洗礼

从1941年到1945年，中国共产党在政治上、思想上、组织上都得到空前的壮大和巩固，胡耀邦在政治上和思想上也获得了相应的飞跃性的提高。1935年遵义会议的召开，结束了王明“左”倾教条主义错误在党中央长达4年之久的统治，确立了毛泽东在党中央和红军中的领导地位。1938年党的六届六中全会的召开，又克服了王明右倾错误对党的工作的干扰，批准了以毛泽东为代表的中央政治局的政治路线。这一系列重要步骤，使党的建设、军事力量和革命事业有了极大发展。但是由于战事频仍，统战工作繁重，党内一直没来得及对历史上的经验教训进行系统的总结，特别是没有从思想路线的高度对各次错误路线的根源进行清算，党内在指导思想上仍然存在一些分歧。为了使全党在政治、思想上进一步统一，以迎接抗日战争的艰巨任务，中共中央决定在全党开展总结党的历史经验教训，清算错误路线，学会以理论和实际相结合的方法处理中国革命实际问题的普遍的马克思主义思想教育运动。

1941年5月，毛泽东在延安高级干部会议上作了《改造我们的学习》的报告，提出改造全党学习方法、学习制度的任务，批判了理论和实际相脱离的主观主义，特别是教条主义。9月10日，中共中央召开政治局扩大会议，党的领导干部开始学习和研究党的历史，总结党的历史经验，初步统一了领导层的思想，为全党普遍整风作了准备。1942年2月，毛泽东先后发表了《整顿党的作风》和《反对党八股》的讲话，提出了反对主观主义以整顿学风，反对宗派主义以整顿党风，反对党八股以整顿文风的任务，由此一场影响深远的整风运动普遍展开。随着整风运动的深入，从1943年9月起，用了一个月的时间，在党的领导干部中，开展了对王明错误路线的批判。在全党整风的基础上，1944年5月至1945年4月，召开了党的六届七中全会，通过了著名的《关于若干历史问题的决议》，对党内若干重大历史问题作出了明确结论。至此，整风运动结束。

军委总部为领导整风，成立了军直系统整风领导小组，叶剑英、陶铸、伍修权、胡耀邦、安东、李初梨、舒同、吴溉之为领导小组成员。胡耀邦一方面参加领导工作，一方面根据整风精神，努力提高自己。他听了毛泽东一次次讲话，反复阅读了整风文件。这些讲话和文件里所提出的含义丰富的新的论断、新的概念，它们的理论力量和由此产生的说服力与号召力，都使胡耀邦有豁然贯通的感觉。他联系着参加革命以来这十多年的切身经历，更深切认识了“左”倾教条主义的巨大危害。在学习讨论会上，他根据反对主观主义、反对宗派主义、反对党八股的精神，批评、帮助别的同志，更多的还是作自我批评。他经过深思，检查出一个个事例，说自己如何按老经验办事，认为十拿九稳，但效果却不理想，这种主观主义害人不浅。对来自同志们的批评，他也能认真听取和采纳。但在开展批评过程中，有乱扣帽子的现象，有过火行为，也有个别人不顾事实地乱说一气。当时一个部队干部提出不合理的个人要求，胡耀邦没有批准。整风当中，在一次中央召开的两千多人的高干会上，这个人点名批评胡耀邦，说他不能当组织部部长，因为他有官僚主义、主观主义、分散主义、文牍主义，还说胡耀邦姓“胡”，所以还有“糊涂主义”，一时胡耀邦感到很大压力。会后朱德找胡耀邦谈话，了解他的想法和情绪，胡耀邦说“五大主义”没有，缺点是有的。朱德问他以后怎么办，胡耀邦说我要和他比赛，看以后谁革命得更好。这件事使胡耀邦印象至深，使他牢记展开思想斗争、进行同志间的批评，必须与人为善、实事求是。

整风运动在经过学习文件、检查思想阶段以后，转入以审查干部、清理队伍为主要内容的阶段。全国抗战以来，国民党对边区实行特务政策，千方百计派人打入共产党内部。1943 年夏天，国民党掀起第三次反共高潮，政治局势日趋紧张，在复杂的斗争中，审查干部、清除内奸，是必要的。但也把一些干部，特别是知识分子未交代清楚的历史问题，甚至是思想上、工作上的缺点错误，都怀疑成政治问题，甚至是反革命问题，加上严厉的威逼，一些人信口招供，一时间出现“特务如麻，到处都有”的局面。特别是 1943 年 7 月 15 日，专门负责审干工作的中央总学委副主任、中央社会部部长康生作深入进行审干的动员报告，提出开展“抢救失足者运动”以后，“逼、供、信”大加发展，造成大批冤假错案，在延安，仅半个月就挖出了所谓“特嫌分子”一千四百多人，大批干部惶惶不可终日。

胡耀邦领导中央军委一局的审干、反奸。他对于延安这样组织严密的地方竟有这么多特务混进来，感到不可思议。联系着自己在中央苏区被打成“AB 团”的经历，他断定这里面必然有大量冤情。他看到一些他很熟识的知识青年也成了“抢救”对象，他很清楚这些青年是怀着强烈的革命愿望到延安来的，现在受着残酷的斗争，有的被囚禁，他感到痛心。特别是，后来他的妻子李昭也被“抢救”。胡耀邦对李昭的身世、经历十分清楚，绝对不相信她会是特务。他开始怀疑，这一切都是逼供信的结果。为了验证这一点，胡耀邦先后找了四个他完全知道什么问题都没有的青年，让人故意对他们“抢救”，审问中乱吼乱逼，果然有人在惊吓之下就承认了无中生有的罪名。这使胡耀邦心里完全有了底数，他在总政治部机关没有打一个特务。他划出了四条政策界限：严禁打人骂人；非经批准不准捆人；没有充分证据不得逼供；严防自杀。康生不满意这些做法，派人前去检查。胡耀邦仍然提出：应控制检举次数，以书面检举代替口头检举；自首也应实事求是；有冤就说出来，不要害怕；负责审干的领导干部，应为受冤人员申冤辩解。一次在毛泽东找他汇报时，他大胆讲了对"抢救运动"的看法和这些意见。毛泽东已经有所察觉，要求对干部和群众进行反对逼供信的教育，提出坚持一个不杀、大部不抓的原则，并且指示已开展了十多天的"抢救运动"停下来。

1945年4月23日至6月11日，中国共产党在延安举行第七次全国代表大会。这是一次全面总结党的历史经验，制定党在新形势下的路线，确立建设新中国奋斗目标的极其重要的大会。大会筹备期间，胡耀邦成为由彭真为主任的代表资格审查委员会的22名成员之一。随后，他作为全国121万党员的547名正式代表之一，参加了党的七大。

在开幕式上，胡耀邦凝神谛听了毛泽东所致的开幕词。毛泽东说，这个大会是一个打败日本侵略者、建设新中国的大会，是一个团结全中国人民、团结全世界人民、争取最后胜利的大会。我们的任务就是为着打败日本侵略者，建立一个独立的、自由的、民主的、统一的、富强的新中国而奋斗。胡耀邦认真阅读了毛泽东提交大会的书面政治报告《论联合政府》，聆听了毛泽东就书面政治报告中的一些问题和其他问题所作的口头报告。在《论联合政府》里，毛泽东分析了国际、国内形势，总结了抗战中两条不同指导路线的斗争和人民战争的基本经验，阐述了中国共产党在民族民主革命阶段的一般纲领和具体纲领，指出中国人民应当争取打败侵略者、建设新中国的前途。在口头报告中，毛泽东讲了三个问题：路线问题、几个政策问题、关于党内的几个问题。他说，我们党历来的路线用一句话讲，就是“无产阶级领导的人民大众的反帝反封建的革命”。人民大众最主要的部分是农民，忘记了农民就没有中国的民主革命。关于政策方面的几个问题，毛泽东说：新民主主义的经济就包括“要广泛发展资本主义”，对这一条不要害怕。关于转变，由游击战转变到正规战，由乡村转到城市，我们要有这个准备。

在随后的大会议程里，胡耀邦听了朱德《论解放区战场》的军事报告，刘少奇《关于修改党章的报告》，周恩来作的《论统一战线》的发言以及彭德怀、陈毅、聂荣臻、陈云、刘伯承、李富春、叶剑英、陆定一等人的发言，还有一些过去犯过错误、特别是在路线斗争中犯过严重错误的领导干部，结合自己的情况所作的检讨。

在大会进入第二阶段，酝酿选举中央委员会时，毛泽东就代表们提出的犯过错误的同志要不要选，各个方面的“山头”要不要照顾等问题，在5月24日的第十七次大会上作了关于中央委员会选举方针的报告。他说，一个人在世界上哪有不犯错误的道理呢？过去我们图简单、爱方便，不愿意与有不同意见的人合作共事，一掌推开，这种情绪在我们党内还是相当地存在着。我们的选举原则是，犯过路线错误，已承认错误并决心改正错误的人，可以选，这是现实主义的方针。要不要照顾山头？有山头不是坏事，坏的是山头主义、宗派主义。要消灭山头主义，就要认识山头、照顾山头、缩小山头，这是一个辩证法。

这是胡耀邦生平第一次这样直接地、集中地聆听党的最高层领导人纵论建党大计，建国大计，建军大计。作为“小字辈”的大会代表，他为能够参与讨论、审议种种重大决策，选出党的领导核心而兴奋、激动和自豪，但同时，他又尽量吸吮着这次大会无尽宝藏似的理论、思想、精神上的财富。无论是阅读文件，参加大会还是小组讨论，他都悉心学习、领会各个方面牵动今后行动方向的纲领、原则和方略。从这里他接触了许多过去不曾接触过的领域，学到了许多过去不曾学到的知识。在会上，他见到了那么多他久已仰慕、叱咤风云的前辈革命者，听着他们的发言，他总是被他们坚定的革命信心、不屈不挠的斗争精神、辩证的思想方法和磊落光明的恢弘气度所感染。酝酿选举时毛泽东的讲话和反复讨论，更使他知道了应该如何对待犯错误的同志，如何掌握党内斗争的分寸。参加这次大会，胡耀邦政治上、思想上的提高，不能不说是飞跃性的。如果说以前的种种经历都是实际工作的锤炼，那么，这一次无疑是政治思想素质上的全面升华。

6月11日，大会闭幕。毛泽东在闭幕词中，用“愚公移山”的寓言，勉励全党坚持奋斗，挖掉压在中国人民头上的帝国主义和封建主义两座大山。大会在全场高唱《国际歌》声中，在长时间的热烈掌声中结束。

胡耀邦在陕北工作了整整10年，这10年留下了他坚定的、深深的足迹，也为他此后投身波澜壮阔的决定中国命运的伟大斗争作了政治思想上的坚实准备。

第五章 戎马生涯（上）

一 踏入华北

时局发展之快出乎人们的预料。党的七大过后一个半月，1945年8月上旬，美国向日本投掷了两颗原子弹，接着苏联对日宣战，出兵中国东北。8月15日，日本宣布无条件投降，世界人民的反法西斯战争和中国人民的抗日战争取得了最后胜利。

8月中、下旬，蒋介石连续三次电邀毛泽东赴重庆进行和平谈判，共同商讨“国际国内各种重要问题”。毛泽东毅然接受邀请，于8月28日偕同周恩来、王若飞赴重庆。经过四十三天复杂而艰苦的谈判，国共双方于10月10日签署了全面停战的“双十协定”。

然而“双十协定”墨迹未干，蒋介石就调集几十万军队，分四路向华北解放区进攻，企图打开进往东北的通道，以抢占东北。全面内战的危机随时都有可能爆发。中国共产党也针锋相对地采取了“向北发展，向南防御”的方针，以阻止和打击国民党军队北进，完全控制热河、察哈尔[1]两省，进而争取控制具有重要战略地位的东北地区。同时，中共抢先一步，派出20名中央委员和候补委员（占77名中央委员和候补中央委员的四分之一强），率2万干部和11万大军火速挺进东北。

这样新的形势使胡耀邦热血激荡。他去找毛泽东，说自己在高级领导机关时间太长了，请求派他到前方去开辟工作。毛泽东同意了。胡耀邦的任务是作为先遣支队的一个负责人，率队提早赶赴东北。

他结束了在军委总政组织部6年的工作，告别留在延安的战友，即将投入新的战斗。1945年2月，胡耀邦和李昭的第二个儿子降生。他们考虑到奔赴东北，跋山涉水，难以携带一个仅有数月的婴儿。他们经多次商量，只得割舍骨肉，经李瑞山介绍，将孩子送给了老游击队员、延安南区合作社主任、劳动模范刘世昌，合两家的姓氏为儿子取名刘湖。这孩子在新中国成立后逐渐知道了自己的身世，于1961年到北京读高中。胡耀邦离开延安前，还把那些心爱的书籍装了几个箱子埋起来，作了标记，可惜后来再也没有找到。

11月间，胡耀邦一行离开延安东进。他们骑马前行，过黄河，经山西，先到华北重镇张家口，一路将沿线情况报告延安。这时张家口已经解放，是晋察冀军区和晋察冀中央局所在地。他们稍事休息后继续东行，越过长城，踏入茫茫塞外荒原。但到了平泉的八沟，即将进入辽宁时，形势突变，国民党第13军

[1] 热河，旧省名，辖今河北省东北部、辽宁省西部，1956年撤销，分别并入河北、辽宁两省及内蒙古自治区。察哈尔，旧省名，辖今河北省西北部及内蒙古自治区锡林郭勒盟，1952年撤销，并入内蒙古自治区。

在美国海军的帮助下从秦皇岛登陆，抢先占领了平泉县城，以重兵扼守住了前往东北的通道。胡耀邦等遭受堵截，无法继续前进。

转眼进入1946年，在美国政府代表马歇尔调停下，国共双方于1月10日签订了停战协定，自1月13日起双方就地停火。胡耀邦率领的东北先遣队于是原地待命。晋察冀中央局报经中共中央同意，决定胡耀邦任冀热辽军区政治部主任。冀热辽军区司令员为萧克，程子华任政治委员。

由于几个月来长途跋涉，栉风沐雨，接着又紧张投入军区的工作，胡耀邦突然在八沟病倒了，连日高烧不退，腹部疼痛难忍，腹泻不止。他被赶紧送往承德，住进避暑山庄，请来医生诊治，但不见好转。军区领导十分焦急，考虑到承德离北平较近，叶剑英正作为中共代表在北平参加军事调处执行部工作①，想送胡耀邦去北平就医。军区发电报向叶剑英请示，叶剑英当即批准，并且派军调部的飞机，去承德把重病的胡耀邦接到北平，住在军调部驻地东长安街北京饭店三楼。

胡耀邦经过协和医院的诊治，确诊为阿米巴肝炎；地下党也请来了著名中医医治。叶剑英看到胡耀邦需要有专人护理，于是下令将胡耀邦的警卫员张澄海也调来北平。

经过对症下药和一个时期的调理，胡耀邦的病情日趋好转。正在军调部任参谋长的罗瑞卿是胡耀邦的好朋友，为胡耀邦安排了细心周到的照料。疗养期间，叶剑英让胡耀邦协助整军处做些工作，并佩戴少将军衔，以与美、蒋工作人员相对应。

---

① 国共双方正式签订停战协定，并颁布停战令后，决定成立军事调处执行部（简称军调部）实施停战令。军调部设委员三人，共产党方面为八路军参谋长叶剑英。他于1946年1月13日从重庆飞抵北平。国民党方面为郑介民，美国方面为罗伯逊。

“军调”期间北京饭店进出的大多是国、共、美三方军事人员，成了新闻记者和北平市民关注的中心。“军调”的事务复杂而繁忙，三方人员纵横捭阖，进行着微妙的斗争。胡耀邦仍然以他一贯的高昂工作热情，协助整军处策划一步步工作方案。这期间，他第一次直接同国民党方面人员来往。他觉得在那些人身上，愚蠢和狡猾混合得极不协调。而最让他难以忍受的是美方人员的傲慢态度。对双方相遇时美方人员不礼貌的表现，他毫不客气地给予呵斥。

但胡耀邦的病情又有反复，而且他也牵挂着晋察冀军情。经请示叶剑英，4月间，他离开北平，前往晋察冀军区司令部所在地张家口。由于身体还不能适应前方的紧张工作，军区领导让他住进张家口白求恩医大附属医院继续治疗，不久李昭也赶来张家口照料他。

这所医院原来是侵华日军开办的陆军医院，设施较好，主治医生大部分是日本人，日本投降后，被八路军完整接收过来。在这里，一个叫稗田的日本医生为胡耀邦治疗。稗田教授诊断出胡耀邦的肝部患的是阿米巴脓肿，他对症下药，使胡耀邦的病很快便大有起色。胡耀邦了解到稗田教授在医疗卫生方面帮助解放区做了大量工作，培养了一大批医护人员，是八路军真心实意的朋友，因此他也乐于同稗田交往。他们一起下棋，漫谈，十分投机。胡耀邦病情好转以后，有时召集医务人员开座谈会，有时给医务人员作报告，每次稗田教授都前来参加。这样，他同稗田教授结下了很好的友谊。后来，胡耀邦回到部队里，在保北战役胜利后派人将缴获的美国烟、酒、罐头等送到附属医院去慰问伤病员，同时看望稗田教授，送他一件绸质降落伞，让他做件衬衣；满城战役之后，还特地接稗田到战场上去参观。

二 纵队政委，初战集宁

1946年6月，蒋介石撕毁停战协定，命令国民党军队先后向各解放区大规模进攻，各解放区军民起而反击，解放战争正式开始。

在晋察冀解放区，早已战云密布。晋察冀解放区含冀晋、冀中、冀察、冀热辽四个解放区，地跨晋、冀、察、热、辽五省，西接晋绥[1]解放区，南接晋冀鲁豫解放区，东南接山东解放区，北接东北解放区。晋察冀军区司令员兼政委为聂荣臻，副司令员萧克，副政委刘澜涛、罗瑞卿。在国共停战协定生效之前，国民党就已抢占先机，部署兵力，从东、西两线向晋察冀解放区夹击。东线蒋介石嫡系李文兵团兵分三路，一路沿平承铁路北进，企图拿下古北口，进而攻占晋察冀部队东线指挥中心承德；一路袭击冀东腹地，企图北出喜峰口，也是以承德为目标；一路沿锦承铁路进入热河。在西线，阎锡山部在晋北、傅作义部在绥蒙也同时发起进攻。国民党军总兵力达43万，而只有24万兵力的晋察冀部队在各个战场上坚定地抗击着国民党军，并支援东北解放区。现在，战局正在胶着，更激烈的战斗一触即发。

7月，病愈后的胡耀邦被改任晋察冀军区下辖的晋察冀野战军第四纵队政委。他立即赶赴纵队驻地晋北长城边的阳高去报到。

---

① 绥：绥远，旧省名，辖今内蒙古自治区乌兰察布盟、伊克昭盟、巴彦淖尔盟及呼和浩特市、包头市等，1954年撤销，并入内蒙古自治区。

晋察冀野战军共四个纵队：第一纵队司令员杨得志，政委苏振华；第二纵队司令员兼政委郭天民；第三纵队司令员杨成武，政委李志民；第四纵队司令员陈正湘。陈正湘是原红一方面军的战将，抗日战争中曾率部参加击毙日本“名将之花”阿部规秀之战。胡耀邦同陈正湘密切合作，成为很好的伙伴。

这是胡耀邦初次以指挥员身份率部参加战斗。到任之后，他立即深入连队，去熟悉基层干部和战士，了解部队的战斗力；他不断同陈正湘交换意见，商量如何加强部队的思想政治工作和部队建设。他怀着一腔豪情，以青年将领的风姿，开始了火与血的战斗生涯。

当时晋察冀野战军刚刚打完了晋北战役，解放了山阴、岱岳等十多个城镇。这次战役就是由第四纵队十一旅旅长陈仿仁在冀晋军区部队配合下，率部完成的。晋北战役之后，大同之敌已成孤军。这样，夺取大同已是势在必行。

8 月 2 日，晋察冀军区和晋绥军区领导层在阳高举行联席会议，商谈合兵攻打大同。会议决定由晋绥军区副司令员张宗逊任前线指挥部司令员，罗瑞卿任政委，杨成武任副司令员，统一指挥攻城部队。

会议之后，到任不久的胡耀邦便同陈正湘率部奔赴大同前线。

在行军中，胡耀邦总是同战士走在一起，边走边谈，了解战士的想法和情绪。驻扎下来之后，他及时开展思想动员工作，明确提出作战要求。战斗打响之后，他亲临前线，同陈正湘一起指挥作战。

到 9 月 4 日，大同城郊的国民党军据点被一个个拿下，晋察冀部队逼近大同城下，开始坑道作业，准备攻城。

就在大同指日可下的时候，蒋介石将大同划归傅作义的第十二战区管辖，急令傅作义为大同解围。早已有心染指大同的傅作义立即调遣三万多人马，由归绥[1]分三路往援大同。傅作义亲率三个师以上兵力居中路，在攻占卓资山后，向大同以北的集宁开进。

这一新动向引起了大同前线指挥部密切注意，经研究后，决定除留下部分兵力继续围攻大同外，以主力北上迎敌，先消灭傅作义援兵，再回过头来攻取大同。

军情紧急，胡耀邦和陈正湘立即移师集宁。他们率第四纵队第四旅和军区教导队用4个小时时间，赶完了35公里路程。正在五台山地区休整的第四纵队十一旅，在旅长陈仿仁率领下也奉命以强行军赶来。塞外9月，朔风飕飕，夜间已是寒气逼人。仍然穿着单衣的战士们不顾寒冷和疲劳，相继集结在集宁城下。

战斗在9月10日晚上打响。在激战时刻，胡耀邦根据战事的发展，有时同司令员陈正湘共同指挥，有时到各团指挥所去督战，而更多的是冒着炮火和弹雨，到阵地前沿去视察。11日，他邀了政治部主任李昌一同来到前沿，中午他们在指挥所门前蹲着吃饭，突然有国民党军飞机从山后袭来，扫射的子弹打碎了胡耀邦端着的饭碗。战士急忙拉着他们转入防空洞，才躲过了国民党军飞机的轮番袭击。

经过两夜一天的会战，本来已将傅作义的三个师打得支离破碎，连其电台也已摧毁，使之陷入了呼救无门的绝境，然而由于前线指挥部没有组织连续进攻，使敌人有了喘息和整顿的机会。这时，傅作义的主力第一〇一师赶来增援，野战军攻城部队又受命掉头西向打援，致使集宁城下的敌军乘机夺回了阵

① 归绥：旧市名，即今呼和浩特市。

地，而野战军打援部队往返奔波，饥疲交加。敌人继第一〇一师之后又有大批弹械充足、装备精良的兵力来援，所以晋察冀部队虽经艰苦鏖战，终于不敌，于9月13日放弃了集宁。随后，9月16日，晋察冀部队又撤了大同之围。

晋察冀军区司令员聂荣臻判断，集宁会战后，国民党军的下一步棋，必然是进攻地处要塞的晋察冀解放区首府张家口。根据当时敌我力量的对比，他向中央军委提出了作战部署的报告：着眼于歼灭敌人的有生力量，不为一城一地所束缚，在敌人进攻张家口时，能守就尽量守，形势不利时就只进行掩护作战，不作坚守，准备放弃张家口，以便摆脱被动，寻找有利战机，歼灭敌人的有生力量。中央军委同意了这个报告。

果然，9月下旬，国民党军作了东、西两线的兵力配备，发动了争夺张家口之战。蒋介石嫡系李文兵团的两个军，在飞机、坦克掩护下，沿平绥铁路西进，另两个军在侧翼配合，发起猛烈攻势。晋察冀部队断定这应该是敌人的主攻方向，于是派重兵迎敌。经过激烈战斗，歼敌万人以上，李文正面进攻受阻。

蒋介石在紧急时刻故伎重演，又将张家口划归在西线按兵不动的傅作义第十二战区管辖，促使傅作义急速出兵发动进攻。

当时第四纵队正部署在张家口之西的柴沟堡（今怀安）、天镇、阳高一线，估计傅作义从这一线进攻的可能性最大，胡耀邦与陈正湘严阵以待。

不料同样善于用兵的傅作义以2万人马绕道北上，从尚义直插张北，向张家口侧背迂回过来。这样，在消耗了敌人一定力量之后，10月11日，晋察冀部队撤离了张家口。

占领张家口后，得意忘形的蒋介石于当天下午就下令召开国民大会，宣传“共军已总崩溃”，“可在三个月至五个月内，完成以军事解决问题”。

胡耀邦和陈正湘率第四纵队退到灵丘山区。这次撤离张家口，在干部、战士当中引起很大的思想波动，有的埋怨不该放弃，有的摸不清国民党军队的战斗力究竟有多大，也有的听了蒋介石的吹嘘觉得气闷。胡耀邦认为这时稳定大家情绪至关重要。他召开了连以上干部会议，以《不得了，还是了不得》为题讲了一番话，分析了丢了张家口并非不得了，敌人一时得逞也没有什么了不得。他说，国民党反动派反对人民，孤军深入，占领一城，就要分兵把守，分散兵力；而我军才是真正了不得。我们为人民解放而战，到处得到群众配合。失去张家口确实可惜，但没有了包袱，反而可以集中兵力，机动作战，看准哪里有把握打胜仗，就打哪里，最后就可以收复张家口，将来甚至解放比张家口更大的北平、天津、上海。这一番极有针对性和说服性的讲话传达下去以后，对澄清模糊认识，振奋大家的精神，起了很大作用。

随后，第四纵队转入了休整练兵，准备迎接新的战斗。

三　千里驰骋，三战三捷

1946年10月，晋察冀中央局在涞源召开了扩大会议，进一步克服了撤离张家口引起的消极思想，统一了认识。之后，又调整了部队的战斗序列：晋察冀野战军由萧克任司令员，罗瑞卿任政委，耿飚任参谋长，潘自力任政治部主任。不久，第一纵队调回晋冀鲁豫军区；第二纵队由杨得志、李志民分任司令员、政委；第三纵队由杨成武任司令员；第四纵队仍由陈正湘、胡耀邦分任司令员、政委。

从1946年11月到1947年1月，第四纵队同各野战纵队逐步南移，连续发起了易（县）涞（水）、满城、保（定）南战役，共歼敌一万六千多人，其中有两个完整的装备美式武器的步兵团。

胡耀邦一如既往，行军中很少骑马，而是同战士走在一起。战斗展开之后，他总是到旅、团指挥中心参加指挥，或者到前沿阵地去为战士鼓劲。在易县指挥战斗时，敌方呼啸而来的子弹将他的军帽打穿了一个洞，所幸没有负伤。在保南战役中，胡耀邦和陈正湘在农历除夕守敌全无戒备之时，指挥第十、第十一旅分别向望都和完县发动攻击，全歼守敌一千余人。接着连续作战，在大年初三又设伏歼灭敌人一个团。以后，又乘势攻克了保定与正定之间的重镇定县。

这之后，胡耀邦同陈正湘率第四纵队又参加了著名的三战三捷的正太、青沧、保北战役。

1947年3月，晋察冀中央局在安国召开扩大会议，讨论了如何争取主动，摆脱被动，从根本上扭转华北战局，跟上全国解放战争发展的形势。根据会议的精神，4月间，晋察冀野战军首先发动了正太战役。这次战役的目标是首先扫清石家庄外围的正定、获鹿、元氏、赞皇、栾城等地国民党军据点，进一步孤立石家庄。同时以此行动吸引北面之敌来援，在运动中歼灭之；如敌不来，则主力西转，向正太路沿线进击。

根据这个部署，胡耀邦与陈正湘率第四纵队开赴石家庄以南，第二纵队、第三纵队指向石家庄以北。

4月8日，石家庄外围作战打响。10日，在冀中军区部队配合下，胡耀邦与陈正湘指挥第四纵队拿下了栾城，稍后第二纵队、第三纵队也攻克了正定，两县附近据点九十余处也随之解放，共歼敌一万五千余人。4月16日、18日，第四纵队两度攻打元氏，但因城坚未克。从此石家庄守敌龟缩城中，不敢出战。

此时，国民党军孙连仲所部第九十四军、第十六军、第五十三军、第六十二师等部直扑大清河以北解放区，意在“围魏救赵”，以解石家庄之困。晋察冀野战军不予理会，断然挥师西指，以第二纵队、第三纵队主力沿滹沱河两岸秘密西进，胡耀邦、陈正湘率第四纵队从井陉西进，三个纵队相互策应，密切配合，逐步向阳泉以西寿阳一带压缩包围，将集结此地的阎锡山部一万二千多人大部歼灭。这样，从4月9日至5月10日一个月间，晋察冀野战军共歼灭国民党军及地方武装三万五千余人，完全控制了东自获鹿、西至榆次全长一百八十余公里的正太铁路，解放了十余座县城，切断了太原与石家庄的联系，使晋察冀和晋冀鲁豫两大战略区连成一片。

接着，晋察冀野战军回师东移，为了配合东北野战军的夏季攻势，于6月中旬又发起了以破坏津浦铁路青县至沧县段为主的青沧战役。第二、三、四纵队在地方部队配合下打得很顺利，连克青县、沧县、永清三座县城，歼敌一万三千多人，一度控制了津浦铁路八十余公里。战后，6月25日，晋察冀野战军兵锋又指向西北，发动了保（定）北战役。此战打得也很顺利，全歼徐水、固城、满城、完县等据点守敌七千多人。

正太战役之后，晋察冀部队再次进行了整编。杨得志升任野战军司令员，罗瑞卿、杨成武分任第一、第二政委，耿飚任参谋长，潘自力任政治部主任；第二纵队司令员为陈正湘，政委李志民；第四纵队司令员曾思玉，政委王昭；胡耀邦调任第三纵队政委，司令员郑维山，副司令员兼参谋长文年生，政治部主任陆平。和胡耀邦同岁的郑维山是原红四方面军著名的“夜老虎团”团长，年纪未满二十就担任师政委，是一员能谋善断又喜读诗书的青年将领，来第三纵队前任察哈尔军区司令员。郑维山在新中国成立后被授予中将军衔，曾任北京军区司令员。

此时各纵队都下辖三个旅，第三纵队补充了土改后参军的新兵万余人，胡耀邦成为领导三万大军的政治委员了。

四 坚守保北

三战三捷之后，士气高昂，晋察冀野战军司令部决定乘有利时机，利用围城打援战术，组织战役，再歼灭国民党军一两个师到个把军。根据当时形势，晋察冀野战军司令部看到大清河以北是敌我双方必争之地。这个地区位于北平、天津、保定三角地带，战略地位十分重要，如果被国民党军夺得，就可以形成平、津、保互为犄角的防御体系，建立比较稳固的战略基地。晋察冀野战军如果收复这一地区，不但可以打破国民党军建立防御体系的企图，还可以有效地钳制敌军和执行战役机动任务。因此野司决定发起大清河北战役。

野司命令第三纵队自取捷径，经定县、唐县、满城北上，于9月2日前到达易县以南隐蔽位置，择地而打，以调敌西援；二纵、四纵分别到任丘以东、以西集结，待国民党第十六军或第九十四军出动西援时，进至大清河以北加以歼灭。

胡耀邦和郑维山、文年生来到三纵后，就反复考虑这第一仗究竟从哪里打起。现在受命北进，他们详细研究了作战任务和战场情况，认为应以平汉路保定至徐水段驻守的国民党军一个团及两个营为目标，采取突袭手段，尽数歼灭。如此举不成，再打涞水。涞水县城不仅是保定以北一个护路要点，而且是敌平、津、保防御体系西翼的警戒阵地。攻打涞水，敌军必救，也可达到西调敌军的目的。9月2日夜，胡耀邦、郑维山率第三纵队以急行军奔袭保定、徐水段。但除了少数小碉堡外，没有找到大股敌人。这一仗没有打成，于是决心北攻涞水。他们部署以两个旅攻城，一个旅在定兴西北打援。9月6日夜，攻城战打响，打援的一个旅连克敌据点，全歼守敌，涿县南的铁路桥也按计划破坏掉了。但涞水县城防御十分坚固，激战到8日黄昏，仍然未能攻下，敌我双方伤亡都很大，于是第三纵队不得不撤出战斗。

在第三纵队攻打涞水的同时，第二、第四纵队北渡大清河，在雄县、霸县一带同国民党第十六军主力展开激战。由于战役之初围敌过多，口子张得太大，晋察冀野战军兵力不够集中，虽歼灭敌军五千多人，但未能达到预期目的，自身伤亡也很多，只属小胜。9月12日，野司下令结束大清河北战役。

第三纵队撤出涞水战场之后，在胡耀邦、郑维山率领下，开到房山、良乡、涿县一带又打了几仗，也都因为部队疲劳，时间仓促，并不成功。此时接到野司命令，第三纵队向冀中腹地河间地区转移。

数十年后，郑维山还清晰记得当时的情景，他描述说：

“因为这一仗打得不理想，部队情绪又有了新的波动。有的战士说：‘人家前进，我们后退。’甚至有的指挥员还说什么‘肉没有吃上，门牙倒给碰掉了’。一路上，我和胡耀邦政委躺在一辆大车上，眼睛望着繁星点点的天空，耳边听着唧唧叫个不停的虫鸣，心情十分沉重。‘肉没有吃上，门牙碰掉了’这句话一直缠绕在心头，觉得很不对劲。打了胜仗，部队容易产生骄傲，仗没打好，又容易互相埋怨，这两种情绪都会严重影响部队的战斗意志。这一次，没有整师整旅消灭敌人是有许多原因的。有埋怨情绪，就会影响下一次战斗，应当解决一下。想到这里，我低声招呼了一下同样陷入沉思中的胡耀邦同志：‘我们开个会怎么样？’”

"他考虑了一下对我说：'野司关于这次战役，可能要总结一下，我们先收集一下大家的反映，在党委会上研究一下。'"①

晚间，到驻地刚刚住下，他们便收到野司发来的绝密电报，是毛泽东以中央军委名义于9月24日发给晋察冀军区的。电报说："此次大清河北战役，歼敌一部，虽未获大胜，战斗精神极好，伤亡较多并不要紧。休整若干天，按照该区具体条件部署新作战，只要有胜利，无论大小，都是好的。"② 紧接着又传来了聂荣臻司令员针对"碰掉门牙"所说的话："碰掉门牙不要紧，还可以镶金的。打一仗进一步，歼敌的机会多得很嘛。"

胡耀邦同郑维山、文年生等纵队领导人读着中央军委电文和聂司令员的指示，兴奋无比。这几个年轻将领倦意全消，他们挑灯夜谈，从各个方面总结这次战役的经验教训，认为只要正确执行毛泽东提出的"你打你的，我打我的，先打弱的，后打强的"主动作战原则，就不愁消灭不了成师成旅的敌人。

转天，他们就把中央军委的电报和军区、野战军首长的指示在全纵队作了传达，并且分析了大清河北战役的经验教训所在，指出那些消极情绪都是要不得的。这样，很快稳定了指战员的情绪，大大鼓舞了胜利信心。

大清河北战役后一个月，形势又有了变化。国民党部队在东北战场连吃败仗，兵力吃紧，驻守华北的几个师奉调出关。晋察冀野战军决定乘此时机，再战保北，在徐水、保定一线开辟战场，一方面力求在运动中歼敌援兵，一方面也钳制敌军，配合东北野战军作战。于是，野司部署第二纵队围攻既是北平南大门，又是平汉路上咽喉之地的徐水，三纵、四纵在徐水东

① 郑维山：《为了清风店战役的胜利》，《星火燎原》第9卷，第305页。
② 《毛泽东年谱》（1893—1949）下卷，第236页。

西两侧容城、固城一线打援。

10月13日晚，晋察冀野战军对徐水发起总攻击。经过彻夜激战，二纵主力于拂晓时分占领了徐水的南关和北关，并有一部越过城垣外壕。国民党军的援兵果然出动，这是保定“绥靖”公署主任孙连仲派出的五个师和一个战车团，由胡宗南亲信将领李文指挥，沿铁路东、西两侧齐头并进，直奔徐水。

敌军来到徐水西边的固城，这正是三纵的打援阵地。战斗打了三天，三纵屡次想实行分割包围，将敌军一部分一部分吃掉，但敌军始终紧紧抱成一团，稍有不利，就交替掩护着退进固城，因而不得下口。

在第三纵队指挥所里，胡耀邦和郑维山等日夜注意着敌情的细小变化，都熬红了双眼。电话铃不停地响着，前线在报告战况，他们随时发出指示和命令，并且向野战军司令部报告、请示。

结果，敌我双方打成相持状态。第四纵队也有类似情况，因此已经退出战场转移。在三纵正与敌军胶着在田村铺战场时，野司打来电话说：“四纵决定不打了，你们打不打由你们自已决定。”胡耀邦同郑维山反复权衡，认为已经激战几夜而久攻不下，四纵不打，三纵将几面受敌，因此也不能再打了。于是，他们下令部队撤出战斗。

此后，郑维山、胡耀邦率第三纵队仍坚守保北。其间，野司为打破僵持局面，决定实行诱敌西进，迫敌分散，在运动中予以各个歼灭的作战方案。因此，野司发电给三纵，要三纵西进再打涞水。

郑维山回忆道：“接电后，我和胡政委、文副司令员一致认为，此时打涞水，涿县与固城之敌势必对我形成夹击，难以奏效。决定复电野司，提出我们的意见。我说：‘政委，能者多劳，你来写！’胡政委提笔疾书，大意是：我们没有考虑也不准备考虑打涞水，我们意见在现地坚持，争取情况的变化。那时我们都年轻气盛，只顾讲出自己的想法，全然不顾上下关系。想来更令人感动的是，像这样一份电报，非但没有受到野司首长的批评，反而被野司首长采纳。这大概因为我们的意见本身是可取的吧……”①

这样，胡耀邦和郑维山按野司复电：“仍位于现地区不动，并需增筑若干防御阵地”，以待战机。

五 会战清风店

战机果然很快就来了。10月17日，正在行军途中的野司司令员杨得志等获得密报：“罗历戎率第三军出石家庄。现已渡滹沱河，向新乐开进。”

事后得知，原来，这时正在北平的蒋介石认为保北的形势是，晋察冀野战军已被他的主力部队钳制，脱不了身，陷于被动，因此他命驻守石家庄的第三军军长罗历戎率军北上，赶赴保北战场，与孙连仲部来一个南北夹击，将晋察冀野战军二纵、三纵就地歼灭。于是，罗历戎奉命率第三军军部和主力部队一万四千余人，于10月16日浩浩荡荡开出石家庄。

这个消息使晋察冀野战军军区和野战军的领导们都大喜过望。罗历戎是蒋介石和胡宗南的嫡系，石家庄是蒋介石支撑平、津、保三角地带的重要据点。如果将罗历戎部歼灭，就不仅是歼灭了敌有生力量，而且可以进一步孤立石家庄，并为最后夺

① 郑维山：《从华北到西北》，第59页。

取这个具有重要战略意义的大城市创造条件。调动罗历戎，比调动国民党其他部队困难得多，现在他自己出来了，岂不是非常难得的围而歼之的机会吗？

当时罗历戎部已到达新乐，如果他连续北进，同保定守军呼应起来，则有可能丧失这个有利时机，因此必须将他阻于安顺桥以南。但是罗历戎从新乐到安顺桥地区是四十多公里，而晋察冀野战军主力绕过保定到达安顺桥要走将近一百公里，速度成了歼罗的关键。野战军司令部当即下令：第四纵队全部停止西移，掉头向南，同时第二纵队六旅、第三纵队九旅昼夜兼程，飞速急进，务必于19日拂晓前，赶到安顺桥南。

第三纵队接到命令，胡耀邦和郑维山知道九旅在保北已作战7天，战士十分疲劳，现在又要以一昼夜多一点的时间，走完一百公里以上路程，任务十分艰巨。但军情紧急，必须分秒必争。来不及动员，也来不及过细组织，文年生副司令员便同善打硬仗的九旅旅长陈仿仁率部出发了。胡耀邦同郑维山站在村头看着队伍跑步远去。

天渐渐暗下来，沿平汉路两侧，几路大军正跑步急进。干部们边跑步边穿梭往来于行军行列中讲任务，讲敌情，进行鼓动：“全歼第三军，全靠急行军；活捉罗历戎，双脚第一功。”19日凌晨，各部队提前赶到安顺桥南，迅速在清风店将刚刚到达的罗历戎第三军团团围住。

晋察冀野战军主力南下之后，保北战场上还有二纵一个旅，三纵两个旅，面前是李文兵团两个师，背后还有保定、徐水之敌。胡耀邦和郑维山估计，敌人为策应第三军，必然会有所动作，这样必将又有一场恶战。他们布置八旅在前线顽强地缠住敌人，七旅作为机动。他们号召部队要利用一切工事、村庄，作深远的层层防御配置，以一当十，奋力作战，绝不能让敌人突破防线，去同第三军接应。

19日清晨，国民党部队在炮火掩护下向八旅阵地发起了冲击。胡耀邦和郑维山在指挥所里正关注着战斗，这时收到了文年生拍来的电报："九旅已提前四小时赶到安顺桥，现在根据野司的命令，向敌侧翼迂回！"郑维山立即抓起电话，把这个好消息告诉给在前线作战的八旅旅长宋玉琳。从电话耳机里，他听到密集的枪炮声，显然旅指挥所就在火线近旁。胡耀邦和郑维山跑到屋顶向北看去，只见阵地上硝烟尘雾昏蒙蒙一片。这一天战斗十分激烈，在胡耀邦和郑维山指挥之下，八旅死死顶住了敌人。

20日又打了一天，敌我双方互有伤亡，八旅仍坚守着阵地。

傍晚，接到野司的特急电报：调七旅星夜南下，到保定与安顺桥间布防，任务是阻止保定之敌南援，保障南线歼敌；并钳制保定之敌北上，配合北线阻击。

看过电报，郑维山和胡耀邦很快把南、北两线的兵力计算了一下，认为七旅一走，这里作战将更为艰苦，但和二纵合兵一处，也还是顶得住的。他们当下商定，由胡耀邦亲自率七旅南下。

于是，部队马上集合，立即出发。临行前，胡耀邦紧紧握着郑维山的手说："老郑，我们又分兵两下，你的担子更重了。"

郑维山说："放心吧，我们一定堵住南犯之敌。"

时间紧迫，不容两个战友多说，胡耀邦便带着队伍连夜登程了。

在清风店战场，各纵队迅速将罗历戎部全部迂回包围在几个村子里，经过逐村逐街的激烈争夺，以至白刃格斗，逼近了西南合村罗历戎的指挥中心。罗历戎把步兵、工兵、炮兵、通信兵、大汽车、小汽车、弹药车、军需车等一切可用的人力和装备都集中到指挥部周围，拼死抵抗。22 日凌晨，晋察冀野战部队发起猛攻，很快打掉了罗历戎的军部、师部，将化装准备逃跑的罗历戎俘获，第三军副军长杨光钰、副参谋长吴铁铮以及一万一千多官兵全部被俘。

清风店战役是晋察冀战场转入战略反攻后的第一个大胜利，从此晋察冀野战军完全控制了战局的主动权。10 月 23 日，毛泽东以中央军委名义发来贺电说："你们领导野战军在保定以南歼灭敌第三军主力，俘虏军长罗历戎，创晋察冀歼灭战新纪录，极为欣慰，特向你们及全军指战员致庆贺之忱。"①

在清风店这场战役中，胡耀邦率七旅牢牢守在保定与安顺桥之间，准备迎击从保定出援之敌，然而被紧紧牵住的孙连仲部队始终没有能够南进。

六 激战石家庄

清风店战役后半个月，晋察冀野战军发动了石家庄战役。

石家庄又名石门。② 这里是平汉、正太、石德三条铁路的枢纽，西出太原，东接齐鲁，南连豫鄂，北通北平，是华北地区举足轻重的战略要地。罗历戎部覆没后，这里守军二万四千余人，由第三十三师师长刘英指挥。虽然此时的石家庄在周围大片解放区中已成为一座孤城，但它的防御工事异常坚固。日军占领时期，就曾在这里大修工事，国民党军又利用这些旧工事

① 《毛泽东年谱》(1893—1949) 下卷，第 247 页。

② 石家庄本获鹿县一小村，随京汉、正太铁路而兴起，1938 年设石门市，1947 年 11 月石门市解放后，恢复原名。

连年加修成三道防线，形成了周长三十余公里的外市沟、十多公里的内市沟和城内的核心工事。又深又宽的内、外市沟两侧布满电网和地雷，还有六千多个碉堡。国民党宣称："凭石门的工事，国军可坐守三年"，"没有飞机、坦克，共军休想拿下石门"。

尽管如此，晋察冀军区还是决心打石家庄。因为石家庄虽然孤立，却像楔子一样插在晋冀鲁豫和晋察冀两大解放区之间，拔掉它，几大解放区就会连成一片，华北地区形势就会发生重大变化。而且，清风店战役胜利，全军士气高涨，正宜乘胜进击，一鼓作气把石家庄拿下。

因此，在清风店战役结束当天，晋察冀军区就向中央军委发电，请示夺取石家庄问题。次日，即1947年10月23日毛泽东就复电批准："清风店大歼灭战胜利，对于你区战斗作风之进一步转变有巨大意义。目前如北面敌南下，则歼灭其一部，北面敌停顿，则我军应于现地休息十天左右，整顿队势，恢复疲劳，侦察石门，完成打石门之一切准备。然后，不但集中主力九个旅，而且要集中几个地方旅，以攻石门打援兵姿态实行打石门……。"①

为指导这个战役，解放军总司令朱德也风尘仆仆来到野司所在地安国。10月25日，野司召开旅以上干部会议，详细研究攻打石家庄的战役准备、作战方案、政治工作，以及夺得石家庄后的城市工作。朱德在会上讲话，强调"石门战役打的是攻坚技术，是勇敢加技术"。会上对各纵队的攻城任务作了具体部署，决定郑维山、胡耀邦率第三纵队从西南、第四纵队从东北为主攻，冀中军区、冀晋军区部队助攻。军区炮兵旅分成四个

① 《毛泽东年谱》（1893—1949）下卷，第247页。

炮兵群配属各部队行动。

郑维山、胡耀邦从会上回来，立即召开营以上干部作战会议，根据“勇敢加技术”的指示精神，部署作战任务，详细研究了突破内、外市沟和街巷战斗中可能遇到的各种问题。胡耀邦又召开政工会议专门研究了思想政治工作。他针对轻敌麻痹和信心不足两种情绪说：石家庄是“石”家庄，不是“钢”家庄、“铁”家庄，也不是“泥”家庄、“土”家庄。石头虽然不像钢铁坚硬，可以捣碎，但也不像泥土那样，一触即溃，要捣碎石头，是需要下苦功夫，用大力气的。他的富有鼓动性的动员，激发了基层指战员的战斗热情。

部队开始了紧张的演练。胡耀邦和郑维山不断地到各团去视察。郑维山后来回忆说：“秋末冬初，已有几分凉意，战士们虽身着单衣，但却个个汗流浃背。他们有的挖壕沟，有的绑炸药，紧张地进行着演习准备。

“我们来到一条刚挖好的壕沟前。团长介绍说：‘这条壕沟完全是按照石家庄外市沟的样子挖的，深七米，宽六米，现在演习的是用爆破法通过。’

“‘炸药这东西吃硬不吃软，这么深、这么厚的泥土壕沟能炸平吗?’我带着这个问题细心地观看他们的表演。一声巨响，烟雾腾空，大地为之颤动。走近一看，果然壕沟被填了一半，另一半搭梯即可通过。我和胡政委都很高兴，觉得这种办法可行。

“‘不怕一万，就怕万一。你们还是要多准备几手。’胡政委画龙点睛。大家你一言我一语，当场就提出几种通过壕沟的辅助办法……”①

11月6日夜半，信号弹升空，枪炮声大作，晋察冀野战军

① 郑维山：《从华北到西北》，第98—99页。

向石家庄发起了进攻。

激战至8日下午，第三纵队从西南方向突破了外市沟。胡耀邦和郑维山彻夜不眠地注视着战事的发展。郑维山后来写道："翌日，当朝晖驱散了晨雾的时候，我和胡耀邦政委走上一块高地，放眼望去，哟！昨天还是平展展的，一夜之间全部改观……参谋告诉我们，在距内市沟六十米处挖掘了坑道，直达内市沟外壁……。我俩相顾而笑，点头赞许。"

10日下午，万炮轰鸣，开始了对内市沟的总攻。三纵的八旅突破了内市沟，进入了市街战斗。"纵队指挥所里，也同战场上一样紧张。参谋们把八旅进展的每一步都及时报告我们。我为八旅的进展顺利而感到高兴，并及时让参谋将我的口述命令转达给八旅旅长宋玉琳。

"'易耀彩旅长电话。'参谋喊着。胡政委接过耳机，只听他嗯了一声说'等一等'，回过头来对我说：'七旅由于突破口选择不当……为敌所阻。他们请示用梯子通过内市沟。'"

"我还在考虑，胡政委提醒说：'就怕不成延误时间。'"

"我们定下决心：'那就让十九团……接应七旅主力。其他团继续爆破。'"

"'我同意，你下命令。我到八旅突破口去。'说着，胡政委走出指挥所。"

"不一会，胡政委从八旅来电话：'二十三团遭到敌人二梯队团的反击，战斗十分激烈，我去看看。'"

"'政委，你在八旅指挥所就行了，不要到突破口去，那里很危险！'"

"'不要紧，我去看看就回来。'"①

① 郑维山：《从华北到西北》，第105页。

二十三团这一仗至关重要。如果打不退敌人的二梯队团，就有被敌人反出来的可能，那就意味着前功尽弃。胡耀邦冒着炮火，指挥着二十三团最终将敌第二梯队压了回去，大部歼灭。

后来聂荣臻对郑维山说："当我知道你们消灭了刘英的二梯队团，就知道夺取石家庄已经问题不大了。"①

经过各纵队连续六昼夜的奋战，到12日，全歼守敌二万四千余人，俘虏了防守司令刘英。石家庄战役胜利结束。

石家庄的解放，使晋察冀和晋冀鲁豫两大解放区连成了一片，如火如荼的解放战争获得了重要的粮、棉、煤生产和供应基地。这样的坚城被攻破，也显示了晋察冀野战军的攻坚能力已经达到相当的水平。作为指挥这场硬仗的一员，胡耀邦毫无疑问地接受了战略战术以及政治工作方面的全面锻炼，成为了一员智勇兼备、能够打大仗的指挥员。

七 庄疃大胜

1947年10月10日，由毛泽东起草的《中国人民解放军宣言》公布，宣言第一次提出"中国人民解放军"的名称，并提出了"打倒蒋介石，解放全中国"的气吞山河的口号。

当此之时，刘（伯承）邓（小平）大军强渡黄河，进入大别山区；陈（赓）谢（富治）大军和陈（毅）粟（裕）大军分别进入豫陕鄂边地区及豫皖苏平原。这三路大军都打到了外线，形成"品"字形进攻阵势，据有广大的中原地区，直接威胁南京、武汉。彭德怀率领的西北野战军，谭震林、许世友率领的

① 郑维山：《从华北到西北》，第106页。

华东野战军东线兵团，徐向前率领的晋冀鲁豫野战军太岳兵团等也渐次转入反攻。林彪、罗荣桓率领的东北民主联军也不断获得东北战场上的胜利。

人民解放军在内线和外线的攻势作战，形成战略进攻的总态势。屡战屡败的国民党军队捉襟见肘，不得不由战略进攻转为“全面防御”。毛泽东指出，这种转变是“蒋介石的二十年反革命统治由发展到消灭的转折点”。

蒋介石丢了石家庄以后，走马换将，撤掉了保定“绥靖”公署主任孙连仲，任命以善战闻名的傅作义为“华北剿匪总司令”，作战区包括冀、热、察、绥四省及晋北。傅作义就任以后，确也苦心筹划，把一些地方团队编组起来担任守备，尽一切可能把主力抽出来作战；把他的起家之地绥远的主力东调，集中在北平附近；把北平、天津、张家口、保定地区的部队编组为平绥兵团、平汉兵团、津浦兵团，总兵力六十余万。他实行“以主力对主力”、“以集中对集中”的战法，想在同晋察冀野战军的决战中，力挽华北颓势。

在傅作义占领张家口的时候，晋察冀野战军指战员们就提出必报此仇。现在傅作义当了华北“剿总”司令，晋察冀野战军上下纷纷表示，要拖住他，打垮他，才算报了仇。1947 年 12 月上旬，晋察冀野战军前委在晋县召开旅以上干部参加的扩大会议，部署对傅作义的作战任务。会议确定，为积极创造运动战机会及便于今后作战，开辟战场，逐渐击破敌平、津、保掎角防守态势，并配合东北野战军的冬季攻势，钳制关内之敌，新的作战目标仍然指向保定以北。第一阶段的任务是破坏铁路，割断敌人的交通动脉。

于是，胡耀邦和郑维山受命再战保北。他们率三纵携山炮六门，于 12 月 17 日出发，白天隐蔽，夜间行军，赶赴涿县以西地区集结。

次日，大雪纷飞，幽燕大地万里飘白。入夜，突然枪炮声大作，各部队首先将敌人各据点包围，在民兵协同下，展开了铁路大破击。第三纵队在一昼夜间，一面接战，一面掀铁轨、烧枕木、炸毁桥梁、割断电线，将高碑店至良乡间的铁路全部破坏。

以后，胡耀邦和郑维山受命率三纵诱涿县、高碑店之敌于易县地区歼灭，虽经多次激战，但敌人过于集中，不易分割，也不肯向西深入，这一计划未能实现。野司又命令三纵在平汉路以西沿太行山麓南向保定行动，以围攻保定之势，迫使敌人南向增援保定，以分散其主力，创造歼敌机会，但因敌行动快速，部署集中，也未能如愿。这样，三纵又受命回师北上，作为主力再打涞水。

此时已进入1948年，这是解放战争大决战的一年。

大清河北战役之时，胡耀邦和郑维山都初到三纵，那次打涞水，很不顺利。这一次，为了把仗打好，胡耀邦同郑维山作了认真研究和部署，决定以七旅和八旅攻击涞水县城，九旅在城东南占领阵地，为第二梯队，并集中全纵队各种口径的大炮，组成炮队。

1月11日晚，进攻开始。12日，七旅、八旅分别占领了南关和西关，将敌人压缩在城内，晚上即将攻城。这一天大雾弥漫，四野里一片浑茫。胡耀邦、郑维山正谋划如何攻城，忽然听到东南方九旅阵地上响起激烈的枪声。不久参谋来报：九旅二十七团三营的拒马河桥头阵地遭一股敌人袭击，阵地被突破，二十七团三营退入庄疃，敌人正跟踪追击。这股敌人有较强的战斗力。

胡耀邦和郑维山立即警惕地将注意力转向庄疃。再进一步侦察，这不是一小股敌人，竟是由师长李铭鼎率领的号称“虎头师”的新编三十二师师部和九十四、九十六团以及九十五团两个营。新编三十二师属国民党第三十五军统领。此刻不但李铭鼎进入了庄疃，第三十五军军长鲁英麟也来到了拒马河桥头堡附近。

这正是个歼灭大股敌人的绝好机会。郑维山、胡耀邦当机立断，命九旅全力向庄疃围攻。又经请示野司同意，全纵队改变主攻方向，除了以一部围困和监视涞水之敌外，主力转向东南，直指庄疃。

12日深夜，第三纵队向庄疃发起攻击。九旅早已从四面八方将庄疃围住，切断了庄疃敌人同拒马河东岸敌人的联系。八旅的一个连从西北角突破敌人的村沿阵地，用炸药炸开围墙，冲进村内。七旅、九旅也从西面和西南方向占领了村沿阵地，接应二十七团三营主力撤出了村外。13日下午，在强大炮火持续轰击配合下，各部队全部突入村内，同敌人展开了逐屋逐院的争夺。经过激烈鏖战，逼近敌师指挥所，以连续爆破将敌指挥所围墙炸开，部队越过南、北大街，汹涌而入。溃不成军的敌人乱成一团，纷纷放下武器，逃跑的都做了预伏部队的俘虏。在混战中，“虎头师”师长李铭鼎被击毙。13日晚，庄疃战斗全部结束。第三十五军军长鲁英麟得知第三十二师全军覆没，觉得没脸去见傅作义，随即举枪自杀。

这一仗，三纵全歼敌新编三十二师师部和九十四、九十六团全部，九十五团两个营和师属山炮连、特务连等七千多人。聂荣臻司令员给了这次战役很高评价，他说：“就在他（傅作义）上台还不到两个月，即一九四八年一月中旬，在保定以北涞水、庄町（疃）一仗，郑维山、胡耀邦同志指挥的第三纵队，在唐延杰、李葆华、王平同志指挥的第一纵队配合下，给了他的‘王牌’第三十五军沉重一击，歼灭了他的新编第三十二师，打垮了第一〇一师，共七千多人。敌中将军长鲁英麟被迫自杀，少将参谋长田世举、新编第三十二师少将师长李铭鼎等多名高级军官被我击毙。这无疑是给刚上台的傅作义当头一棒。”①

2月间，三纵在唐县休整，根据晋察冀野战军前委的指示，开展了以查阶级、查工作、查斗志，整顿纪律、整顿制度、整顿作风这“三查三整”为内容的“新式整军”运动，即后来说的“唐县整军”。运动一开始，出现了“左”的倾向，把基层指战员中一般性的缺点错误也作为地主、富农的思想批判，把有错误的好人也当成坏人清理，等等。胡耀邦发现之后，都及时作了纠正。“胡耀邦政委在这方面做了大量深入细致的工作，才使运动得以健康发展。”②

在驻地，胡耀邦也经常到老百姓家里去串门，看望贫困户，向群众作调查研究。他热情随和，能够急群众所急，所以“胡政委”一来，人人都愿意迎上去同他交谈。

八 “牵着笨牛的鼻子跑”

此时，东北战场战事正酣。晋察冀野战军的任务，就是以积极的机动作战，同傅作义集团主力周旋，以最大的努力，隔断华北、东北两区敌人的陆上联系，既拖住傅作义集团无法增兵东北，又钳制据守锦州的范汉杰集团不能西撤。

根据这一战略要求，从3月起，野司先是部署了察南绥东战

① 《聂荣臻回忆录》（下），第682页。

② 郑维山：《从华北到西北》，第152页。

役，乘这一地区傅作义的部队空虚之机，发动攻势。胡耀邦、郑维山率三纵于3月下旬转战桑干河两岸涿鹿、怀来一线，吸引了傅作义部队西来，歼灭其一部。这次战役，各纵队在地方部队配合下，歼敌两万余，解放县城十五座，恢复了广阔的察绥根据地。接着，野司又挥师西指，向热西冀东地区挺进。郑维山、胡耀邦率部从蔚县出发，连夜行军，奔向热西。

三纵于5月18日来到北平西北的西峰山、高崖口地区，准备黄昏时从沙河、南口之间通过。而敌人为巩固北平至南口的交通，恰好在这时以两个团进到北平西北郊的上店村和下店村，横挡在三纵面前。郑维山、胡耀邦当下决定，立即扫除这一严重阻碍。他们即令部队乘敌人立足未稳，发起猛攻。激战到第二天中午，三纵将敌人两个团全部歼灭。

这个举动惊动了傅作义，他派重兵前来寻战。郑维山、胡耀邦为了不影响出击热西，率三纵突然掉头西向，绕道土木堡与沙城之间，顺利通过平绥路向东疾进，来到平承路西段，直逼怀柔至古北口之间沿线守敌。5月29日晚，各纵队同时在热西地区发起攻击。第三纵队歼灭了古北口至怀柔间铁路线的国民党护路军警，破坏了沿线全部铁路设施。各纵队相互配合，一举截断了热西走廊这一连接华北、东北的重要陆上通道，使承德、古北口完全孤立。

6月上旬，郑维山、胡耀邦又受命摆出与敌决战的态势，把多出自己四倍的国民党军兵力诱来，紧紧缠住，掩护第四纵队对北宁线实行攻击。他们选择了平承、北宁两条铁路之间平谷县城东、西地区布阵。

傅作义侦知这一动向后，即命他的机动兵团三个军又一个师进至平谷西北地区，企图一举合歼第三纵队于平谷东、西的狭长地域。

6月6日上午，战斗打响。傅作义部队以两个军的兵力向三纵阵地扑来，三纵七旅主力顽强抗击，战至深夜，傅军不能得手。傅作义命令华北“剿总”的全部作战飞机和大量炮兵，连夜赶来轰击，直炸得整个居民地一片火海，七旅阵地工事大部被毁。轰炸时隐蔽到两翼的七旅指战员们，在敌军乘势发起攻击时，又杀出英勇还击。敌军在一日之内连续进行十多次集团冲击，伤亡累累，但始终不能得逞。以后，七旅又佯装溃退，诱敌追击，隐蔽在平谷东北山区待机的八旅突然出击，与敌人反复拼杀。就这样，三纵先后用两个旅，扭住傅作义两个军，激战七天七夜。当将敌军拖到接近靠山集山区时，埋伏在此地的九旅也将出击，然而敌军突然撤退。原来，此时第四纵队已威逼唐山，傅作义发现第三纵队打平谷意在声东击西，所以将部队急急调回，支援唐山去了。

在七天七夜的平谷扭击作战中，三纵一些指战员流露出抱怨的情绪，说纵队领导光知打了撤、撤了打，老是被敌人追着跑，不知道集中兵力歼灭敌人。这些情绪被及时反映到胡耀邦和郑维山这里来。

“为此，我同胡政委专门进行过一番交谈。”郑维山后来回忆说，“记得是一天夜里，我们俩同卧在一家老乡的土炕上小憩，战事正急，毫无倦意，尽管我们已几天没有合眼了。

“‘政委，你看到底是我们拖着敌人跑呢，还是敌人追着我们跑?’

“‘当然是我们拖着敌人跑!’胡政委未假思索，肯定地说。

“‘完全对！这个问题要解决。’

“胡政委立即要警卫员点燃蜡烛，取出纸笔，上手写了一句：‘牵着笨牛的鼻子跑’。原来，这是他为纵队《前线报》写的一篇社论的题目。文中生动的语言、严密的逻辑，通俗地阐明了作战中进攻与钳制、主角与配角、被动与主动的辩证关系，对部队影响颇大；及至得知四纵并四旅在南线的胜利，人们对这篇社论的印象更深了，流传更广了，说是家喻户晓，也并不为过。事隔三十余年，凡参加过那次艰苦征战的同志，一提起那段往事，都不约而同地称为‘冀东牵牛战’。影响之深，由此可见。”①

以后，三纵又北上打古北口，南下打香河、武清，用出色的战绩，形成对傅作义部队的有力钳制。

① 郑维山：《从华北到西北》，第172—173页。

第六章　戎马生涯（下）

一　来到太原前线

1948年5月，为适应形势大发展的需要，中共中央决定华北军区的主力部队组成三个兵团，直属中央军委。原晋冀鲁豫军区野战军改为第一兵团，由华北军区副司令员徐向前兼任司令员和政委，周士第任副司令员兼副政委，陈漫远任参谋长，调升胡耀邦为第一兵团政治部主任。第一兵团下辖第八、第十三、第十五三个纵队，连同地方部队总兵力六万余人。原晋察冀军区野战军改为第二兵团，由杨得志任司令员，罗瑞卿兼政委，耿飚任参谋长；第三兵团由杨成武任司令员，政委李井泉，副政委兼政治部主任李天焕，参谋长易耀彩。

徐向前领导的晋冀鲁豫军区野战军主力，一直活跃在山西省内。解放战争期间，山西省东北部为晋察冀解放区，西北部为晋绥解放区，晋东南为晋冀鲁豫解放区。在1947年年底和

1948年春晋冀鲁豫野战军相继攻克晋南两座孤城运城与临汾之后，阎锡山部总兵力还有十三万余人，退缩在晋中平原狭长地带。1948年6月，华北野战军第一兵团发起晋中战役，以六万之师，歼敌十万余众，俘获了阎锡山的第七集团军中将总司令兼野战军总司令赵承绶。晋中地区南迄灵石、北至忻县等14座城市全部解放，太原成为一座孤城。7月间，徐向前率第一兵团及地方部队大军，乘胜而进，从四面八方将太原城紧紧围住。

徐向前和阎锡山都是山西五台县人，且是隔河相对的近邻。早在红军时期，徐向前就以作战狠、硬、快、猛、活，善于以少胜多著名。现在他亲临太原城下，就要把他的同乡、盘踞太原40年的“土皇帝”阎锡山连根铲除了。

8月份的太原城郊，战云密布，一场攻坚战已箭在弦上。正在这时，胡耀邦奉调来到太原前线，就任华北野战军第一兵团政治部主任。

徐向前对胡耀邦早有了解，他很喜欢这位年轻的领导干部，他说：“胡耀邦这个同志朝气蓬勃，工作热情，积极性特别的高。”①

徐向前患有严重肋膜炎，加上指挥作战过度劳累，身体极差，毛泽东来电要他到后方休息一下。8月中旬，他去石家庄和平医院治疗。

胡耀邦一到第一兵团，立即到各纵队去熟悉情况，认识干部，同纵队领导们就攻打太原的全面政治工作交换意见。不久，他接到通知，到平山县西柏坡参加一个重要会议。

这就是后来被称做“九月会议”的中央政治局扩大会议。会议主要是根据解放战争转入总反攻的新形势，规定党的战略

① 乔希章：《“你是政治部主任……”》，《胡耀邦与军队》，第8页。

方针和任务。会议于9月8日开始，13日结束。毛泽东、周恩来、刘少奇、朱德、任弼时等中央领导人和华北、华东、中原、西北的党政军负责人出席会议。徐向前也出院前来出席。有10名重要工作人员参加会议，胡耀邦是其中之一。

毛泽东在会上发表讲话，讲了国际形势、战略方针等八个方面的重要问题。他提出："我们的战略方针是打倒国民党，战略任务是军队向前进，生产长一寸，加强纪律性，由游击战争过渡到正规战争，建军五百万，歼敌正规军五百个旅，五年左右（从1946年6月算起。——引者注）根本打倒国民党。"① 要把战争打下去，不给敌人以喘息之机，直到取得最后胜利。这成为会议讨论的重点。他还讲到了打倒国民党以后建立什么样的国家等重大问题。

这确是一次十分重要的会议。胡耀邦亲耳聆听了毛泽东对今后战略任务的部署，聆听了高层领导的热烈讨论，可以想见他的心情是何等的兴奋和激动。

徐向前的身体状况，还不宜这时就返回太原前线。于是他同胡耀邦商量，由胡耀邦先回兵团，传达和贯彻"九月会议"精神，他仍去石家庄和平医院疗养些日子，再回前线。他对部队工作作了原则性指示，要求部队在战术、技术上和思想政治工作上都作出攻取太原的充分准备。

胡耀邦回到部队，立即向兵团领导人传达了"九月会议"精神。兵团根据"九月会议"精神和徐向前的指示，布置召开了参谋、政工、后勤三大会议。胡耀邦主持的为期8天的全兵团政治工作会议，着重强调了要加强党委领导，克服无政府、无纪律现象，加强请示报告制度，同时全面部署了攻打太原的政

① 《毛泽东年谱》（1893—1949）下卷，第343页。

治工作。

当时部队的状况是：经过晋中、临汾两大战役的锻炼，军政素质，特别是部队攻坚的战斗能力有很大提高，涌现了大批英雄模范单位和个人，干部和战士们斗志昂扬，生气蓬勃。但是部队伤亡大，补充的新战士多，缺乏实战经验，新提拔的大批基层干部，也缺乏指挥作战经验，工作方法比较简单。部队新成分多，对执行政策、纪律的观念较为淡薄。还有大批俘虏兵补入部队，带来了许多国民党军队的坏习气。针对这种状况，胡耀邦指出，一支好的部队应当有三个目标，即仗打得好，政策、纪律遵守执行得好，部队团结巩固得好。他要求部队普遍进行这三个“好”的教育，全面实现毛泽东提出的“军队向前进，生产长一寸，加强纪律性，革命无不胜”的号召。

会后，胡耀邦又深入到各纵队去，具体指导基层政治工作。他要求加强连队党支部建设，在党支部领导下，抓好士兵委员会工作；要扎扎实实地把互助小组、战斗小组建立起来；要发动群众，共同活跃连队思想政治工作，激发革命英雄主义气概，提高干部、战士执行政策、纪律的自觉性。他还指示要建立一支积极分子骨干队伍，通过干部、党员和积极分子的模范带头作用，像大磁石一样把全体指战员吸引到他们周围；干部要树立爱兵观点，使连队成为互相关心、团结友爱的大集体。

各纵队认真贯彻了兵团政治工作会议精神，检讨了党委工作中的不足，健全了集体领导制度；要求团以上，特别是旅以上干部带头克服无组织、无政府倾向；团以上干部一律参加支部组织生活，并加强理论学习。在连队里，“三个好”成为共同目标，遵守政策、纪律的意识也普遍增强，并且形成相互关心爱护的亲密气氛。政治工作的加强，带来了一片热气腾腾的景象。

9月下旬，秋庄稼已经黄熟，大忙季节来到了。但太原前线却显得格外沉寂，城里、城外都在加紧备战。徐向前已经决定了攻城时间：10月18日。

这时济南解放的消息传到了太原。坐困愁城的阎锡山再也沉不住气了，决定以攻代守。10月1日，他突然以七个步兵师，分做三路，沿汾河以东、同蒲路以西，向南进行突袭，意在破坏解放军的战役准备，并且掠取已经黄熟的粮食和征抓壮丁，以作固守之计。

敌人脱离了防御阵地，正是绝好的战机。养病中的徐向前得讯后立即下令在运动中歼灭南犯之敌。这样，太原战役提前打响。

10月3日，徐向前向中共中央军委报告，提出这一仗一旦打响，就要“争取一直连续的打下去，在最快时间内全歼敌人是上策，先打再围带打而下之即消耗较大是中策，下策即必须增加力量再攻下之，即影响别线作战，只是最后之一途”。①

10月6日，毛泽东为中共中央军委起草致徐向前等的复电：“你们原定酉巧（即10月18日）开始太原战役，现已提前十三天。因敌被迫向外扩张，给我以良好歼敌机会，如果敌人战力不强，你们又指挥得当，乘胜进击，可能于短时间内全部肃清城外之敌。并可能缩短攻城时间，不要停留多久，即可乘势攻城，提早解放太原。”②

至此，攻打太原的战略部署已经完成。

① 徐向前：《历史的回顾》下册，第773页。
② 《毛泽东年谱》（1893—1949）下卷，第354页。

阎锡山的七个师缓慢地向前蠕动，不久，其中暂编第四十四师、第四十五师就被第一兵团三个纵队和配合作战的西北野战军一个纵队（第七纵队）团团包围起来。经过一天一夜的战斗，6日晨，这两个整师又一个整团约一万人全部被歼，两个师长李子法、郑继周都被活捉。其他几个师闻风丧胆，在铁甲列车掩护下，仓皇北逃。

太原前线总指挥部在周士第领导下，决定展开太原外围战。受到全歼敌两个师重大胜利鼓舞的指战员们摩拳擦掌。同样处于喜悦之中的胡耀邦连夜起草了《攻取太原紧急动员令》，由徐向前、周士第、胡耀邦三人联署，于10月7日发布。《动员令》号召："决心乘胜扩张战果，力争早日攻下太原城，活捉阎锡山，解放太原城。"《动员令》说："太原是山西省城，是敌人留在我们华北解放区内一个孤立的大据点，它有数十万人民，又是华北的一个大工业与大兵工厂城市。我们打下了太原，不仅最后彻底歼灭了阎军，解放了全山西人民，而且夺得了一个巩固的大工业大兵工厂根据地，对全国革命战争的支援有极大的帮助，对于我们战斗力的提高有极大的作用。正因为这样，敌人一定还要拼命抵抗。这就是说，攻取太原的意义是多么伟大，也很艰巨，凡是参加作战的人都非常光荣，牺牲的烈士将要流芳百世，永垂不朽。因此我们全体指战员同志一定要不惜自我牺牲，全心全意为人民立功，顽强战斗，坚决打下太原城!"《动员令》最后说："我们号召全体指战员同志们，都做夺取太原的英雄，打下太原立大功!"

太原前线总指挥部里，周士第同胡耀邦等昼夜不停地在部署战役，不断地研究作战地图，不断地举行会议，不断地下达指示……

10月10日，徐向前抱病回到太原前线。

此刻阎锡山部守城兵力有10万人，构建了以城内为中心区，以城外的东、西、南、北方向为四个守备区，方圆百里的所谓“百里防线”的防御体系。防御体系里沟壕交错，有五千多个碉堡，碉堡间组成严密的火力网。特别是城东东山的牛驼寨、小窑头、淖马、山头这所谓“四大要塞”，地势险要，都筑有异常坚固复杂的工事，居高临下地拱卫着太原。很显然，攻取这些阵地，必将是一场恶战。

徐向前在回到前线当天晚上，就召开前委会议，讨论尽快攻打太原城垣作战的具体行动计划。他说，从地形看，打太原必须首先控制东山，要从南、北两个方向，直接插入东山四大要塞，坚决攻占这条南北八公里长的阵地，把太原与东山主峰从中间一下切断，这就等于在阎锡山防御体系的咽喉部位插上一刀。阎锡山的部队身首异处，就难以挣扎了。

胡耀邦同兵团以及各纵队领导人一起听了徐向前的分析，他们一致同意徐向前的安排，经过研究，具体配备了攻取各阵地的兵力。

一直为扫清太原外围据点而连续作战的各纵队，在10月5日到16日连续11个昼夜的战斗中，用猛插分割、速战速决的战法，打开了东山要塞的门户，占领了南机场，控制了北机场。10月17日深夜，第七纵队一部秘密插入牛驼寨，发起突然袭击，攻克大部分碉堡。大受震动的阎军连续组织反扑，集中百门以上山炮、榴弹炮，一天之内向不到三百米的阵地发射炮弹一万多发，焦土厚达三尺。为避免过大伤亡，第七纵队一部在21日撤出牛驼寨。

徐向前等兵团领导人鉴于前一段的进攻兵力部署面较宽，影响迅速夺取四大要塞，当即作重新部署：仍以第七纵队攻牛驼寨，第八纵队攻小窑头，第十五纵队攻淖马，第十三纵队攻山头，总兵力二十七个半团。10 月 23 日，兵团下达了总攻击令。

10 月 26 日夜，解放军发起总攻，四大要塞争夺战全面展开。

这是一场空前激烈的恶战。阎锡山为保卫东山要塞，投入了绝大部分兵力。他亲自指挥、督派重兵依托坚固工事抗击，以八百多门火炮组成炮群猛轰，派出飞机轰炸、扫射，甚至施放毒气弹、烧夷弹。解放军每占领一块阵地，都要经过数次搏杀，要巩固一块阵地都要打退敌人十余次的反扑。阎军的碉堡又厚又坚，手榴弹和炸药包无法炸开，有时要堆放三四百公斤炸药，才能掀掉。解放军战士在弹药用尽时，就用刺刀、铁镐、石头与敌人格斗。

前方的战事酷烈地进行着，指挥部里也紧张异常。一连数日，徐向前时时聚精会神地伫立在侦察要图前，周士第、陈漫远、胡耀邦等同他一起，关注着战斗的进展，随时发出指挥命令。徐向前有时夜间到前沿阵地去视察，总结经验，调整战术，指挥作战，胡耀邦常常陪同。他对徐向前说：你军事的、政治的担子这样重，身体又不好，我们年轻人身强力壮，有些事情，我们去做好了。徐向前在一次夜间视察时受了风寒，一下病倒了，周士第、陈漫远、胡耀邦反复劝说他去后方静养，但没能打动徐向前。胡耀邦也常常冒着密集的弹雨，到最前线去。一次，他上了第十五纵队的淖马阵地，给战士带去了《人民子弟兵》报，在阵前进行政治动员。他向各纵队号召："政治工作到基层去，到第一线去。"在他的带领下，兵团政治部、宣传部的干部、记者和在部队体验生活的作家，都纷纷上了前线。

经过 17 个昼夜的惨烈搏杀，解放军歼灭阎锡山部队一万多人，四大要塞全部攻克。11 月 12 日，东山战斗胜利结束。与此同时，太原南、北各据点也被解放军占领。在太原城郊战火的余烬上，飘起面面红旗。只待号令一下，解放军便开始攻城了。

二 造成强大的心理攻势

当此之时，辽沈战役已经结束。毛泽东又在运筹平津战役。为此，毛泽东对打太原有了新的想法。他在11月16日凌晨五时给徐向前、周士第发来急电说道："估计到太原攻克过早，有使傅作义感到孤立自动放弃平、津、张、唐南撤或分别向西、向南撤退，增加尔后歼灭的困难。请你们考虑下列方针是否可行：(一) 再打一二个星期，将外围要点攻占若干并确实控制机场，即停止攻击，进行政治攻势。部队固守已得阵地，就地休整。待明年一月上旬东北我军入关攻击平、津时，你们再攻太原。(二) 如果采取此项方针，杨罗耿部即在阜平休整，暂不西进。"①

徐向前、周士第等接到电报后，立即明白了毛泽东的深意。他们同意对太原围而不打，稳住傅作义，待东北野战军入关后，先收拾平津，再解放太原，有百利而无一害。因此，按毛泽东的指示，解放军在12月初接连攻占了临汾以西及太原城东、城北等一些据点，并用火力封锁了红沟机场，将阎锡山守军围困在以太原为中心长宽不到十五公里的狭小地区之后，就转而就地休整，并展开了以瓦解阎军为主的政治攻势。

徐向前认为，政治攻势也像军事攻势一样，必须自上而下形成坚强的领导中枢，统一部署，统一指挥，统一步调，而不

① 《毛泽东年谱》(1893—1949) 下卷，第391页。

能各自为政，乱放“枪炮”。因此，兵团于11月中旬成立了对敌斗争委员会，由王世英、胡耀邦负责。王世英是华北军区副参谋长、敌工部部长，山西洪洞县人，抗战期间同阎锡山打过交道，很熟悉太原内情。兵团之下，各师成立政治攻势委员会，团、营设政治攻势中心指导小组，连设政治攻势小组。这个组织系统专门负责了解敌情，分析形势，研究敌军心理，及时提出对策；培训政治攻心骨干，总结和推广各部队的经验，不断提高斗争艺术、斗争水平，改进斗争方式；妥善安置投诚起义人员，检查和监督部队对俘虏政策、投诚起义人员政策的贯彻执行情况。

负有这场“攻心战役”指挥之责的胡耀邦，对政治攻势作战的目的、对象、方法、策略、纪律等方面都作了认真考虑。在对敌斗争委员会成立会议上，他以《开展对敌政治攻势工作中的几个问题》为题发表了讲话，对这些问题系统地发表了意见。

他说，为什么要加强对太原敌人的政治攻势呢？第一，现在太原已成为孤城，敌人十分恐惧、动摇、悲观、失望，尽管阎锡山控制很严，实行法西斯镇压，仍然堵不住官兵逃亡的漏洞。这是我们对敌人进行政治攻势的很好条件。这就是说，政治攻势有很大的成功可能。第二，阎军和太原的群众，受了阎锡山的欺骗，有些还不了解我党的政策。这说明很需要把真实情况和我党的政策，告诉太原市的人民和阎军官兵。

在讲到政治攻势的目的时他说，目标要有高的，比如争取阎锡山，也要有低的，比如造成敌人内部动摇、悲观失望；减少敌人的仇视和顽抗；促使敌人从零星逃亡一直到中股、大股起义。这些都是瓦解敌军的效果，都是对解放太原的积极贡献。

关于政治攻势的对象，胡耀邦说，主要是阎锡山的军队，此外，还有他们的党政人员，中小特务，警察宪兵等。方法是无孔不入，有空隙就钻进去，这样就可以发现无穷的“宝藏”。对于太原城内外数十万工人、学生、商人、职员和市民，也要加强政治宣传工作，然后通过他们，开展对敌人的政治瓦解工作。

在讲到遣回工作时他说：可向太原选派打入的对象，现有三种人：一种是，被俘虏的阎军尉、校级军官。如果每天放回去五个，一个月顶多只一百五十个，假使这些人放回去都变坏了，也不过一个连的人数，没有给敌人增加多大力量，我们还可再消灭他；如果其中有几个人起了作用，其价值可能就更大。二种是，可利用的敌人的亲属朋友，如商人、女人、老头等带信进去。这些人不会被敌人抓兵，增加他们连队的兵员。三种是，将阎军的重伤员彩号，救护后要尽量设法送回去。有人说这是我们自找麻烦，但不知道给我们找的是小麻烦，给敌人找的是大麻烦。这里须注意，不要派老百姓抬去，免得被敌人抓去当兵。

喊话是阵前斗争的重要方式。11 月下旬，胡耀邦召开兵团政工会议，在讲话中他着重讲了喊话问题。他说：敌人向我们喊话自然一方面企图对我部队起些瓦解作用。但是，主要的还是对敌军本身官兵实行火线上的思想控制，阻挠我们的喊话。因此，我们要经常站在主动的地位，寻找敌人的空子进行有理、有利的喊话。排除一切喊话困难，不和敌人对骂，采取耐心说服的口吻和态度表示我们的宽大，处处为他们的生活和前途着想。

他说，我们需要把敌人的反喊话和反问区别开来看，有些反问就是真的要我们替他们解答还不明白的问题。……对于带头喊话的特务分子也需要一面驳斥、打击、孤立他们；一面还要软化他们，争取他们，给他们留有改过自新的余地。比如在他们与我们对阵喊话时，我们可以说："你是不是特务政工人员、铁军骨干，你过来吧，我们可以原谅你，也宽待你。"对于个别很顽固的反动分子，我们可以用威胁去打击和软化他，一方面向他说："你叫什么名字，住在哪里？打进城去好找你。"一方面对他的士兵说："你们不要听他的话，他是特务，他压迫你们逼你们送死，请你们记住他的名字。"打击和软化要有机地结合，按照具体的情况和对象恰当地运用。

胡耀邦强调，政治攻势重在攻心，要从心理上争取和瓦解敌军，因此各项工作都要有针对性。在解放大军压境的情况下，阎军内部不同的人群必然有很不相同的心理活动，因此就要分门别类，有的放矢。在胡耀邦主持下，对敌斗争委员会编出了各种各样的宣传品，这些宣传品都经过胡耀邦的审定，有些就是他自己动手编写的，都有不同的针对对象。

比如对前沿阵地的阎军士兵，鼓动他们携枪来降：

放哨看地形，打柴看路线。
知心朋友商量好，看准机会一起跑。
白天过来用记号，黑夜过来高声叫。
解放大军掩护你，不怕误会跑不了。
带上子弹和步枪，谁敢追赶打他娘。

对被抓去的阎军新兵，鼓励他们回家平分土地：

晋中各县，土地平分，阎军官兵，家中照分。
男女老少，每人一份，快逃回家，参加平分。

对从西北地区开来的国民党第三十军，则指出：

> 胡宗南，恐慌在西安。蒋介石，准备逃台湾。
>
> 太原城，很快被攻占。三十军，你们怎么办？

还有针对敌人谣言的《十不得歌》：

> 阎锡山鬼话信不得。特务造谣听不得。
>
> 太原工事守不得。红皮七九枪①用不得。
>
> 挨饿挨冻过不得。互相监视要不得。
>
> 解放军攻城了不得。土造飞机②坐不得。
>
> 家里盼你等不得。逃跑回家迟不得。

这类宣传品和各种传单，先后印制了五十多种，一百多万份，另外还有大批“罢战安全证”、“立功优待证”等，利用宣传弹射向对方阵地。在前沿阵地上，各连队也人人订计划，班班来挑战，看谁瓦解敌军的战绩最大。基层干部和战士纷纷喊话，直击敌人心理防线。对敌人的反喊话，往往几个回合就驳得他再不作声。那些新解放的战士喊话的热情更高，由于对阎军内部情形熟悉，且有许多相识的人，所以他们的喊话效果非常好。

胡耀邦也亲自出面，做阎军上层军官工作。淖马要塞夺取战之时，从俘虏口中得知据守阵地的是第八总队司令赵瑞，徐向前便派赵瑞的老友赵承绶和晋中战役被俘的阎军第三十三军

① 指太原自造步枪。

② 指解放军炸飞阎军的碉堡。

参谋长杨诚动员赵瑞起义。经他们做工作，赵瑞果然起义了。为了动员他们继续运用各种关系从内部瓦解阎军，胡耀邦亲赴赵瑞起义军集结地榆次。他赞扬赵瑞的起义行为，代表兵团宣布起义军改编为第一兵团独立第一支队，赵瑞为司令员。他还称赞赵承绶和杨诚的工作做得好，希望他们再立新功。杨诚后来回忆说："胡主任以平易近人、和蔼真诚的态度，勉励我们好好学习，自我改造，继续为解放太原贡献力量，我们深受感动。"①

这场攻心战打了半年之久，一直持续到攻城前夕，先后瓦解敌军一万二千多人，加上原先瓦解的人数，共达三万余众，约占阎军当时兵力的百分之二十五，其中成营、成团、成师（总队）放下武器的，几近四分之一。

三 策动黄樵松起义

早在晋中战役打完之时，徐向前就曾设想过和平解放太原的问题。他考虑阎锡山已身处绝境，说不定可以接受和平条件。本想派有丰富统战工作经验的王世英进城去同阎锡山谈判，但情况不明，还不能贸然行事。于是想先投石问路，请一位阎锡山的老师、年近八旬的老秀才，持徐向前亲笔信去劝说阎锡山。这老秀才慨然愿意前去，为民请命。但不久传来消息，阎锡山竟不念师生之情，残忍地把老人杀了。

知道阎锡山已不可争取，兵团领导们便寄希望于阎军其他将领，不久就把视线集中到新编第三十军军长黄樵松身上。

① 乔希章：《胡耀邦与太原前线的政治工作》，《胡耀邦与军队》，第57页。

黄樵松早年属西北军，西安事变时在杨虎城部，拥护张学良、杨虎城联共抗日主张，有爱国思想，对共产党也有一定了解；抗日战争中，在娘子关和台儿庄同日军作战，表现英勇；来太原前任第三十师师长，驻守西安。他为人爽直忠厚，有正义感，对蒋介石排斥异己早有不满。

在太原被围的紧急时刻，阎锡山向蒋介石要求增援。10月间，蒋介石调第三十师往援，于是黄樵松率戴炳南全旅等共一万余人，分批空运太原。

在东山战役中，黄樵松部队表现出一定的战斗力，牛驼寨一仗，竟将解放军占领的阵地夺回。黄部也由此增编为第三十军，黄樵松任军长，戴炳南升为师长。虽然阎锡山深为倚重，但黄樵松却心事重重，他一面向上海、南京的旧友探询济南吴化文起义的情况，一面同在解放区的旧长官高树勋暗中联系。

高树勋此时已奉调来到太原前线，正在做争取阎军的工作。高树勋原为国民党第十一战区副司令长官，他对国民党久怀不满，在中国共产党统一战线政策感召下，1945年10月，在从郑州开往北平附近驻防途中，于邯郸率部新八军和河北一个民军纵队宣布起义。这一行动影响极大。黄樵松在西北军时曾是高树勋部下，两人私谊甚笃。这时高树勋便写信给黄樵松，劝他以太原30万人民的生命、财产为重，顺应历史潮流，弃暗投明，率部起义。由一个被俘放回的排长，把信亲手交给黄樵松。

黄樵松反复权衡，认为只有脱离国民党才有出路，于是决定起义。他复信给徐向前说："……为了拯救太原三十万父老出水火，免遭涂炭，我决心起义，站在人民和正义这方面。望指示……"随即派身边的中校参谋兼谍报队队长王震宇，带随从王玉甲出城接洽。王震宇按华北军区第一兵团安排，来到第八纵队司令部。

徐向前派胡耀邦代表他全权组织这次起义，同时给黄樵松写了复信：

樵松军长勋鉴：来函收悉。黄军长为早日解放太原三十万人民于水火，拟高举义旗，实属对于山西人民一大贡献。向前当保证贵军起义后仍编为一个军，一切待遇与人民解放军同。惟时机紧迫，更为缜密计，事不宜迟。至于具体问题，兹特请高总司令树勋将军并派本军胡政治部主任耀邦前来前线代表向前全权进行商谈。

专此即颂军祺。

徐向前启

十一月二日

胡耀邦偕同高树勋连夜赶赴第八纵队司令部，与八纵司令员兼政委王新亭、参谋长张祖谅一起，同王震宇晤谈。

当时在场的工作人员乔希章对会谈情景曾作这样的追述：

胡耀邦问对方联络代表：“黄军长举义的方案，是怎样考虑的?”

王震宇说：“军座已经在亲信部属中，作了部署和动员，尚无反对者。他的打算是，以最可靠的部队，把太原绥靖公署阎锡山指挥机关包围起来，逼阎交出指挥权，如阎不从，则以武力解决。然后，通电宣布起义……”

胡耀邦指出：“王代表，此事关系重大，回城后，请向黄军长阁下转达，对阎锡山老牌军阀，可要特别特别地提防。况且，阎锡山统治山西近四十年，还没有哪一派势力能征服他。在山西，阎锡山是有社会基础的，而且特别会耍手腕，千万千万要警惕啊!”

高树勋将军一旁插话："胡主任讲话有道理。王代表应尽快回城，将此忠告向樵松军长转达。"

王震宇连连点头，提出："为举义成功，请贵军派出联络代表与我同时入城协助。"

事关大局，胡耀邦走出与王震宇谈话的屋子，与徐向前直接通了电话，汇报了商谈情况。他说："已向黄樵松的联络代表商定一个可行方案，黄部拟交出该部防守的东门和北门，接应我军入城解决阎锡山。然后，黄部撤出城外于指定地域接受改编。但我方急需派一名代表入城协助，并与太原前线司令部保持通信联络。"

胡耀邦接着说："现在的问题是，派谁入太原城?"没等徐向前回答，他就自告奋勇地说："徐司令，那我就亲自入城协助黄樵松举义吧。"

徐向前严肃而又十分关切地回答："你是政治部主任，打仗需要你，不能去！况且，那里面的情况还没有搞确实，你去不得呀！还是另外派个人去吧。"①

胡耀邦同王新亭商量，决定派第八纵队参谋处处长晋夫和侦察参谋翟许友，随王震宇入城。晋夫是黄樵松同乡，具有文人风度，谦和稳重。

不幸，黄樵松的起义举动，被他一手提拔的下属、第二十七师师长戴炳南出卖。阎锡山得到戴炳南密报后，立即诱捕了黄樵松，同时将王震宇、王玉甲、晋夫和翟许友逮捕。阎锡山将黄樵松等五人押送到南京，经南京"国防部军法局"两次审讯，由审判长顾祝同审判，宣判黄樵松、晋夫、王震宇死刑，翟许友、王玉甲无期徒刑。五人都拒绝在判决书上签字。1948

① 乔希章：《"你是政治部主任……"》，《胡耀邦与军队》，第16—17页。

年 11 月 27 日晨，凛然不屈的黄樵松、晋夫、王震宇在雨花台就义。新中国成立后，黄樵松被追认为烈士。

出卖黄樵松的戴炳南，在 1949 年 4 月太原解放后，被捕获正法。

入城联络是极其危险的，胡耀邦当然非常清楚。如果那一次他真的进了城，肯定就会牺牲了。但他自告奋勇，完全置个人安危于不顾，这种精神受到广大官兵的一致赞誉。

四 原跟彭总学打仗

由于军务倥偬，不能静养，徐向前的身体越发不好。1948 年 11 月 29 日，毛泽东、刘少奇、朱德、周恩来、任弼时致电徐向前："闻病极念，务望安心静养，不要挂念工作，前方指挥由周、胡、陈担负，你病情略好能够移动时，即来中央休养，待痊愈后再上前线。"① 但徐向前仍不肯休息，他牵挂着围城部队，甚至躺在担架上去前沿阵地检查越冬防寒措施。稍稍能起来时，他就召开前委扩大会议，同周士第、陈漫远、胡耀邦等详细制定太原战役的作战方案。

历史进入了1949 年。

1 月，人民解放军东北野战军以摧枯拉朽之势攻克天津，随后北平获得和平解放。不久，华北军区第二、第三兵团奉命向太原开进，配合第一兵团作战。

2 月，全军按中央军委指示整编，原华北军区第一、第二、第三兵团依次改编为中国人民解放军第十八、第十九、第二十

① 《徐向前传》，第 483 页。

兵团，直属中央军委。第十八兵团司令员兼政委徐向前，副司令员兼副政委周士第、王新亭，副司令员兼参谋长陈漫远，政治部主任胡耀邦。同时，第一兵团所属的第八、第十三、第十五纵队，分别改为第六十、第六十一、第六十二军。

3月底，第十八兵团同杨得志为司令员的第十九兵团、杨成武为司令员的第二十兵团会师太原城下。根据中央军委决定，以十八兵团领导机关为基础，组成太原前线司令部、政治部，司令员兼政委徐向前，副司令员周士第，副政委罗瑞卿，参谋长陈漫远，政治部主任胡耀邦。同时成立太原前线党的总前线委员会，统一领导各部队。总前委由徐向前、罗瑞卿、周士第、杨得志、杨成武、陈漫远、胡耀邦、李天焕组成，由徐、罗、周、陈、胡为常委，徐任书记，罗、周任副书记。

第十九、第二十兵团的到来是一件大事。组织欢迎这两支兄弟部队，成为胡耀邦这段时间的主要工作。他指示抽调干部和各军文工团，组成两个欢迎慰问团，分别去两个兄弟兵团向太原开进经过的寿阳、忻县迎接。在战地搭起彩门，两面贴着“兄弟兵团大会合，攻取太原有把握”、“老大哥工作好，团结巩固士气高”等门联。守阵地的部队把各战区最好的房屋打扫得干干净净，让兄弟部队住下。包括粮食、蔬菜、饮用水等，也都作了安排。在交接阵地的战壕里，贴满了彩色标语，出版了墙报专刊号。《人民子弟兵》报上专门发表了社论和欢迎口号。胡耀邦还主持制定了“八大守则”，要求各部队贯彻。八大守则要求随时虚心向兄弟部队学习；协同作战时要积极主动，不争夺缴获物品；驻军一地时，要主动让房子；当兄弟部队有困难时，要尽力帮助；在任何情况下不许与兄弟部队争吵……

严冬已经过去，迎来了三月阳春，太原城下的各路解放大军正热火朝天地加紧练兵备战。

此时阎锡山的太原守军共六个军，十七个师，总兵力为七万二千多人。解放军准备攻太原的兵力，包括第十八、十九、二十这三大兵团及晋中部队、一野第七军、四野一个炮兵师，共二十五万余人，处于绝对优势地位。

3 月底，总前委确定了战役部署，各兵团、各部队作了分工，并且决定4 月 15 日为总攻击时间。

胡耀邦的战前政治工作越发繁忙。还在2 月间，他在检查各部队的冬季整训工作时，发现虽经一再强调，还是发生了多起在战场上违反群众纪律的事件，为此领导开展了“二月大整纪”。当时，有些部队认为战场上出现群众纪律问题难免。胡耀邦一直极其关心的是部队入城以后的表现。他说：“战场上的群众纪律遵守得好，才能保证将来打进太原城以后，把城市政策纪律执行得好。”他严肃地要求：“各种部队对已经发生的违反群众纪律的事情，严格进行检查处理，反对任何姑息和放任的态度。”在如今各路大军云集，总攻即将开始之时，胡耀邦深知参战人数愈多，愈要加强城市政策、纪律教育。他以太原前线政治部的名义制定了《入城守则》，发到前线所有部队，要求“使全军所有的同志，都能去严守纪律，去执行政策，并且能去监督和维护政策纪律，所有干部必须成为遵守纪律执行政策的模范”，并要求“攻城战役结束后，除警备区治安部队外，全部撤出城外，除战争破坏（大炮摧毁甚多）外，将太原完好地交给人民”。同时，政治部又编印了政策、纪律教材，在部队中反复进行教育。

虽然如此，胡耀邦还是放心不下。当时任兵团政治部干部科科长的梁秀昆记述说：

“在总攻前的一次兵团常委会后，耀邦同志找我去亲自交代任务。他说，为了保证城市政策的落实，给你一个任务，检查各级党委是怎样贯彻前委关于城市政策的要求的。你骑一匹马，限三天要跑遍太原前线兵团所属团以上党委，找党委书记检查，看他们在前委会后是怎样传达贯彻前委关于城市政策指示的。方法是三言五语谈完就走，一是督促，二是发现问题及时纠正，好的做法，交流传播。就这样，我拿着耀邦同志亲自签名的介绍信出发了，到军、师、团各级党委都找书记亲自谈，发现有的已开始传达贯彻，有的还没有动。他们听了我传达的耀邦同志意见后，普遍反映兵团党委抓得紧，检查工作的方法也值得学习。都简要地说明本单位的安排或打算，有的还打听其他单位贯彻的情况。我也作了些必要的介绍，三言五语地提出意见，就又赶到另一个单位了。我如期地完成了任务。就这样从党委、领导的角度，抓了入城政策纪律，问题发现得及时，好的做法交流得也及时，使城市政策在党委先落到实处，部队自然被带动起来了。”①

1949年3月5日至13日，中共中央在西柏坡召开了著名的七届二中全会，这次会议强调党的工作重心要由农村向城市转变，要由革命战争向和平建设转变。毛泽东在讲话中号召在新的时期里全党都要谦虚谨慎、不骄不躁、艰苦奋斗，要警惕敌人糖衣炮弹的袭击。徐向前因病没能出席这次会议。会议还没开完，毛泽东就要彭德怀在返回西北前线途中，去太原前线帮助指挥打太原。

4月初，彭德怀来到榆次以南十多公里的峪壁村看望徐向前。两位老战友相见，都很高兴。彭德怀向徐向前讲了党的七届二中全会精神，徐向前也向彭德怀介绍了攻打太原的部署和准备情况。当彭德怀关切地询问徐向前病情时，徐向前告诉他

① 梁秀昆：《太原战役政治工作几点回忆》，《胡耀邦与军队》，第61页。

肋膜两次出水，胸背疼痛，身体虚弱得很，没法到前线去。他对彭德怀说：你就留下来指挥攻城吧，等拿下太原再走。

“行!”豪爽沉毅的彭德怀一口答应，“明天我就上阵地看地形，要找个年轻人陪我。”

徐向前说：“从打仗方面来说，应该周副司令员陪你去，但他现在得向兄弟兵团介绍太原情况。要论年龄，胡耀邦主任最小，就由他陪你吧。”

在场的胡耀邦立即说：“我愿意跟彭老总学打仗。”

当年长征时，胡耀邦就在彭德怀领导的红三军团战斗过。现在又要跟老首长打太原，胡耀邦兴奋而激动。一连几天，他和王新亭陪着彭德怀熟悉部队情况，察看地形地貌。他也认真观察这位不苟言笑的老总是怎样部署战事，同徐总的风格有何异同。

以后报经中央军委批准，彭德怀就留在太原前线指挥作战。但为避免影响军心，下命令、写布告，仍以徐向前的名字签署。

在这期间，以周恩来为首的中共代表团和以张治中为首的国民党代表团，正在北平举行和平谈判。4月5日，毛泽东电告彭德怀、徐向前：“阎锡山已离太原，李宗仁愿出面交涉和平解放太原问题，我们已告李宗仁代表（本日由平去宁），允许和平解放，重要反动分子许其乘飞机出走，其余照北平方式解决”。“你们应即派人进城，试行接洽，求得于十五日前谈妥。”①

原来，一直赌咒发誓要“与太原共存亡”的阎锡山，借口去南京开会，于3月29日逃离了太原。临行前他指定亲信梁化之、王靖国、孙楚、吴世铨、吴绍之组成防守太原五人小组，指挥一切。

① 《毛泽东年谱》（1893—1949）下卷，第475页。

总前委按照中央指示，决定致函孙楚、王靖国，敦促他们和平解决太原问题，派赵承绶等去太原试谈。但赵承绶等被阻于城外，孙楚等拒绝和平途径。

4月20日凌晨，总攻太原的战斗正式开始。

困兽犹斗的阎军只能以4万兵力放在太原外围，在解放军雷霆万钧的攻击、穿插之下，一触即溃。仅用两天，城郊阎军13个师基本被歼，只有少数残兵败将逃回城内，外围全被扫清。

为减轻对太原市人民生命、财产的破坏，太原前线司令部于4月22日向太原守敌发出放下武器的最后通牒，但梁化之等拒不回应。于是，人民解放军决定一鼓作气，在4月24日拂晓攻打城垣。

当天凌晨两点，胡耀邦被彭德怀找去，陪他一同到各前沿阵地作了最后一次视察。

清晨五点半，绿色信号弹倏然升空，1300门大炮从四面八方同时轰鸣，太原城头顿时一片火海，厚厚的城垣被轰开十几个缺口。三个兵团的主力部队争先登城，打退敌人数次反冲击，从南、北、东三面如怒潮般突入城内，迅速向“绥靖公署”合围。仅用四个半小时，就结束了战斗，俘获了孙楚、王靖国及阎军师以上军官四十余名，梁化之自杀，守城官兵近三万人全部被歼。红旗在省府大楼上升起，太原城完全解放。

经中共中央批准，立即成立了以徐向前为主任，罗瑞卿、胡耀邦、赖若愚为副主任，周士第、罗贵波、萧文玖、裴丽生、解学恭、康有和为委员的太原军事管制委员会。军管会立即着手工作，一方面搜捕隐匿的重要军警特分子，举行公审战犯孙楚、王靖国、戴炳南大会；一方面迅速组织山西省和太原市政府机构，并发布一系列命令和公告，组织全市人民打扫战场，恢复工厂生产和商业正常开业，学校尽早恢复上课，安排灾民生产自救，使社会很快稳定下来。

在这期间，胡耀邦认真检查了部队执行政策、纪律的情况。他了解到部队入城后干部以身作则，战士实行群众性的相互监督，纠查队严格纪律检查，所以工厂、学校、医院、仓库和有关人民群众的生活设施，以及工商业户都得到了保护。有的战士鞋子跑掉了，宁愿打赤脚，也不拿俘虏背包上的鞋子。长期受阎锡山欺骗宣传的太原老百姓，看到解放军竟是这样纪律严明，都由衷称赞。

太原战役之后，解放军立即分兵，由杨成武率部解放了大同。这样，华北一线战事均告结束。胡耀邦也结束了华北的战事生活，将奉命向西挺进！

五 “为华北人民的解放立了大功”

胡耀邦在华北部队先后担任纵队政委和兵团政治部主任，一直从事政治工作。这一时期里，他既围绕各次战役深入进行政治动员，开展政策、纪律教育，组织对敌政治攻势，又以极大精力，加强部队经常性的政治工作建设。他领导政治工作的思路总是富有创造性，方式、方法总是生动活泼的，因此他所在的部队总是保持着蓬勃朝气。

1948年10月13日，他在第一兵团报纸《人民子弟兵》上发表文章《提高战场政治工作》，系统地阐述了对战时部队政治工作的见解。他说：“在战场上，政治工作人员、政治机关的总任务就是：在思想上、政治上贯彻上级的决心，实现本军的作战意图，歼灭敌人，完成任务。”如何完成这个总任务呢？他说：“这就要做一系列的工作：各级主要的政治工作人员要经常了解上级和本军的意图与决心，并在思想上、政治上、组织上贯彻执行；要及时了解本军的思想、情绪，并适时提出正确口号与进行教育、解释，引导全军走向胜利；要及时发现作战时在战术上的好典型和坏例子，并发扬好的，纠正坏的；要及时了解敌军情况和政治瓦解工作的成效、缺点、方式方法及经验教训，并及时推广好的，纠正缺点；要及时了解部队执行政策纪律的情况，并表扬好的，纠正坏的；要及时了解医疗救护、给养供应等后勤工作方面的情况，并组织力量帮助解决这方面的困难。”

部队转战千里，由于情况不同、任务有别，胡耀邦的政治工作在各阶段有不同的侧重。但是他始终抓住一个重点，就是做好基层思想工作，加强基层建设。在太原前线，他响亮地提出：“军队的基础在士兵”，“政治工作到基层去，到第一线去”！1949 年 2 月初，他在《认真做好连队建设工作》一文中写道：“连队是军队的基础组织，是军队的战斗单位，是进行战斗任务的决定力量，是领导与广大战士群众相结合的桥梁，是完成一切任务的总枢纽。”“如果我们的连队强，我们的队伍基础就强；连队不强，就是说基础不好。”因此他要求：“营以上机关、领导干部，必须重视连队，到连队中去，为了连队，把连队搞好。”

连队任务头绪很多，胡耀邦把它概括为要抓住“三好”这个目标，即仗打得好，政策、纪律遵守得好，部队团结巩固得好。在太原前线，他深入到各纵队反复强调这一点。他说，这事实上也是整个部队的奋斗目标。1949 年 2 月 21 日，他在《人民子弟兵》报上发表文章：《部队工作的奋斗目标——三好》，作了进一步论说。他写道：“我们是军队，军队头一个任务是打仗，是消灭敌人，仗可以打好而打不好，就叫没完成任务。因此，不能打的部队不能算很好的部队。我们是人民解放军，我们是为人民解放而消灭敌人，因而我们又必须严格地遵守纪律，执行政策。如果仗打得好，但败坏了纪律捣乱了政策，就脱离了群众，就叫做政治上打了败仗。因此政策执行不好、纪律遵守不好的部队，也不能算是好部队。上面两条都好，可是部队不团结、不巩固，能不能保持这两条呢？毫无疑问，是不能够的。因此，不团结、不巩固的部队，也还不能算很好的部队。"他说："这'三好'，既然是部队的标帜，同样，它就是我们部队一切工作的奋斗目标了。换句话说，我们就要经常抓住它，抓紧它。一切的积极性，一切的创造，都要围绕着它，都要为了它。反过来说：一切脱离它的积极性，就会变成空忙，变成'吃力不讨好'；一切脱离它的创造，就会变成'无的放矢'，变成'额外负担'。"以后，在华北军区第一兵团改编为中国人民解放军第十八兵团时，他在兵团直属队举行的命名典礼大会上，又面向全兵团重申了这一要求："从今天起，我们就成为中国人民解放军正规军了，所以，我们第一要打好仗……"由于这样反复强调，所以"三好"深入人心，成为第十八兵团各级部队都牢牢把握的基本思想。胡耀邦后来还补充说："为了做到这三条，就要（一）加强学习。（二）更加团结。（三）加强党委领导。"

胡耀邦来到第一兵团，刚到职就要组织部门紧紧抓住党委建设不放。他说，我们是人民解放军，是党领导的部队，战役的胜利离不开坚强的党委领导。他到纵队检查工作发现，部队由于连续作战，有的党委工作制度不够完善，存在着不少游击习气，缺少健全的请示报告制度，党员作用也发挥得不够。经过仔细调查，他明确指出党委的主要问题在于：组织欠健全，生活欠正常，工作欠充实，责任欠明确。他同纵队领导交换过意见后提出，团以上党委应吸收下一级军政主要负责党员干部参加，要设常委，并进一步健全党委组织。要建立党委会议制度，常委会要多开，及时交换意见，商量日常重大问题。党委会要充分发扬民主，要有讨论，允许争论，要反对任何委员不倾听旁人的意见和随便制止旁人发言，侵犯其他委员权利的举动。党委要经常地开展批评和自我批评，使组织生活更加正常化。党委的主要职责是掌握部队尤其是干部的思想政治情绪，适时提出思想政治教育的方针和计划，认真实施党的政策和上级指示，并定期检查总结，以充实党委工作。他还特别提出，务必注意发挥每一个党员的作用。当一个重大任务到来或大的运动发起的时候，必须首先召集一定党员的会议，进行党内动员和组织工作。

根据毛泽东提出的“支部建在连上”的思想，胡耀邦还突出抓了连队党支部的建设。太原战役发起前，连队党支部还处在半公开状态，胡耀邦到兵团后即提出要彻底公开党支部，以发挥党支部在连队的战斗堡垒作用。他还要求在党支部的领导下，抓好士兵委员会的工作，开展民主运动。要把连队互助小组、战斗小组建立在扎扎实实的基础之上。通过党员和党的积极分子的模范作用，活跃连队思想政治工作，激发革命英雄主义气概。

在胡耀邦的指导下，第十八兵团政治部于1949年3月9日发布了《关于加强党委工作的几个问题》的决定，对发扬党内民主、健全党委生活，党委书记与党委委员的职责与分工，党委制与首长制等重要问题，都作了明确规定。

胡耀邦也十分重视对干部的培养教育。发表在1948年12月3日《人民子弟兵》报上的文章《具体帮助和教育干部是贯彻一切工作的关键》，就是他对干部工作较为全面的论述。他说：

“现在许多领导机关和负责同志都感到工作难于贯彻下去，有些同志认为这是由于下面干部较弱，缺乏领会和执行上面指示工作的能力。其实只是认识了问题的一面，还有一面未认识到，就是上面对于下面干部的具体帮助和教育不够。”他又说：“干部决定一切，要把工作做好，自然需要有工作能力的干部。但干部的工作能力并不是天然生成的，一半是由于实际工作和战斗锻炼；一半是由于上面的教育和帮助。在通常情况下，对干部我们也应该一面教育、一面使用、一面帮助；这样既可以把干部能力提高，又可以把工作做好。在目前干部能力较弱的情况下，我们对于干部的教育和具体帮助就显得更重要了。正因为干部缺乏领会上面指示工作的能力，我们便更需要给予具体的帮助和教育。所以，具体的帮助和教育，是我们目前贯彻一切工作的关键。”如何进行具体的教育和帮助呢？他说：“并不是叫上面去代替下面的工作，而是说上面给下面一个工作任务，不只是有原则的指示，而且要有具体指示怎样的方式方法。特别是下面感到困难的时候必须循循善诱，让他们敢于提出困难，帮助他们克服困难，不要硬逼和碰；当他们工作完不成任务和犯了错误的时候，必须谆谆告诫。帮助他们得出经验教训，不要一味训斥责备。要发扬积极因素，克服消极因素。这样就使他们接受每一任务不会感到压力太大，而觉得胜任愉快，积极性和创造性就可以大大发挥，工作能力自然提高，工作也就可以做好了。任何一个领导干部要做到这一点，一定要有耐心深入的工作作风和热心勤劳帮助干部的精神。”

在实际工作中，由于作战时有伤亡，各级干部尤其是基层干部的及时补充，便成为战役过程中必须解决的问题。胡耀邦指示，要坚定地推广在连队中行之有效的“评荐干部”的经验。这就是：连队干部的提拔要在连队群众评比的基础上，由群众向领导推荐，然后由领导选定，加以任命。推荐中要强调选拔经过考验的战斗骨干，注意德才兼备。这样做的结果，是大批优秀的战斗骨干被提拔起来，包括不少“解放战士”，被提拔为连、排干部。胡耀邦还多次提出，对干部从政治上要抓严，生活上要放宽。他说，政治上不严就不能保证党的路线、方针、政策的贯彻，就不能使干部不断得到提高；生活上不宽，干部一些必须解决的问题也难以解决，就会影响干部情绪。胡耀邦还注意到要做好随军家属工作。他指出，家属工作并不像有些同志认为的那样是小事，这项工作做好了，使干部在紧张的战役中无后顾之忧，对巩固和提高部队战斗力是会起到积极作用的。

在全部思想政治工作中，胡耀邦把出版报纸工作放在显著位置。在中央苏区便有办报经历的他深深懂得报纸就是武器，而且是利器。他知道应该运用报纸，更知道如何运用报纸。在晋察冀部队时期，他先后所在的第四纵队有《前卫报》，第三纵队有《前线报》，他都以很多的精力，指导这些报纸办好，以使它们发挥更大作用。他不仅对编报方针、报道选题以及编排形式等方面有明确要求，而且也总是提醒编辑们要注意思想作风和群众语言。在第四纵队时，他经常到报社去同编辑们谈天。他嘱咐大家：共产党的报纸一定要讲真话，讲实话，实事求是，绝不做“客里空”。他说：“党的报纸，军队的报纸，关系着党和军队的形象，绝不能说假话，吹牛皮。那样一搞报纸就会威信扫地，再也没有人相信你了。”他还说：“报纸一年到头出版，九十九期都说真话，有一期讲了点假话行不行呢？我说不行！那也是不允许的。一次假话就会使报纸受到严重损害。禁绝假话，一定要作为工作纪律明确规定下来。”有一段时间，《前卫报》模仿大报，社论较多。胡耀邦说，社论这种形式比较严肃，连队干部、战士接受起来有困难。社论要少写，写好，选题要慎重。有些社论的内容可改用连队讲话材料的形式写，这就可以自由些，文字要通俗、生动，尽量使用群众自己的语言，让连队指导员拿起来就能读，战士一听就懂。后来根据他的指示，《前卫报》三五天发表一篇言之有物、通俗活泼的讲话材料，深受连队欢迎。到第三纵队以后，胡耀邦也仍然本着这些精神指导办报，使《前线报》也成为充满生气，深为干部、战士喜爱的读物。

他到第一兵团之后，看到兵团还没有一张报纸，立即着手筹建。他从石家庄弄来印刷机，还动员一批印刷工人来，调集编辑人员，组成了报社。1948 年 10 月 3 日，第一张《人民子弟兵》报在太原前线诞生。对这样一张兵团级的报纸，胡耀邦在办报方针上有了进一步要求。他说，我们军队办报纸的目的，就是为了提高大家的思想认识，增长大家的知识和技能，解决大家的疑难和顾虑，提高大家的信心和斗志。要达到这个目的，在内容上一定要与当前中心任务和广大士兵的要求密切结合起来。这就是说，一方面把领导的思想变为群众的思想；一方面把群众的智慧和模范行动，加以大大的发扬和普及。在形式上力求通俗，为广大士兵所乐于接受。在胡耀邦具体指导下，这份报纸面向基层，面向群众，充满着战士关心的话题，充满着基层群众的声音，很快成熟起来。胡耀邦也不断为报纸写文章，通过报纸指导工作。他充分相信一张好的报纸所能激发的精神力量，因此下部队视察时，胡耀邦常常亲自给战士带些《人民子弟兵》报去，甚至送到战壕里去。

一向极其重视文化工作的胡耀邦，也以极高的热情，关注着如何提高战士文化知识水平的问题。他不仅是着眼于当前，更考虑到长远。1947 年他在第四纵队的时候，一次看到“前卫剧社”干部和谷岩所写的《三字经》式的歌谣：“天荒荒，地荒荒，不识字，是文盲，不怨爹，不怨娘，旧社会，害人狼……”他大受启发，觉得这是提高战士文化水平的很好的方式。于是，胡耀邦找来和谷岩，让他编一本连队用的《三字经》。胡耀邦说：我们部队现在的成分绝大多数是翻身农民，他们作战勇敢，能吃苦，政治素质好，可是文化水平低，文盲太多。这样的军队在小米加步枪时代马马虎虎还可以对付。全国胜利后，我们就是新中国的国防军，要搞现代化，掌握飞机、坦克、大炮，那时我们这样的“土八路”就抓瞎了。所以，不管行军、作战任务多重，从现在起，就要想方设法提高我们战士的文化素质。办法有许多种，进学校当然好，但不能都进学校，主要还靠自学。一定要在连队造成学习文化的浓厚空气。要你搞一本《三字经》，就是这个目的。由你把文字写好，请人配上插图，看图识字，好读好记，发到连队作为文化教材。本子要印得小一点，便于携带，行军休息时就可以掏出来念几行。他还嘱咐和谷岩说，你千万不能小看这件事，这是我们部队的一项基本建设。

部队作家和谷岩后来回忆说，他“两个多月共写出四十多章。初稿写出后曾先后两次送耀邦同志审查，每次他都耐心地给予帮助和指点。第一次的送审稿中缺少党史和军史的内容，耀邦同志说：‘添上去，要把文化学习和传统教育结合起来。’根据他的意见我增写了《大革命》、《长征》等章。第二次送审稿中各革命根据地，我只写了《陕甘宁》、《晋察冀》两章。耀邦同志说：‘这样写不全面，不利于团结，要把各个革命根据地都写上去，五湖四海嘛！……’之后，我又增写了《晋绥》、《晋冀鲁豫》、《华东》、《东北》等章。”①

① 和谷岩：《胡耀邦教我写〈三字经〉》，《胡耀邦与军队》，第22—23页。

根据胡耀邦的多次意见，和谷岩又在文字上不断作了修改，一本57章的《人民军队三字经》终告完成，读起来朗朗上口："为革命，把兵当。人民军，大学堂。同志们，是兄弟。毛主席，像校长。学政治，练思想。学文化，知识广。学军事，打好仗。三字经，念几行。能文武，本领强。指战员，状元郎。"(第二章：《学习》)每一章都配上了插图。这部《三字经》以晋察冀军区政治部的名义出版，作为连队综合基本教材发到全军区部队，大受欢迎。在当时的艰苦行军、作战环境中，战士们一有空闲就争相阅读、传抄，成了必不可少的精神食粮。

在华北部队，胡耀邦作为政治工作的领导干部，他起草了大量的战斗动员令，各种工作决定，各种纪律守则。同时，他又是杰出的宣传鼓动家。他善于根据不同任务提出不同的极富动员性的口号，还善于有针对性地编写带韵脚、易记忆、可背诵的歌谣。在第三纵队向冀东察南挺进时期，他发现干部、战士对全国解放战争的形势了解不多，会影响对战役胜利的信心，便同政治部主任陆平一起，编写了《十大胜利信心》，以政治训令形式颁布，作为向部队进行时事教育的教材，要求人人能懂会背：

一、蒋贼卖国打内战，全国民心已大变。
二、兵力不足又分散，年半被歼两百万。
三、军官腐败又无能，士气低落不愿干。
四、美国帮忙不顶事，经济危机没法办。
五、蒋区人民活不了，到处反抗闹翻天。
六、帝国主义纸老虎，民主力量大如山。
七、平分土地农民乐，军民团结不困难。
八、自由人民一亿六，全国解放将一半。

九、人民军队炼成钢，雄师已过两百万。

十、朱毛指挥无敌手，眼看蒋贼快完蛋。

这讲的是大局。而挺进冀东察南，是同傅作义部队作战，把握如何呢？胡耀邦针对这种疑虑，又同陆平一起编写了《十分把握》：

困难虽然有，把握有十分。大家来注意，细听说分明。

第一、傅敌只有几个军，东拉西扯不够用。

第二、敌区空虚战线长，到处挨打无处防。

第三、傅敌缺兵到处抓，不愿打仗愿回家。

第四、敌人庄疃败得苦，傅敌也是纸老虎。

第五、敌区人民盼我军，痛恨傅敌入骨深。

第六、我区人民翻了身，支援战争顶认真。

第七、整纪练兵有进步，这次打仗劲头足。

第八、主动出击兵力大，哪里好打哪里打。

第九、友军配合真有力，敌人顾东不顾西。

第十、上级指挥顶可靠，任务更能完成好。

这样通俗浅显的宣传鼓动词，极易为广大战士所掌握，成为提高认识、增强信心、鼓舞斗志的非常有效的形式。

胡耀邦在华北部队出色的政治工作，以及这些工作结出的优异成果，受到了广大指战员的赞誉。直到数十年后，他的老战友们忆起当年那些既扎扎实实、又生动活泼的政治工作，还津津乐道。在1989年胡耀邦逝世之后不久，聂荣臻元帅对他的这一段工作作了这样高度的评价：

关于他在解放战争时期，在华北部队先后担任纵队政委、兵团主任时的情况。他很善于抓政治工作，经常深入基层，足迹遍及华北，讲形势说任务，宣传鼓动，使部队很活跃，士气高昂。与耀邦共事或接触过的干部和群众没有不称道的。耀邦同志参加了华北解放战争的全过程，经历了各个主要战役，直到战争的最后胜利，为华北人民的解放立了大功。

六　转战大西北

1949年4月，由于南京国民党政府拒绝在《国内和平协定》（最后修正案）上签字，毛泽东和朱德于21日发布了《向全国进军的命令》，命令中国人民解放军"奋勇前进，坚决、彻底、干净、全部地歼灭中国境内一切敢于抵抗的国民党反动派，解放全国人民"。4月23日，南京解放；翌日，太原解放。5月1日，中共中央致电徐向前、周士第、罗瑞卿等，热烈祝贺太原解放！"从此山西全境肃清，华北臻于巩固"。华北解放军下一步的任务，就是经过短时间休整后，解放西安和大西北。

此时胡耀邦所在的第十八兵团和杨得志率领的第十九兵团，都划归彭德怀领导的第一野战军建制。徐向前仍在病中，第十八兵团改由周士第任司令员兼政委，王新亭任副司令员兼副政委，参谋长和政治部主任仍由陈漫远与胡耀邦分别担任。

第十八兵团前委根据《向全国进军的命令》，于5月4日作出了《关于"向前进"的准备工作的决定》，指出："在全军指战员中深入地进行'解放西安去，解放大西北去，解放全中国去'的思想教育与动员，是目前一切工作的中心。"

这就要尽快处理掉太原战役后的遗留问题。胡耀邦及时向部队提出，要“迅速做好战后工作，来迎接即将到来的新的光荣任务”。他要求：“把需要清理和解决的问题全部加以清理解决。不管是物资的清理和交公也好，不管是部队家属问题的处理和解决也好，都必须求得在这一时间做完，免得牵手挂脚，拉扯部队前进。一定要使部队成为一支轻便利索的部队。”

远征大西北，有大量思想教育工作要做。胡耀邦组织、布置政治部人员下部队，了解情况，帮助工作。他自己更是全力以赴，日以继夜，不断地找人谈话做调查，下部队视察指导，开会、作报告、写文章，极其繁忙。这一时期的《人民子弟兵》报上，几乎天天都有他的文章。他提出许多新的口号、新的论述，从多方面进行深入的思想动员。

当时突出的思想障碍是一些战士认为太原解放，华北解放，革命也就到了头，该回家了。特别是本乡本土的战士，一直在内线作战，从来没离开过家乡，要长驱西北，顾虑更多。干部中也有人不愿再打仗，想进城享受享受。

针对着这类家乡观念和享乐思想，胡耀邦分层次、多方式地开展了工作。

5 月上旬，他召开了团以上干部的动员会。有同志记述当时情景说：“周士第司令员兼政委主持会，由政治部主任胡耀邦作西进动员报告。胡耀邦站在主席台前，朝气蓬勃，神采奕奕，讲话实事求是，声音洪亮，引经据典，通俗易懂，铿锵有力，一下子把同志们的注意力吸引到他那里去了。他讲话的方式方法很灵活，逻辑性很强。他采用教书先生考学生的办法，先向大家提问题，挥舞着手臂，亲切地问：太原打下来了，大家是否想过下一步任务该干什么？他用眼睛向全场巡视一周，好似在等哪位同志的回答。他笑眯眯地说：我们是胜利的军队，应该不应该更坚决地响应毛主席‘将革命进行到底’的伟大号召？现在西北野战军、西北人民都在等着我们。大家想想该怎么办？我们的口号应当是援救西安，解放大西北，直至解放全中国。你们都是团以上的负责同志，你们有了正确的答案，明朗的态度，思想坚定了，腰杆也就会硬起来，说出话来掷地有声。这样回到部队里去，发动群众，亮开思想，彻底地议论一番。我们兵团是不是就留在山西呀，还是要向前进？……”①

这期间，胡耀邦按照毛泽东“将革命进行到底”的精神，提出“革命到底，光荣到底”作为总的动员口号。他说：“我们要做革命到底的英雄汉，绝不做半路人。发扬我们的光荣传统，珍贵我们的光荣历史，执行新的光荣任务，争取最后的无上光荣。”5月9日，他在直属队排以上干部会上作报告，进一步说，要实现“革命到底，光荣到底”的决心，就要作“四大精神准备”。他以他一贯的风格，将这“四大精神准备”编成了句型整齐而且押韵的四句话：第一，坚决前进不想家，一心一意把敌杀；第二，出征就要运动战，长途行军练到家；第三，新区条件可能差，吃苦耐劳克服它；第四，新区群众未发动，群众工作都参加。

与此同时，他在《人民子弟兵》报上发表的一连串文章中，对方方面面的问题，层层深入地、细致周到地作了讲述和部署。

5月3日，他在《全力进行向前进的准备工作》中说：“向前进，对于我们兵团是一件大事，时间又很短，因此我们一切工作都要紧张的有重点的为着向前进作准备。准备工作主要有两个方面：一是思想方面的准备，一是组织方面的准备。”

5月6日，他在《充分采用群众路线方法进行向前进的政治

① 曾柯、吴成德：《胡耀邦号召我们大进军》，《胡耀邦与军队》，第157页。

动员》一文中，提出了五个问题，要求“分为五个步骤经过群众路线一一加以解决”。这些问题，一是为什么要向前进的问题，二是向哪里前进的问题，三是请假回家看一看的问题，四是向前进的有利条件和困难问题，五是怎样前进的问题。对这些问题，他分别作了详细阐释。他说：“领导上的责任就是：善于提出问题，启发诱导；要敢于放手让大家提出各种不同的意见，展开讨论争辩；要善于讲道理，能够耐心地说服群众，解决一切疑难问题；还要善于发动群众，开展向前进的文艺活动……自己教育自己。”

5月10日和11日，他又分别发表了《做好解决请假回家的问题》和《把我们全部的精力放在向前进的准备工作上》两篇文章，针对有些战士在未出动之前想回家去看一看，或者觉得家里有困难，想回家帮助解决一下，以及有些人想进太原城去看看玩玩等一时间颇为普遍的反映，讲了许多道理。他告诉家庭实在有困难的战士说：“华北人民政府已经颁布了优待革命军人家属的条例，并制订了革命军人证明书”，同时要求“我们各级政治机关……务使我们的家属有了困难能够适当解决，减除同志们对家庭的顾虑”。

由于动员工作做得充分，部队中各种思想障碍渐次消除，指战员们精神抖擞地投入各项准备工作。

5月下旬，各军举行了誓师大会，然后就高举战旗，沿同蒲路南下，行程五百余公里，直奔风陵渡口。

还在第十八兵团整装待发的时候，第一野战军第一、第二两兵团在彭德怀指挥下，以迅雷不及掩耳之势，解放了胡宗南盘踞的西安。胡宗南战败后龟缩凤翔、宝鸡、陕南一线。此时青海马步芳和宁夏马鸿逵还有势力，与胡宗南既钩心斗角，又相互声援。马步芳组织了青海兵团，由他的儿子马继援任司令；

马鸿逵组织了宁夏兵团，也由他的儿子马敦静任司令。青、宁两兵团总兵力八万余人，由马继援统一指挥。愚蠢而刚愎自用的马继援想一显身手，夺得头功，提出“重回咸阳，占领西安”，率第八十二军直扑咸阳。

于是彭德怀令尚未渡过黄河的第十八兵团第六十一军急进，日夜兼程赶赴咸阳，参加咸阳阻击战。

胡耀邦同第六十一军来到咸阳前线。他迅速为《人民子弟兵》报写了《紧急动员起来，坚决歼灭胡马敌军!》的动员文章。文章分析了打好这一仗的意义，以及有绝对把握取胜的条件，同时又指出：“由于敌人是垂死挣扎，兵力不算少，我们还必须认识这是一场大战。要歼灭敌人，就需要一定时间，也必须付出一定的代价。而且由于我们来得匆忙，又是仓促进入战斗，对于敌情地形都还不大熟悉，故必须积极研究敌情地形，赶快摸清敌人的战术、特点、规律，绝对不能轻敌，不能有丝毫疏忽。”

6 月 13 日，马继援率部进至咸阳城郭，解放军第六十一军立即以炽烈炮火迎击。经过一昼夜激战，马继援狼狈逃窜。

乘下一个战役开始前的间隙，第十八兵团于 6 月 26 日召开团以上干部会议，讨论和部署今后任务，总结向西北进军以来的各项工作。27 日，胡耀邦在会上作报告，对打好进军西北的第一仗问题以及搞好政策、纪律和群众工作问题，都作了总结和部署。在总结行军工作时他说：这次行军对我兵团来说的确具有历史意义，因为不单是走得不错，不单是像这样的长途行军、强行军并且是出征，是我兵团的头一遭，更重要的是我兵团经过这次锻炼，使行军力提高了一步，为以后的行军打下了一个基础。这个收获是很宝贵的。因为行军力是战斗力的一个部分。他同时也指出：“这次行军还有严重缺点”：“一是逃亡还大”，“一是乱子不少”。为了巩固部队，他提出了“十个一定”：一定不能虐待逃亡战士，一定不要单靠消极防范，一定要用思想教育提高阶级觉悟的方法，一定要经常开展军事、政治、经济三方面的民主运动……。其中，他特别提到一定要从各方面实行爱兵。他说：每个干部、每个支部都要把爱兵问题作为自己的严重责任。无论在战场上、行军中、练兵中都要爱护自己的阶级兄弟；无论在思想上、体力上、生活上、家庭挂念上、疾病上都要非常关心爱护自己的阶级兄弟。爱兵的口号需要大大地叫起来！爱兵的观点需要在全军牢固地树起来！环境越困难，就越要爱兵。

咸阳阻击战取胜之后，彭德怀将胡宗南与马步芳、马鸿逵“二马”这两股势力作了反复比较权衡，最后确定了“钳马打胡”的方针。他乘第十八、第十九两大兵团主力都已赶到并打了胜仗的军威，在7月10日发起扶郿战役。他将杨得志的第十九兵团布阵于西兰路上，钳制“二马”，而以王震指挥的第一兵团、许光达指挥的第二兵团和周士第指挥的第十八兵团，集中兵力从渭河两岸扑向扶郿地区，一举将胡宗南的四个军包围。12日拂晓，战斗在罗局镇地区展开，至中午，敌军大部被压缩在午井镇以西、高王寺以南、罗局镇以东的渭河河滩。经过五个小时激战，胡宗南部四个军四万三千余人全部被歼灭。午夜，第十八兵团与第二兵团会师，然后乘势西进，于14日占领了西北军事要塞宝鸡，直逼胡宗南军防守的秦岭防线。

第十八兵团政治部跟随作战部队向宝鸡开进。胡耀邦坐在前面一辆吉普车里，陷入沉思。他在想着如何利用这次战役的胜利鼓舞部队再接再厉，乘胜前进。他掏出笔来在车上写了一篇有关这次战役的报道，一到宿营地，就派人送给随行的《人民子弟兵》报编辑部。报道先综合讲了这次战役的胜利成果和意义，接着就从政治思想上给部队提出新的任务和要求：“现在，敌人防御计划已被我们打碎，急急如丧家之犬，掉头奔逃。但敌人还有力量。因此，摆在我们全体同志面前的任务，就是不让敌人有喘息的机会，必须继续奋勇前进，克服一切困难，克服一切疲劳，乘胜追歼敌人。”

“钳马打胡”的战略目标已经实现，下一步则要集中主力“打马”。按彭德怀的部署，以第十九兵团为右路，继续追击宁夏马鸿逵，以第一兵团为左路、第二兵团为中路，猛追青海马步芳。战场设在兰州。第十八兵团分出第六十二军跟随左路进攻部队为总预备队。8 月 20 日，第十九兵团与第二兵团会师兰州城郊，并在 25 日拂晓向兰州发起总攻。26 日，西北要塞兰州宣告解放，西北地区敌军中最为强悍的马步芳主力悉数被歼。

与此同时，主力摆在川陕路上以钳制胡宗南部队的第十八兵团，也向秦岭地区的胡宗南军第三十六军、第五十七军残部发起进攻。兵团大军越过大散关，直抵凤县，沿秦岭、大巴山一线，与胡宗南集团对峙。

西北决战胜券在握，第十八兵团又接到新的战斗任务，与第一野战军第七军同归贺龙司令员指挥，向大西南进军，直取成都。

器宇轩昂的贺龙司令员在延安发起国民体育运动时就同胡耀邦有过接触，他对这个浑身充满激情的小个子年轻人同样十分欣赏。

这时，全国胜利已成定局，中共中央决定 1949 年 9 月间召开中国人民政治协商会议第一届全体会议，商讨建立新中国的大政方针。正在宝鸡地区指导第十八兵团进行军政整训的胡耀邦接到通知：作为新民主主义青年团中的政协委员去北平出席政协会议。

7月29日，胡耀邦离开宝鸡，同贺龙等一起前往北平。

这是他第二次来到北平，心情同1946年第一次前来是大不一样了。解放了的北平充满着欢乐气氛，他沉浸在这种气氛里，思绪飞扬，感受到了置身于伟大的历史大转变中的无比兴奋和自豪。

参加会议的新民主主义青年团的代表共10名，为冯文彬、蒋南翔、胡耀邦、宋一平、陆平、王治周、张本、杨述、高景芝、王明远。胡耀邦又见到了阔别多年的老上级冯文彬，免不了要彻夜长谈。在这里也见到了许多老战友，大家都兴高采烈，喜气洋洋。

9月21日，胡耀邦走进中南海内宫灯高悬的怀仁堂，中国人民政治协商会议第一届全体会议在这里开幕。他又看到了毛泽东、刘少奇、周恩来、朱德，他们已经换上了毛呢制服，更显得容光焕发。

毛泽东在开幕词中庄严宣告："占人类总数四分之一的中国人从此站立起来了。"这时全场掌声雷动，经久不息，胡耀邦激动得热泪盈眶。

他怀着神圣的使命感，同前辈革命家们，同德高望重的民主人士们，同各界的优秀代表人物们，共同商讨建立人民共和国的大计。每一个议程都使他感奋不已。

9月30日，中国人民政治协商会议第一届全体会议闭幕。10月1日，胡耀邦登上天安门城楼参加开国大典。当接受检阅的人民解放军威武雄壮地通过天安门城楼时，曾经亲历了解放军一步步成长壮大历史的胡耀邦，心潮澎湃，感慨万千！

第七章 主政川北

一 从马上到马下

1949年10月，胡耀邦在出席中国人民政治协商会议第一届全体会议和参加开国大典之后，同贺龙司令员一道，来到晋南重镇临汾，与晋绥分局领导会商了大批干部南下四川的配合问题。10月30日，南下干部誓师，山西父老举行了欢送他们南征的大会。会上，贺龙分析了全国形势和进军西南的任务：消灭盘踞西南的数十万国民党军队，解放四川省，解放大西南。贺龙号召南下干部入川以后，配合刘邓大军共同战斗，学习二野的优良作风。胡耀邦代表第十八兵团讲话，表示要保证胜利进军，保证部队进川之后，既是战斗队，又是工作队，配合地方工作同志共同建立和保卫新政权，建设新四川。

其后，英气勃发的胡耀邦夜涉风陵渡，于10月11日回到秦岭前线。

当时，由刘伯承、邓小平率领的中国人民解放军第二野战军和由林彪、罗荣桓、邓子恢率领的第四野战军已渡过长江，占领了华东、华中大片土地，随后第二野战军及第四野战军的一部分迅即将兵锋指向大西南。按毛泽东的战略部署，二野及四野的一部分自东向西，第一野战军自北向南，对西南守敌形成合钳之势。

根据形势发展的需要，中共中央决定成立西南局，邓小平任第一书记，刘伯承、贺龙分别任第二、第三书记。

进军大西南，首先要攻克四川，四川是西南的重心，拿下四川，就动摇了国民党在整个大西南的根底。

蒋介石意识到国民党在四川的险境，于8月间亲自跑到重庆坐镇。他判断解放军极有可能从川北挺进，因此将主力胡宗南集团十一个军约十六万人布防在秦岭、汉中、川北一线。

毛泽东则将由陕入川的任务交给了第十八兵团，他在10月13日电告彭德怀："关于由陕入川兵力，已与贺龙伯承小平一起确定为十八兵团，不牵动其他部队。"①

胡耀邦围绕进军大西南，做了充分的政治工作。11月16日，兵团召开了团以上干部会议，由胡耀邦传达中国人民政协会议精神和作入川动员报告。在传达政协会议精神时，他着重讲了体会最深的统一战线问题。他说，我们共产党打天下，不能只有我们共产党坐天下，而必须把一切可以团结的人员都团结起来。我们广泛团结的目的，就是要天下归心。他说，中国革命有三个法宝，统一战线就是克敌制胜的法宝之一。我们中国是个有五万万人口的大国，有很多民族；除了共产党和国民

① 《关于西南、西北作战部署给彭德怀的电报》，《建国以来毛泽东文稿》第一册，第54页。

党外，还有很多党派以及无党派民主人士。各民族、各党派、各界人士都团结起来，形成的力量是不可估量的。大家合力建设我们的新中国，新中国才能很快富强起来。他要求克服那种对于起义人员和党外人士担任重要职务看不惯的狭隘思想，今后务必团结绝大多数人一道工作。

对于入川作战，他说，我们要给部队讲清楚、讲彻底几个问题：第一，入川是光荣的。第二，完成任务并不难。第三，四川很好。第四，我军的任务。他说："这是我们最后一次大仗了，是一个难得的好机会，我们每个同志，应该抓紧时机，大显身手，把我们的光荣带到四川去，我们要有始有终地革命到底！光荣到底！"他还主持制定了《南进入川政治工作要点》，号召部队要"打好，走好，合好，接好"，即仗打得好，行军走得好，同兄弟部队合作得好，对新解放的城镇接管得好。对入川作战有了充分准备的各个部队很快掀起了山地追击战的练兵热潮，普遍开展了爬山运动。战士们自编快板唱道："听了老胡一席话，天塌下来也不怕……"

11 月间，贺龙、周士第、李井泉、胡耀邦率第十八兵团与第一野战军第七军先头部队沿秦岭北麓分左、中、右三路，昼夜兼程，冲向敌大巴山防线。

与此同时，屯兵湘鄂西的刘邓二野主力，已完成了对川、黔大迂回的战略部署。11 月初，川黔战役的隆隆炮声，揭开了解放战争最后一场大战即西南决战的序幕。至 11 月末，刘邓大军在第四野战军一部配合下，于歼灭宋希濂、罗广文两主力后，一鼓作气攻下重庆，然后飞速向西、向北横扫，切断了蒋军逃向康、滇的退路，乘势从东、西、南三面形成了对成都平原的包围。

从 12 月 4 日开始，第十八兵团翻过三百多公里的秦岭，跨越二百多公里的大巴山，用重炮轰开剑门关，沿奇险的蜀道直扑而下。12月15日，胡耀邦率左路第六十一军在穿越大巴山占领南江县后，急速涉过嘉陵江、涪江，一路扫荡残敌，几乎每天攻克一座县城，直抵三台、中江。中路、右路第六十、第六十二军和第七军从汉中及天水地区向南挺进，以破竹之势攻占广元、剑阁、绵阳等要冲，又进占广汉、金堂、新都等县，沿途经历大小战斗数十次，歼灭胡宗南部队八万多人，迫使胡宗南不得不放弃秦岭、大巴山防线，将主力龟缩在成都周围。

12月下旬，第十八兵团同二野杨勇的第五兵团、陈锡联的第三兵团，四野的第五十军密切配合，发起了成都战役。蒋介石、胡宗南先后弃城逃走，各国民党部队惶惶不知所归。在解放军强大的政治攻势下，国民党军有五个兵团相继起义。其中第七兵团司令裴昌会的起义事宜，就是胡耀邦亲自安排的。

裴昌会是胡宗南的老部下。当第十八兵团发起扶郿战役之时，裴昌会坐镇宝鸡，负指挥总责，为解放军迎面之敌。但裴昌会早已对国民党的反动统治由不满而绝望，因而一直伺机起义。胡宗南由秦岭、大巴山防线后撤，裴昌会退到凤县双石铺时，曾派人前来联系，胡耀邦接见了来人。由于有黄樵松起义失败的前车之鉴，胡耀邦要他们积极准备，至于何时起义，则需要掌握最恰当的时机，不要过于冒险。后来裴昌会在秦岭、广元、剑门三次试图起义，都没有成功。直到国民党部队纷纷向成都溃逃之时，裴昌会才得以乘机宣布起义。

此时正驻德阳的胡耀邦得讯后，立即打电话邀见裴昌会。裴昌会连夜由中江赶到德阳。胡耀邦早早就在门前迎候。入座后，裴昌会送上所属各部现态势要图和全部人马、武器、弹药、装备、器材等表册。胡耀邦询问了有关情况后说：“我们的来意，一是慰问你和起义部队，二是征询你还有什么疑难问题，有什么要求。我们现在是一家人了，敞开谈吧。”裴昌会对三次起义未成表示遗憾，说道：“有负你对我的期望，推迟了三个多月，似有非到兵临城下不低头之嫌。”胡耀邦说：“你在蒋胡嫡系部队中的处境，我们早有所知，现在你没有失信，实现了你的愿望，我和你都高兴嘛！”说得两人都笑了起来。之后，两人话起家常。胡耀邦对裴昌会的家属被劫持到台湾表示关注。两人促膝交谈直到夜阑人静。裴昌会见胡耀邦虽然年轻，但气度不凡，言辞恳切，特别是没有丝毫胜利者的凌人盛气，对他亲切和蔼如对兄长，只觉得满心欢喜，深有好感。此后不久两人便一起共事，并结下很好的友谊。

成都被围之后，只有胡宗南的亲信将领李文于24日率七个军进行突围战。26日，经过终日激战，李文以下五万余人被俘、被歼。27日，成都解放。

12月30日，贺龙率第十八兵团举行盛大的入城仪式，贺龙、周士第、李井泉、胡耀邦、陈漫远等分乘吉普车，在万众欢呼、喧天锣鼓声中，进入成都市。

至此，第十八兵团入川的主要战斗任务基本结束。大概胡耀邦自己也没有料到，他的多年戎马生涯也将随之结束，他将承担临政亲民的地方工作重担。

还在12月中旬，中共中央西南局即电告贺龙为首的川西北军政委员会：“同意组织川北党的临时工委，以胡耀邦同志为书记，赵林同志为副书记。川北政权组织可直接以行署名义出现，不必用军政委员会过渡。奉西南军政委员会刘（伯承）电令，发表行署正副主任，先行到职，随即报中央政府。”

当时地域辽阔的四川省在区划上分为川东、川西、川南、川北四个部分，都是省级建制。川北之外的其他三个区党委和行署领导人是：川西：李井泉，川东：谢富治（后为阎红彦），川南：李大章。

胡耀邦此时还不能从容考虑他的新任命，眼前的兵团政治工作任务还相当繁重：组织第六十二军进军西康①，总结南下的政治工作经验，适应新情况制订新的政治工作纲要及实施办法，特别是对起义、投诚和俘虏的二十多万国民党军政人员的接管、教育和改造，都要付出极大精力。经过一个多月紧张繁忙的工作，这些任务都已部署就绪。这时候，胡耀邦开始把目光移向他履新之地的川北，深思未来的方略。

二 初临南充

川北地区面积约九万平方公里，辖南充、遂宁、达县、剑阁四个专区，三十五个县和一个直辖市，首府南充市。全区耕地面积二千四百五十余万亩，人口一千七百余万。清代历史地理学家顾祖禹在《读史方舆纪要》中记载，这里“居三巴之间，为要膂之地”，“田畴沃衍，川泽流通，饶五谷，多盐利，西上成都，东下夔峡，资储常取给焉”。然而近世以来，特别是国民党反动统治期间，这里已是满目疮痍，百业凋敝，1949年的农业生产量，还不及抗日战争前的80%；工业产值仅占当地国民经济总产值的1.5%，加上手工业也仅占15%。川北是革命老区，1932年红四方面军离开鄂豫皖根据地后，曾辗转来到这里开辟了以通江、南江、巴中为中心区的14个县的根据地。当年徐向前将军以机动灵活的战略战术屡屡挫败国民党军队“进剿”的壮举威震一时，许多农村子弟投奔了红军，而张国焘发动

① 西康：旧省名，辖今四川省西部及西藏自治区东部地区。

"肃反"杀害大批革命干部的极左政策，也在人们心头留下了阴影。加之国民党溃败时布置潜伏下来的大量特务，以及当地的土匪、反动会道门，蠢蠢欲动，伺机反扑，阶级关系错综复杂。胡耀邦面临的，就是这样的政治、经济形势。

但是他有一定的心理准备。他阅读了大量有关川北的历史资料、国民党遗留下的档案，同熟悉川北情况的同志交谈，向贺老总请教，同有关部门沟通，心中有了个概数。尤其使他感到踏实的，是他知道川北已经有了较好的干部条件。1949 年 5 月，中共中央晋绥分局根据中央指示，在山西临汾开办党校，培训了万余名南下干部，学习了党的七届二中全会精神和新区政策。10 月下旬，在胡耀邦同贺龙离开临汾后，这批干部即分头南下，被分到川北地区的 1680 名干部，在进军路线沿途到职就事。川北当地还有三千多名地下党同志，也是一支坚强的力量。有了这样一批干部，开辟工作就有了重要保证。

1950 年 2 月 18 日，春节刚过，胡耀邦辞别兵团首长和战友们，率领第十八兵团少数干部、一个创办报纸的班子和一些文工团员，还有一个警卫连，分乘军用卡车和吉普车，迎着春寒，奔向南充。

胡耀邦坐在车里沉思不语，只不断地吸烟，他一面观望川北景色，一面不停地思考。

这时候，他一定是思绪万千吧！抗战一结束，党就把他派到部队里。一连四年，他转战在华北地区，又从西北来到西南，先后在聂荣臻、徐向前、彭德怀、贺龙麾下战斗。那一场场战斗，虽然有时受挫，但多数是胜仗，真打得扬眉吐气。在部队里他结交了一大批雄姿英发的青年将领朋友，他也深深爱着那些生龙活虎的战士。在部队这几年，是他成长极快的几年。现在离开部队了，这也是党的工作需要，然而在情感上胡耀邦总还是有些留恋。

对于四川这块神奇的土地，他并不陌生。长征中最艰苦的过雪山、草地，就都是在四川。川北这里，不久前还曾是他驰骋的战场。这一次来，已是天翻地覆，他也从羸弱的“红小鬼”成长为治理一方的高级领导干部了。

他以前没有正式做过地方工作。虽然延安时期对地方党政建设有过一些目睹耳闻，但自己缺少实践的经验。如何领导受苦受难的川北人民尽快过上好日子，这是个大题目啊！千条万条，把握党的政策最为重要。无论如何，要对得起川北人民。他不禁感慨地自言自语道：“耀邦以不满五尺之躯，来到川北，其将有利于川北人民乎？”

车队刚刚驶过三台县，突然有子弹向他们射来，一下把沉思中的胡耀邦惊醒，他立即意识到这是土匪在向他们袭击。他立即命令停止前进，就地反击。一小股土匪很快就招架不住，跑上山去，警卫连一直追到山上，土匪们落荒而逃。这一段小小插曲，使胡耀邦看到了川北形势的严峻。

经过两天的奔波，2 月 20 日，在苍茫暮色中，胡耀邦一行看到了南充市的鳞鳞黑瓦，点点灯火。

从这一天开始的在川北的 895 个日日夜夜，他向川北人民献出了他的全部真诚、雄心和智慧，为建设新川北而鞠躬尽瘁。

南充是 1949 年 12 月 10 日解放的。在这之后的 40 天里，以赵林为首的南下干部已经组建了南充军事管制委员会和中共川北临时工作委员会。临时工委根据中共中央的方针、政策和西南局的部署，结合川北实际，制定了《川北区初期工作纲要》，已经初步开展了工作。

历来雷厉风行的胡耀邦一到南充，拂去征尘，当天晚上就召开临时工委会议。会上，赵林等汇报了当地情况和近期工作，他特别强调了这里土匪猖獗，有的是股匪，有的是有组织的，严重危害着百姓。这一点胡耀邦已有亲身经历，他要求部队和干部都要有所警惕，等腾出手来要给这些匪徒以重重的打击。胡耀邦指出，当前的任务就是要正式组建川北区党委和川北行署，这是头等大事。他要求会后马上发通知，第二天就召开地委、县委书记、县长会议，决定这件事。

2 月 21 日至 24 日，在县以上干部会上，宣布中共川北区委员会、川北行政公署、人民解放军川北军区成立，胡耀邦任区党委书记兼行署主任、军区政委，赵林任区党委副书记。区党委委员除胡耀邦、赵林外还有李登瀛、秦仲芳、韦杰、郭林祥、饶兴等共 14 人；秦仲芳（后增补刘聚奎、裴昌会）任川北行署副主任；川北军区司令员韦杰、副司令员李文清，副政委郭林祥。

赵林、李登瀛、秦仲芳原先都是晋绥根据地的党政领导干部，有丰富的地方工作经验。韦杰、郭林祥分别是第六十一军军长、副政委，是胡耀邦的老战友。饶兴也是戎马半生转到地方来的。他们先期到达川北，完成了南下干部的分配和行政接管。他们相互间早就有所了解，但搭成一个班子共事这还是第一次。他们都比胡耀邦年长。在随后的岁月里，34 岁的胡耀邦作为“第一把手”，始终同他们亲密合作，尊重他们，善于吸取他们的经验，接受他们的意见。而胡耀邦的坚强魄力、埋头苦干、民主宽厚、多谋善断、勇于承担责任的品格以及谦虚好学的精神，也令大家钦佩和信服。他们之间的紧密配合，优势互补，极大发扬了领导班子每个成员的积极性、主动性，因此各项工作得以令行禁止，顺利开展。多年以后，胡耀邦还以十分感谢的心情回忆这个班子，特别是赵林。胡耀邦认为只有靠赵林把区党委的经常事务统管起来，他自己才有可能瞻前顾后，总揽全局，加强建政工作。

会上，讨论并通过了《川北区初期工作纲要》。《纲要》提出的初期基本任务是：支援前线，接管城市，收缴国民党军、特、匪等武装组织的枪支；安定社会、稳定人心，使群众恢复生产。其中心工作是：完成粮食征购任务，清理旧时财粮税收，推行人民币，交流城乡物资，稳定市场，加强社会治安管理，接管好城市等。《纲要》是粗线条的，但提出了目标，统一了思想。会议明确了全区的工作是紧迫的，中心工作一个接着一个，需要连续不断地、一环套一环地穿插进行。而恢复发展生产、恢复发展文教事业等，必须始终抓紧。

2月25日，胡耀邦来到正在举行的南充市第一届各界人民代表会议，同全市的党、政、军、工人、农民、妇女、民主人士、工商界的代表见面。这次代表会议的任务是，共商剿匪肃特、征收公粮、恢复和发展生产及文化教育大计。胡耀邦在会上发表了题为《团结起来，建设新南充，建设新川北》的讲话。他针对解放初期人们怕“变天”的思想，分析了形势，指出国民党已绝无“反攻”的可能，希望大家要坚定信心，不要轻信谣言，要相信共产党，相信人民政府的政策。接着他指出，当前困难重重，百废待兴，要做的事很多，不能停步不前，又不能操之过急，必须脚踏实地，稳步前进。他还特别强调，要建立、发展和加强各阶层人民的统一战线。他说，就数量而言，共产党员毕竟是少数，党外的广大群众是一支极其重要的建设大军，必须团结一切可以团结的力量，调动各方面的积极性，做好各项工作。随后他站起身来，满怀激情地举手高呼：“团结就是力量！”“团结就是胜利！”全场代表都被这一番鼓动性极强又有说服力的演说所感染，都情不自禁地高呼：“团结就是力量！”

散会以后，胡耀邦又走到代表当中，同大家交谈。这是他到任以来第一次在各界群众中露面。刚刚听了他那一番动人肺腑讲话的代表们，现在面对面同他接近，感到这位小个子的共产党高级干部热情似火，和蔼可亲，于是围拢过来的人越来越多。大家无所顾忌地向他询问关于公粮政策、工商业政策等，胡耀邦一一作了解答，并且反复强调要相信人民政府，要尽快恢复和发展生产。跟他交谈过的一个农民代表兴奋地说，“我今天硬是太高兴啰！以前我们还能同专员、县长说话吗？今天我们穿得这样烂，也可以随便和胡主任摆龙门阵，人民政府和我们真是一家人啊！”

这一次会开得喜气洋洋，代表们纷纷表示，现在的人民代表和国民党的参议员可不一样，决议的东西要执行，不是说了就算了。所以不能只是名义上当代表，要当“行动代表”。会后，好多代表要求下乡协助开展剿匪和征粮工作。

三　“让人民有批评的自由”

南充市各界人民代表会议的经验很快推广到全区各地，接着南充、西充、南部、营山、武胜、仪陇等县也相继召开了各界人民代表会议，争取了各界人士向人民政府靠拢，社会秩序基本稳定下来。在此基础上，川北区首届各界人民代表会议，经过胡耀邦为主任的筹委会两个多月筹备，于6月23日召开。

来自全区各市、县的四百多名代表有很广泛的代表性。他们怀着自豪感和使命感，怀着建设新川北的强烈愿望，来出席这次会议。

开幕式上，但见代表们的硬板凳坐席之前，摆放着一排藤椅。人们都认为这自然是为首长准备的。会议主席团执行主席胡耀邦看代表们到齐了，笑容满面地走到台前，大声地说：请六十岁以上的老年代表到前排藤椅上就坐，并打着手势，不断邀请。这出乎意料的尊老之举和胡耀邦的活跃而平易的作风，顿时使全场掌声和笑声响成一片。

会上，胡耀邦作了《川北区施政方针》的报告。

这个报告是胡耀邦同区领导们反复研究，花了很大心血，熬了几个通宵写出来的。在准备这个报告时，胡耀邦了解到，群众对新政权的期望很高，但他们的有些要求和愿望是不切实际的，或是过于性急的。比如一些工人认为工商业者不愿把资金拿出来办厂，以致工人失业，要求政府采取强制措施，甚至主张开斗争会。农民则关心减租和土改，希望马上分田。而某些工商户，则是怕没收资产，怕提高工资，怕工人不好管，有很多顾虑。胡耀邦在报告中提出了六个方面的任务，即：彻底肃清匪特，建立巩固的革命秩序；实行减租，准备土改，恢复与发展农业生产；调整工商业，繁荣经济；严格执行财经统一政策，努力完成财政任务，克服困难；有计划、有步骤地改革与发展文化教育事业；巩固与扩大人民民主统一战线，建立坚强的各级人民政权。这个报告由于全面系统地阐述这六个方面党的路线、方针和政策，又针对群众中的思想实际，深入浅出地加以回答、引导或者作出释疑解惑的说明，所以影响很大。代表们经过认真讨论，明确了许多政策观念。工人代表表示，不能只从自己利益考虑，还要兼顾资方，使资方有利可图，他们有了利润，才能把厂办下去，我们才不会失业。农民代表也明白了“现在就实行土改是要出乱子的”，要先肃清匪特，安定好社会秩序，才能土改。工商户代表了解了政府保护工商业的政策，也打消了顾虑，表示愿意投资生产，不做投机买卖。

议程进入大会发言时，发生了令人由惊而喜的一幕。川北少数民族代表、阆中回族民主人士马腾九发言时神情激动。他说，政府不注意民族工作，《施政方针》里没有提到少数民族，这可能是大汉族主义留下的坏传统的影响，希望大家看重少数民族。此言一出，全场哑然，都觉得马先生这样直言无忌可能闯下了乱子。只见胡耀邦笑着站起来，带头鼓掌，表示对马先生意见的肯定。川北只有回、藏两个少数民族，数量不多，但忽视了总归不对，胡耀邦随即在报告修改稿中作了补充。会后，他请马腾九担任行署少数民族机构负责工作。这种从善如流的作风，大大激发了人们开诚布公、开展批评的勇气。

会议将近结束时，胡耀邦经主席团同意，亲自起草了《人民代表公约》，提交大会。他在说明《公约》起草意图时说：依靠我们的精诚团结和充分协商，我们的会议已顺利地完成了好几件有益于川北人民的大工程。可以断言，川北人民将为我们所做的工作而欢呼。但是，我们全体代表的工作并没有完。各位代表回去以后，仍然还是一个光荣的川北区人民代表，基于此，我们来通过一个共同遵守的公约，以此勉励我们大家更好地为人民尽忠，促进我们更好地为人民服务。他提交的这个《公约》一共十条：包括“我们是人民的公仆，只能站在人民之中，不能站在人民之上。”“我们是人民的代表，要密切和群众联系，要坚决和敌人作斗争。”“我们是人民的代表，是人民政府各种法令的积极宣传者和组织者。”以及随时倾听人民群众的意见和呼声、监督政府工作人员等。胡耀邦进一步指出：《公约》条条都是为人民着想，条条都代表了人民的利益，而且条条都可以办到。毫无疑义，实现这些条文，就是人民代表的本色，就是人民代表应具备的品质。他希望大家都成为优秀的人民代表。

可以想见，在一个刚刚解放不久的地区，当人们渴求从共产党这里获取新的思维内涵、新的道德观念的时候，胡耀邦这样反复强调要全心全意为人民服务、一切要为群众利益着想，对广大干部和群众必然会是强有力的启迪和教育，也是思想上的武装。

在这次会上，经过民主协商，产生了川北区协商委员会，胡耀邦任主席、赵林等任副主席。协商委员会在各界人民代表会议闭会期间，代表各界群众参与政府讨论、协商川北各项重大政策，执行统一战线组织的任务。

在到职后的几个月内，胡耀邦一直把主要精力放在建立各级人民代表会议制度、巩固民主政权、加强政府工作上。在《川北区施政方针》这个报告里，胡耀邦概括地说：各界人民代表会议，是人民代表大会未召开之前，人民参加管理国家政权的主要形式，是人民政府联系与动员广大人民群众协助政府完成各项工作的最好组织形式。他要求各级人民政府不仅要按期召开和开好各界人民代表会议，还要把各县、市“各代会”常委会定期的会议生活和经常工作建立并开展起来。他提出，开好“各代会”的标准有两条：一是认认真真发扬民主，二是的的确确解决问题。

其后，他在发布《关于各县市召开第二届第二次各界人民代表会议的指示》中更明确指出：“各代会”的代表性务求广泛，工人、农民、文教界、工商业者、自由职业者、宗教界、民主人士、少数民族、妇女、青年、学生均应按一定的比例选聘代表。凡有民主党派的地方，应增设民主党派代表，不得偏重一方。他还强调，“各代会”要大大发扬民主，政府负责同志要实事求是地作出工作报告，耐心倾听代表的意见，使每个代表都有充分发言、进行批评和自我批评的机会。这样，方能集中意见，作出正确、有效的决议来。后来，他把这概括为“四有”，即有广泛的代表性，有简明扼要的工作报告，有充分民主议事的作风，有切实可行的决议。

在各县、市的“各代会”正常运作起来之后，胡耀邦又及时指出：各地务须认识到建立有权有责的常务委员会，作为“各代会”闭会后的常设机构，是民主建政的一个重要制度。随后，他又为健全各县、市“各代会”常务委员会正式发出通令，对驻会委员和工作人员的编制、他们的薪水待遇、常委会的办公费用等，都作了明确规定。经过这样的倡导和推动，各地“各代会”常委会得到大大加强，在贯彻与各阶层人民有共同利益关系的各时期的方针与政策，推动各项改革运动和经济的恢复发展方面，起了十分重要的作用。

鉴于当时不少干部存在着重党而轻政的情绪，胡耀邦强调说：“‘政府’两个字不能忽略，因为我们许多政策法令都是以政府名义颁布的，党与政府的政策法令是一致的。”“也正因为我们党掌握着领导权，因此，我们的干部熟悉政府公布的政策法令的意义就更大。”胡耀邦就在行署办公，住在行署，他是以“胡主任”而不是以胡书记、胡政委闻名川北的。1950年6月中央人民政府与政务院正式批准了川北行署的组建之后，胡耀邦郑重地率领行署组成人员举行了宣誓就职典礼。大家举起右臂，朗读誓词：“我们以至诚向川北人民宣誓：我们要奉行中央人民政府和西南军政委员会的各种政策法令，厉行廉洁朴素、为人民服务的革命作风，随时随地倾听人民群众的意见和呼声，及时改进我们工作中的缺点和错误，坚决完成我们的任务，为彻底实现《共同纲领》[1] 和建设人民的新的川北而努力奋斗。”

---

[1] 《共同纲领》：《中国人民政治协商会议共同纲领》的简称，1949年9月29日中国人民政治协商会议第一届全体会议通过。它在1954年宪法颁布前，起着临时宪法作用。

胡耀邦还特别注意不只是口头上，而且要在行动上实实在在地倾听群众的批评意见，把政府工作人员置于群众监督之下。一次，达县一位人民代表写信给川北协商委员会，批评当地人民政府门禁森严和干部作风方面的问题，措辞尖锐。胡耀邦非常重视，及时作了批示，他肯定这种批评是善意的，要达县地委认真调查并认真处理。他还指示把这封信和批语在党刊上刊登，以引起更大范围的注意。对于人民群众批评乃至揭发、控告某些干部的不良行为，胡耀邦要求政府工作人员采取正确态度，做到"三要"：一、要抱热烈欢迎的态度。不应认为这是群众"揭了自己的短"，是"找我的岔子"，"让我丢脸"，"打击我的威信"，而对群众的批评、控告采取拒绝、抱怨、厌恶、鄙弃的态度。二、要有坚决保护的态度。现在解放了，人民敢说话了，敢批评我们政府工作人员了，这是一种好现象。凡是群众正确的批评，都应该坚决保护和虚心接受。即使是不正确、不符合事实的，也须耐心地进行解释，而不能打击、嘲笑，更不能存成见，图报复，恐吓、威迫，甚至假公济私。三、要有负责查明、处理的态度。接到人民的控告和批评，一定要作出答复；需要公开检讨和答复的，一定要公开检讨和答复。如果"置之不理"或者拖延敷衍，或粗率从事，那就是官僚主义的再一次表现，是必须坚决反对的。胡耀邦还语重心长地说：各级政府工作人员，须知人民群众的这种控告和批评，是造成广大人民对政府工作人员群众性的批评和监督的一种好形式，是帮助政府工作人员克服缺点、错误的一种有效办法，是我们联系群众、倾听群众呼声的一种很直接的方法。他进而大声疾呼：对人民群众的批评和控告，我们要热烈地欢迎它，并热心去组织它。我们对人民群众的批评，要大开方便之门，让人民有批评的自由。

"让人民有批评的自由"，这是金石之声，是民主意识的升华。能发出这样的声音已属不易，更难能可贵的是切实付诸行动，惟大智大勇者始能为之。

四 肝胆相照

统一战线和党的建设、武装斗争并列，是中国共产党克敌制胜的"三大法宝"之一，从理论上胡耀邦老早就明白了。到北京参加了中国人民政治协商会议第一届全体会议，使他对统一战线实际作用的认识，又有很大的提高。他在宝鸡向第十八兵团团以上干部传达政协会议精神时，就着重讲了统战工作问题。他说，参加这次会议的一个突出感受，就是共产党领导革命，不等于包打天下，而必须最大限度地团结各界人士，充分发挥他们的积极性，形成合力，才能成功。他说："我们广泛团结的目的，就是要天下归心。"所以对民主人士，就要像历史上的周公那样，一饭三吐哺，一沐三握发。现在，他主持一方工作，更切实认识到各种社会力量和知识力量通力合作，特别是在阶级关系十分复杂的社会背景下，化消极因素为积极因素、化对抗因素为友好因素非同小可，大力发展和加强统一战线工作，至关重要。因此，从主政川北一开始，胡耀邦就把这项工作同政权建设联系在一起，摆上了日程。

早在 1950 年 3 月，川北区党委就建立了统战部，胡耀邦亲自兼任部长。他对从事统战工作的干部说，统战部是党委领导下的重要工作部门之一，是党在统一战线方面的参谋部和办事机构，是党外干部的政治部。在他的具体指导之下，各地、市的统战部门也相继建立起来，大部分县委也设立了统战委员。

他又从组织上对各级统战工作人员的编制、职责分工、政治面貌等作了明确规定。

对于有些党员干部居功自傲，看不起民主人士，不愿与民主人士交流的状况，胡耀邦严厉批评这些人要成为“孤家寡人”了。他告诫说：“共产党人只能三面威风，不能八面威风。对帝国主义势力、封建势力和反革命分子敢于打击和压制他们，而对其他方面，知识分子、工商界、宗教界、少数民族、民主党派、民主人士等都是统战对象，都要善于同他们协商合作，调动各方面的积极性。”“工农是我们的基础，没有基础不行。但没有朋友也没有力量，基础就不稳固。”他说：“没有群众要孤立，没有朋友也要孤立，我们必须同党外朋友亲密合作，各级政府必须吸收三分之一的党外人士参加工作。”

正是本着这个精神，组建川北行政公署时，在胡耀邦筹划下，29位行署委员中，民主党派和民主人士的代表占15人，超过了二分之一，主要厅、局中，都有民主人士担任厅、局一级的领导职务。起义将领裴昌会任行署副主任，民主同盟成员杨达璋任行署副秘书长，国民党革命委员会负责人龙杰三任行署委员，川北民盟负责人贾子群任教育厅厅长，当地著名工商业资本家奚致和任商业厅厅长，还有一些人任行署委员、参事，在各界任领导职务的民主人士也不在少数。这些民主人士有职、有权、有责，切实感受了共产党对他们的信任和尊重，因而心情舒畅，创造了很好的成绩。

1950年6月，平武县发生了千人暴动，历时二十多天，造成干部和群众五十多人死亡，损失公粮五万余公斤。在平武军民共同围剿下，暴动得以平息。但是由于某些干部没有严格按照党的政策办事，违反了民族政策，致使统战对象发生动摇，群众发动不起来，工作陷入困境。一天，平武县委组织部部长刘复亮来到南充开会，胡耀邦把他找了去，劈头就问："你知道党的三大法宝吗?"刘复亮回答："知道。党的建设、武装斗争、统一战线。"胡耀邦追着问："你们的统战工作做得怎么样?"刘复亮答："就我们的水平，觉得还可以。"顿时，胡耀邦神情严肃起来："还可以，那为什么发生叛乱？你认真考虑考虑，你们的统战工作有没有失误?"接着，胡耀邦又问："你们地方的枪杆子，哪个势力最大?"刘复亮答："宋北海，他是江油、彰明、平武、北川、青川山防总队的副总队长。""这个人怎么样?"刘复亮说："表现还好，地下党是他保护下来的。"于是胡耀邦神色缓和下来，说："那好啊。今天跟你商量一件事，给宋北海一个委任状，任命他当副县长，让他带队上山剿匪。马夫、炊事员、通信员、警卫员都给他，行不行?"刘复亮有些为难："我们说行，群众可能有意见。"胡耀邦说："群众有意见，你们要做工作嘛！宋北海在国民党恐怖时期就保护过地下党，他组织有山防队，给他个副县长，怎么不可以？我看他去剿匪，比你派上一个团进山威力还要强，效果还要好。"他又叮嘱："统战工作，要大胆放手地干，要团结各界民主人士，这个不可靠，那个也不相信，那怎么行?"

刘复亮回到平武向县委汇报后，县委即按胡耀邦的指示，委任宋北海为副县长。果然如胡耀邦所料，宋北海不仅在围剿、瓦解叛乱残匪和其他顽匪的斗争中出了大力，而且影响了一大批民主人士，在促进社会稳定和经济恢复方面发挥了很大作用。①

当时有些党外人士，曾经在国民党军政系统中任过职，也有些人属于地主或资本家成分。这些人既不同程度地有些劣迹，在不同历史时期里又做过一些好事，像掩护中共地下党员、控

① 郭全、李莎、张军等：《胡耀邦在川北》，第45—46页。

制地方武装、组织和平解放，或者在当地兴办学校、资助进步学生等。这些人在后来连续开展的减租退押、清匪反霸、土地改革等运动中，处境被动，一些群众要求揪他们批斗，有些干部也认为只有这样才有利于发动群众，而且对于被批斗者也是一种改造。胡耀邦却很不赞成，认为这样做会给民主人士带来恐慌，影响党同他们的关系，影响合作共事。他说："接受改造也不能采取那种过火方式嘛！那样做，解决不了什么问题，还会走向愿望的反面，既把我们本来可以团结的中间力量推到敌人那边去，又不能根本解决思想改造问题。应该采取能使他们自新做人的其他方法改造他们嘛！"一次，南充的工商业者兼地主贾元和为讨好群众，办了几桌酒席请周围的人吃了一顿，当地干部和农民认为这是收买、腐蚀群众，把贾元和一顿批斗。胡耀邦得知后，当天就把一些统战对象请来开会，向大家说明他不主张这样做，要大家不要担心。他当场决定，凡是工商业者兼地主，从今天起一律不准由农民兄弟拉走批斗。参加各项运动的干部要认真掌握这一点，向群众做说服工作。同时，他又亲自找一些上层人士来谈话，要他们正确对待历史问题，好好作出检讨，主动争取群众的谅解。

由于胡耀邦对党外人士关怀备至，相处中襟怀磊落、开诚布公，因而使党外人士都觉得这位年轻的"胡主任"是内外透明的，可以照见肺腑，从而心存感激，对胡耀邦给予他们的开导、规劝以至批评，都心服口服地乐于接受，而不存戒备与芥蒂。正是在这种融洽气氛中，胡耀邦同他们中的许多人结下了友谊，其中他同原国民党军第七兵团司令、后来任行署副主任的裴昌会之间的友谊，就是一段广为流传的佳话。

裴昌会起义后，部队整编完毕，他向西南军政委员会刘伯承主席要求转到地方工作。刘伯承对他说："你同耀邦同志熟悉，就到川北工作吧”，接着报请政务院由周恩来总理任命裴昌会为川北行署副主任。胡耀邦得到通知后，立即派区党委统战部副部长兼行署秘书长刘玉衡专程去重庆迎接。裴昌会到来时，住房尚未完工，胡耀邦就把自己的住房腾出一间给他暂住，并嘱咐炊事员多给他做面食。当时普遍实行供给制，胡耀邦考虑到裴昌会旧部多，开支大，特地给他改为工资制。裴昌会接手工作后，胡耀邦热情地向他介绍川北情况，帮助他熟悉地方工作，后来又请他兼任工业厅厅长。有职有权的裴昌会在工作中认真负责，任劳任怨，经常下基层，决心从头学起，成为内行。胡耀邦、赵林、裴昌会每次去重庆出席西南军政委员会的会议，都是同乘一车，同住一处，无话不谈，亲密无间。胡耀邦还鼓励裴昌会经常与各界人士接触，听取他们的真实意见，发挥特殊作用。后来提请国民党革命委员会中央主席李济深批准，由裴昌会负责川北区民革分部的筹建工作。裴昌会也怀着作为朋友的真诚，回报对他的信任，倾全力做好各项工作。其后许多年，胡耀邦已调到北京，裴昌会调到重庆，担任全国人大常委会委员，每次到北京开会，都要去看望胡耀邦，欢叙旧谊。他念念不忘胡耀邦对他讲的话：“党对你是负责到底的。”

川北的民主党派，主要是民主同盟、民主建国会和国民党革命委员会。新中国成立初期，这些民主党派的活动处于停滞状态。为使他们的组织重新建立，胡耀邦和川北区党委统战部门付出了大量心血，甚至经历了风波。

川北是民盟中央主席张澜先生①的家乡，这里的民盟组织较

---

① 张澜（1872—1955），四川南充人。辛亥革命前参加立宪派，为四川保路同志会领导人之一。抗战期间，组织中国民主同盟，任主席。抗战胜利后，反对蒋介石发动内战。新中国成立后，曾任中央人民政府副主席。

强，其中不乏名重一方之士，对和平解放川北地区起了相当大的作用。新中国成立后经过整顿，民盟分部希望能够在原来已建有民盟组织的14个县中继续得到发展，民盟中央领导人胡愈之到川北参加土改时，也提出了这个意见。当时中共中央规定，民主党派应集中力量在大、中城市和省会发展，但在某些县城，如民主党派有相当人数和一定骨干，而且主动提出要求发展时，也应允许适当发展。川北区党委认为，在川北一些县里有步骤地适当发展民盟，是符合中共中央精神的。但是中共中央西南局统战部得知后认为这不符合中央规定，还需待“中央决定”，并且在内部《情况反映》中点名通报，说胡耀邦的意见同中央的方针“是有抵触的”。川北区党委统战部准备写信申辩，胡耀邦认为不需要这样做。他说：“下面的事不可能件件请示中央来拍板，并且中央对此是有明确政策的。再说还有一个如何结合当地实际情况来贯彻执行的问题，应当允许有各自工作的特色。”他坚定地说：就这样做下去，“如果将来打官司，我自己出马”。根据胡耀邦的意见，在一部分县里发展了民盟组织，后来的事实证明它们发挥了很好的作用。

其后，在胡耀邦关注下，民建和民革组织也逐渐恢复与建立起来。

土地改革完成以后，党内有些人认为统战工作可以减少一些了，党外也有人怀疑“共产党的圈子是不是会一天天变小?”为此，川北区党委在1951年10月再一次召开全区统战工作会议(第一次是在同年3月土改高潮中召开的)，进行讨论、部署。胡耀邦在会上详细阐述了党的统一战线政策是长期的，“统一战线什么时候不要了呢？大概是共产党不要了那一天，统一战线就不要了”。这个“长期共存”的思想，在川北党内外的影响至为深广。

五 造就一大批干部

川北的干部队伍中，随军南下的有1680人，最初大县分到二十来人，小县不到十人，不敷需要。这时分布在26个县的中共地下党组织发挥了很大作用。新中国成立前后，中共地下党员通过艰苦的工作，发动各阶层人民起来，配合解放军进城和接管，川北区党委随即在他们中间选拔一千多人参加各级党政工作，又从第六十一军抽调六百九十多名干部，中共中央西南局又分配来五百多人。就是依靠这四千多人的队伍，川北区完成了接管和建立县、区以上新政权的工作。

面对这样一种干部状况，胡耀邦首先强调南下党员和地下党员要加强团结，指出他们的成长经历不同，各有所长所短，必须做到相互学习、相互尊重、密切合作。南下干部大都担任主要职位，更有责任主动地去团结地方干部。对于地下党的主要骨干，胡耀邦都细心安排，也都使之各任其所。在胡耀邦倡导的一视同仁、不分亲疏、充分信任、大胆使用的气氛中，这两部分干部和谐共处，愉快地承担着工作。

川北区党委还邀请各界四百多人参加接管和建设工作，同时录用旧职员七千多人。在局势稍定之后，即创办了川北革命大学、川北党校和各种训练班培养干部。在各种运动中，又有一大批工农积极分子和青年知识分子涌现出来，他们中的一部分人也被吸收来参加工作。这样，到1951年年底，全区干部扩展到四万三千多人，另有乡村干部九万多人，为新川北的建设事业奠定了组织基础和干部基础。

起先川北有许多岗位缺少领导干部，而有些优秀干部却因资格不够而得不到提拔。胡耀邦提出，要让德才兼备的干部从“资格”的“囚笼”里冲出来，大胆选拔、使用新干部。他强调说只重资格是一种腐朽观点，要在思想上来一个革命。他指示《川北日报》发表社论，批判把资格看得比德、才还要重要的观点。他号召各级领导要当“老母鸡”，去耐心地孵“鸡娃子”，如果能当好“老母鸡”，不久就会“鸡娃子”成群满院飞了。新中国成立之初，三台县有个新提拔的文教科科长谭卫根，他在新中国成立前为保护中共地下党曾立下很大功劳。遂宁建立专员公署，调任他作专署文教科科长。胡耀邦听说这个人毕业于北京大学，很有学识，懂交通、土木工程，政治表现也不错，就说：“谭卫根非百里之才，望重一方，行署交通厅需要人负责，应安排到行署工作。”经川北区党委研究，又将谭卫根调川北行署任交通厅厅长。谭卫根“连升三级”，一时传为美谈，使人们切实看到胡耀邦不拘一格提拔和使用人才的决心。

但是这支干部队伍，在新形势、新任务面前，思想作风和工作作风亟待提高。特别是个别新参加工作的干部，由于没有来得及接受严格的培训，旧的思想作风的烙印较深，主观主义、个人主义思想严重，群众反映不好。胡耀邦发现了这些问题，为此他专门给区党委赵林、李登瀛等写了一封信，提出要对干部进行思想作风方面的“深刻的教育”：

> 由于我们的干部这么新，小资产阶级这么多（我认为这是主要的），工作这么忙，“反”的空气这么高（指各项政治运动。——引者注），我认为我们必须经常地、仔细地留神下面这些现象：
>
> 一、不严格遵守政策，乱撞乱碰，把事情弄糟弄烂。
>
> 二、不调查，不研究，主观主义，粗枝大叶，是非良

莠不分。

三、强迫命令，急躁从事，脱离群众。

四、到处惩办，不以教育为主来解决绝大多数的干部的缺点、毛病、错误问题。

五、闹宗派，互相报复，不求进步，不努力学习。

六、说假话，把缺点与问题掩饰起来。

我感到我们必须下定决心，用极大的力量准备一个极大的学习运动，学一些理论，学一些政策，学一些思想方法，大大宣传一番正确的作风问题，以便使这么广泛的新干部，对正确的思想作风从而得到一次深刻的教育。

胡耀邦估计，各种思想作风方面问题：一、相当普遍，二、有些地方相当严重，三、个别人、个别地方很严重。1950 年 6 月，在他的主持下，开展了以反对官僚主义、命令主义、统一战线中的关门主义和贪污腐化为内容的整风运动。

胡耀邦首先来到川北军区，参加部队的整风。当时解放军第六十一军兼任川北军区，胡耀邦对老部下怀有深情，他虽然终日忙于党和政府的工作，但作为川北军区的政委，他一直关心着部队建设。8 月，军区召开党代会，贯彻整风精神，胡耀邦前来作了一个很有针对性的报告。他明确地说：川北八个月的工作，要数军队功劳最大，大家为人民办了好事，川北人民永远记得。我们共产党员最大的好处，就是：自己吃苦，别人享福，所以才受到人民的尊敬。接着，他一针见血地说，但是，八个月来军区部队有一个缺点是纪律不好，这是不能原谅的，一切理由都不能减轻纪律不好所造成的损失。纪律不好，首先是犯纪律的同志自己要负责，居功、享乐腐化，总之是觉悟不高。其次，才是领导的责任，各级党委的领导在这个问题上不够坚强，个别地方有官僚主义，熟视无睹。纠正的办法是，坚决进行整纪整风。坏思想、坏作风像“孙悟空”，整纪整风，就是给他加一道紧箍咒。

在一次团以上干部会议上，胡耀邦进一步说：从整个部队来看，正风占优势；但是，有歪风，主要是强迫命令、军阀主义和官僚主义歪风。对上级指示不学习、不研究，也不看报纸，你说你的，我干我的，这也是一种歪风。这些歪风，是脱离群众的作风，害人坏事的作风。整风的主要障碍，是党内存在着不重视缺点，对缺点采取掩盖、粉饰的态度。不克服这一障碍，整风就会无结果。整风的一条重要原则，是采取批评、自我批评的方法，教育的方法，而不是采取简单粗暴的组织结论，绝不许可轻易处分人。

地方党政部门的整风开展以后，新、老干部都有些惴惴不安。老干部有老区“左”的“三查”的经历，心有余悸；新干部则怕查成分，追历史，怕暴露缺点、错误，被整掉饭碗。胡耀邦认为，解除这些思想障碍的关键，在于领导带头，作出样子，而不能整下不整上，只整别人，不整自己。他说，务须从上着手，先从上面检查和批评自己，严禁我来整你，然后帮助下面同志反省、检讨。川北区党委也明确指出：“此次必须自上而下，重点整顿领导机关和领导干部、党员和干部。这不仅是因为上述几部分人的带头检查，可以消除广大干部的思想顾虑，引导大家认真总结工作，更重要的是这些人担负着较大较重的担子，他们的作风好坏，将直接影响事业的成败，故整风首先从区党委和行署一级机关开始。”

当川北区党委和行署各部门整风进入总结检查阶段时，胡耀邦在区党委扩大会议上首先作了自我批评。他说，前段工作，成绩是主要的。“但有缺点，重大的缺点”，例如，对任务从整个过程看还抓得不紧；征粮工作中间紧、两头松，具体指导不够；在发动群众上具体办法少，督促不够；等等。在胡耀邦等领导干部带动下，各级、各部门自上而下总结工作，听取下面的意见和批评，加上胡耀邦一再告诫不可简单粗暴，不可轻易处分人，所以干部们情绪稳定，对缺点、错误不掩饰、不护短，实事求是地作好个人总结，都觉得收获很大。

整风后期，在胡耀邦倡导下，全区普遍开展了“评功检过”活动。胡耀邦在不同场合多次讲：“川北工作要有奖有罚。”“党内务必有是非，故需严明赏罚。”“评功”是自下而上，充分肯定成绩；“检过”是自上而下，作检讨、受处罚。他指出，无论是评功还是检过，最主要的是弄通思想，务求思想上得到提高。特别是对新干部，他们参加革命不久，工作经验不足，有这样那样的缺点、失误是不可避免的。对他们功过的评定不能同党员和老干部用一个标准去衡量。对他们的进步和提高，也不能指望在一次整风中去完成，需要经过长期的教育和在工作中磨炼。他一再讲，对大多数干部要从政治上、思想上、生活上关心爱护，而在处理上，则要十分谨慎，“只准对极少数太不像话，不能救药者才处分，并需要经过批准”。

这次整风，无论在部队，还是在地方，都有效地提高了干部的思想觉悟和战斗力，同时也纯洁了干部队伍，为开拓川北工作创造了条件。

六 剿匪、“镇反”严格掌握政策

进入1950年以后，川北区党委根据中共中央西南局和西南军政委员会的指示，结合本地实际情况，部署了征粮和剿匪两大任务。这是直接关系到建立和巩固人民政权的两件大事。

对于川北地区匪特猖獗的形势，胡耀邦早已心中有数。在国民党溃败之前，伪“国防部二厅”、“保密局”和“内调局”都在此地做过潜伏布置：有所谓“巴山防线”的军事设防和情报网，有所谓华蓥山和大巴山的“游击根据地”；特务头子廖宗泽、杨元森等曾率特务武装来川北活动；伪党团和中统特务系统也普遍做过“应变布置”；胡宗南和孙震等敌军溃经川北时，除遗留下大批散兵游勇外，也布置了“地下军”；新中国成立后，一些外地匪特又窜来活动，恶霸地主和旧乡保甲长以及封建会道门也蠢蠢欲动。就是说，川北的反革命势力是由特务、惯匪匪首、恶霸、反动党团骨干和反动会道门头子五部分组成，据估算共八万多人。匪特们组织武装暴动，杀害干部，抢劫军车、商车，烧毁公私建筑物和仓库，气焰极为嚣张。

在开展征粮工作之后，匪患就更加严重。掌握足够的粮食，直接关系着支援前线、稳定物价、安定社会，是巩固新生政权必不可少的条件。但是征粮工作刚刚铺开，相互勾结的土匪和地主封建势力就大肆破坏。他们造谣惑众，煽动抗粮、抢粮、烧粮，破坏交通，杀害征粮工作人员，以致人心惶惶，社会不得安宁。这样，剿匪肃特就成为刻不容缓的重大任务。

任务主要由第六十一军承担。2月初，部队投入战斗，剿匪工作全面展开，使匪特受到一定打击。但是打惯了大仗的指战员们认为小小土匪不堪一击，对剿匪肃特的复杂性和艰巨性认识不足，作战时又采取打大仗的办法对付分散隐蔽的敌人，并且忽视了发动群众和政治瓦解，所以虽然把敌人打得团团转，到处跑，但是歼灭不多，成效不大，匪特气焰仍很嚣张，甚至有的部队还遭到匪特的袭击和围攻。

为了加强对剿匪工作的领导，4月间，成立了以川北军区司令员韦杰、政委胡耀邦为正、副主任的川北剿匪委员会。委员会首先召开团以上干部会议，总结剿匪经验教训。胡耀邦来到会上，就全面贯彻剿匪方针和克服轻敌麻痹思想问题发表了讲话。他说，敌人已施行造谣、暴动、抢人、分散、隐蔽、躲藏、假投降、假悔过、放火等，还将要放毒、暗杀、潜入内部、挑拨离间、耍美人计等。我们要准备对付敌人的“三十六计”和“七十二变”。他强调说，要充分、全面贯彻剿匪方针，要将英勇顽强的斗志与机动灵活的战术相结合；党委、政府、军队和群众相结合；宽大与镇压相结合；军事打击与政治瓦解相结合；发动群众与控制乡保甲相结合。要彻底歼灭匪特，还要挖掉匪根，否则就会时起时伏，我来彼散，我走彼起。挖匪根就是要挖出不上阵的指挥官、惯匪头子，以及幕后操纵者、出主意出钱财者。过去前一类抓得多，后一类抓得少。今后要坚决抓后一类，并须严办。要彻底歼灭匪特、挖掉匪根，更要发动和依靠群众，组织农会，实行减租减税，实行土地改革。真正把群众发动起来，团结在我们周围，股匪是可以肃清的，争取9月以前消灭川北地区匪特的目标是可以实现的。

这次讲话有效地克服了干部们的轻敌思想，提高了对全面贯彻剿匪方针的认识。他们按照剿匪委员会的部署，普遍把发动群众放在首要位置，剿匪部队各团都成立了百人以上的群众工作队，连队普遍建立了群众工作组，结合军事清剿，召开各界代表大会和群众大会，宣布剿匪的方针、政策，同时组织农会和农民自卫队。这立即收到显著效果。早已对匪特切齿痛恨的群众，一经发动，便纷纷举报匪情，提供线索，还自动设立盘查哨，四处堵截追捕。通江县大恶霸杨品恩等在新中国成立前曾杀害红军家属一百五十多人，新中国成立后上山为匪。此时有二百四十多名自卫队员到几十公里不见人烟的深山老林里搜捕，他们埋伏三天三夜，终于从峭壁的石洞里将杨品恩捕获。蓬安县自卫队张月阶等三人为捉拿匪首伍曾生等，不分昼夜追到重庆，经过二十多天的搜捕，终于将伍曾生捉拿归案。群众中的这些剿匪事迹，使胡耀邦深为感动，后来他在一封谈文艺创作问题的信里曾举了许多事例：“如广元，有捉住匪首滚岩与匪首同归于尽的李登燕；如万源，有深入匪境、瓦解土匪一千余名的张云凤；如苍溪，有放火烧掉自己房子，帮助军队击毙匪首的陶老太婆”等。他说：“他们不愧为新川北的主人，是真正的新人，也是‘最可爱的人’。”他号召一切文艺工作者应表现这些“英雄人物和英雄事迹”，以“鼓舞人民群众的战斗意志，指明人民群众的斗争方向”。

部队军事清剿的战术也越打越精了，有的采取伏击和袭击相结合、赶鱼入网的战术，歼灭了行为狡猾、一触即逃的股匪；有的采取一点扑空、四处搜索，一点击准、数路包围的战术，将股匪全歼。部队还乘势召开匪属座谈会，动员他们劝降，同时出布告，撒传单，广泛发动政治攻势。这种军民合作结成的天罗地网，使匪特感到走投无路，内部动摇分化，以至于纷纷投降自首。“反共救国军”及其第七师师长鲜致祥就是看到无路可逃，只得自动投案的。经过持续进剿，到8月底，共歼灭股匪七万三千多人，其中政治瓦解两万四千多人，粉碎了匪特企图在营山、江油、盐亭、射洪、蓬安、南充等地发动暴动的阴谋，比原计划提前一个月消灭了股匪，从而安定了社会秩序，保证了征粮工作顺利完成。

其后，结合减租退押和土地改革，按照中共中央统一部署，进一步开展了镇压反革命运动。

在剿匪和“镇反”过程中，胡耀邦始终全神贯注地关注着运动的进展，严格把握政策。

1950 年 5 月 5 日，就在部队以强大攻势进剿匪特之时，南充县发生了反革命暴乱，匪徒们围攻当地党政机关，残酷地杀害党政干部和群众。5 月 7 日夜，川北行署大院内的行署职员宿舍被人纵火。正在重庆开会的胡耀邦连夜赶回南充，主持紧急会议部署破案。经过缜密侦察，很快查清这两起事件都是“国民党救民义军川北总司令”胡伯洲策动的。胡伯洲纠集了三千多名匪特，准备制造一连串事件。经过军民奋力协作，很快将胡伯洲以及二百四十多名暴乱骨干分子抓获，收缴了各类枪支一千五百多枝。对这帮罪大恶极的匪特，群众和干部痛恨至极，纷纷要求将他们全部杀掉。面对人们的激愤情绪，胡耀邦向干部们说，越是在这种时候，越要把稳政策，分清主次，而不能感情用事。他说，剿匪不能不杀人，但杀人一定要做到一是“杀得其人”，即杀那些确实该杀、非杀不可的人，特别是幕后主谋，像胡伯洲这样的人；二是要“杀得其法”，经过一定机关批准，进行公审判决。遵照胡耀邦的指示，最后，经过万人公审大会，处决了胡伯洲等四名要犯，其余一律不杀。这些被分别处置、得免一死的匪徒对人民政府的宽大处理十分感激，有的还主动立功赎罪。

从 1951 年 2 月开展起来的镇压反革命运动，是前一时期剿匪反特斗争的继续。由于这次运动是由中共中央统一发动和领导的，所以声势更为强大。而此时土地改革运动也正在同步进行。被这些惊心动魄的运动发动起来的广大群众斗争情绪异常高涨，基层干部也被这种形势所激动。因此，胡耀邦更为密切地关注着运动发展中的各种动向，及时发现问题，及时提出指导性意见。4 月间，他看到川北公安厅一份简报，其中说：单是放毒者，就已经查出 126 名。他沉思良久，拿起笔来批道：“这其中的许多情况，我不相信，特别是所谓一百二十六名放毒者，我敢肯定有错，通报如不实事求是弄清楚再发，有害无利，只有造成下面惊慌失措。现在已有此现象，望注意。切勿因此造成夸大敌情，盲目从事之危险。”随着运动的发展，他发现有杀人渐多的倾向，于是他在川北区党委会议上严肃指出：“可以不杀，以不杀为有利，可以不杀而杀，对我们没有利。”经过对情况的仔细分析、研究，不久他给川北公安厅作了一个更重要的批示：“从广元、蓬安、南充市三处我最近所阅看的材料中，我确认为我们现在在彻底镇反中出现一种过左情绪。似乎有些同志是为了彻底而用彻底的办法搞彻底，有些同志似乎并没有了解我们是为了人民最大的最长远的利益而镇反，还有些同志对特务界限并不明确，还有些同志对中央……的捕杀原则并没有真正了解，还有一些同志量刑时又忘记了某些罪犯是否立了功。我相当担心这件事。无论如何，要请你们及时了解情况，严防偏差，如果一出偏差，那我们就无法挽救了。”

为了总结前一段“镇反”的经验教训，1951 年 5 月，胡耀邦主持召开了区党委扩大会议和公安厅、局长会议。会上，他对一系列政策界限问题作了明确指示。

在提醒大家“肃清反革命是一个长期的严重的斗争，不容许在获得重大胜利之后就产生新的轻敌麻痹思想”之后，胡耀邦指出：“必须十分谨慎地区别反革命的界限，绝不可把普通有劣迹的分子、一般反动党团分子、一般封建会道门分子、落后分子、一般违法分子与反革命分子相混淆；对于这些分了，虽然也应以适当方法施行争取教育改造，但与对待反革命分子是有原则区别的。这个界限，我们历来就是划清了的，今后要更加审慎，务求不错捉和错办一个人。”在量刑问题上，胡耀邦指出：“必须分别其罪恶之大小，对人民危害程度，分别治以应得之罪。对其中罪大恶极，人人痛恨者，应处以极刑；对罪不至死或可以不杀的分子，则处无期或有期徒刑，这也是必须坚持的；至于自动向人民政府真诚自首悔过立功赎罪分子，或被反革命胁迫欺骗非自愿之分子，或解放前反革命罪行并不重大而解放后又确已悔过、与反革命组织断绝关系者，均应结合着宽大，分别不同情况从轻处刑、减轻刑罚或免予处刑，给予政治上重新做人的出路。”对于批捕程序，他也作了明确规定：“为了更加审慎地镇压反革命，手续应更加严格。除了对现行反革命凶犯（放火、放毒、杀害、叛乱等）人人皆有权及时予以逮捕送交人民政府审讯外，捕人权属县以上人民政府。区以下的人民团体（包括农民协会），除有权收集罪证，向政府控告或告密外，均无擅自捕人之权。对于反革命分子的徒刑的判决，应经由专署以上人民政府批准，死刑的判决，应由本署主任批准，务须防止一切无纪律现象的发生。”

为了帮助干部们准确地掌握政策界限，胡耀邦还具体分析了一个典型，以作示范。当时蓬溪县上报，准备把一个叫做刘振海的人划为反革命分子。刘振海于1946年以前在国民党部队里当过排长，有偷东西、奸淫妇女行为。1946年以后他参加了解放军，当时就曾把他当做特务抓起来，后因证据不足又放出来。后来他当看守所所长又曾奸污妇女。就这么一个人，算不算“反革命”？胡耀邦写道，此人在1946年以前是个兵痞，还够不上反革命分子。他“（19）46年后即参加我军，一直到现在，基本上是做革命工作，而且做了五年革命工作了。如果我们现在又把他当反革命分子办，岂不有点冤枉。但因为这几年流氓性未改，所以无政府、无纪律，特别是当看守所所长搞女人，这是政治原则错误，但不要与反革命分子混为一谈”，“因而，把他当反革命是不对的，错误的，但因为（他）犯了无政府、无纪律、违法乱纪等政治错误，流氓性很大，应受较严格的处分。如果因为他错误大，要关他年把禁闭，实行劳改，我也同意。但绝不可把他当做反革命分子，和什么混入的内奸分子”。他还特地关照说：“此案还可以大大教育干部，请你们仔细一阅并进行讨论研究，如有不同意见，请告我。”

到1952年4月，川北全区各类反革命分子基本肃清，没有出现大的政策偏差，从而使社会稳定、政权巩固的大势得到切实保证。

七 “土改发展正常，甚慰”

几乎与“镇反”运动同时，1951年2月起，农村土地改革运动也在轰轰烈烈地展开。

在农村实行土地改革，废除封建剥削制度，是解放广大农民群众、发展生产力、实现现代化的必要条件。1950年3月，西南军政委员会召开了有关西南地区土地改革的会议。邓小平鉴于西南地区解放不久，大量敌对势力还在活动滋扰，形势还较动荡，所以灵活地提出暂不进行土改，而先实行减租。作为西南军政委员会委员，胡耀邦参加了这次会议，参与了制定《西南地区减租退押条例》的工作。一年之后，川北地区经过剿匪肃特、减租退押，贫雇农普遍发动起来，农民协会、农民自卫武装已经建立，旧的保甲制度已经废除，实行土地改革的时机已经成熟。于是，从1951年开始了土地改革。

川北的土地改革，是完全按照中央颁布的《土地改革法》和《关于划分阶级成分的决定》进行的。中共中央根据新的历史条件，对在战争年代里实行的土改政策有所调整，其中重要的是保存富农经济，中立富农，更好地保护中农和小土地出租者，以便孤立地主，有秩序地实现土改，以更有利于发展生产。川北区党委又根据本地的实际情况，制定了《川北土地改革实施细则》，以保证中共中央方针、政策的贯彻执行。

1951年2月，川北区土地改革试点工作在巴中县恩阳乡正式展开。恩阳乡是巴中县城的门户，川北交通要道，信息灵通。这里的阶级关系、社会环境都比较典型，在这里试点，较有普遍意义。当然正因为是试点，也格外引起社会各界的关注，试点工作的好坏，关系重大。所以，胡耀邦也非常重视这一试点工作。

开头阶段，一些土改干部面对复杂的阶级关系不知从何下手，有的人甚至同地主、富农吃吃喝喝，收受他们的贿赂。各种敌对势力也竭力破坏、阻挠，甚至武装袭击恩阳区公所。一时之间，试点工作受到多方面的干扰和阻力。

3月中旬一个傍晚，胡耀邦专程来到恩阳乡。一见到土改工作团团长，他就尖锐地说："我一到此地，见到你们这里一片和平的气氛，好像你们在搞和平土改呀。"他立即召开了工作团小组长以上干部会议，在听取了汇报和问清楚工作详情以后，语重心长地对大家说："恩阳乡土改试点工作，是川北人民最关心的一件大事，你们要尽一切力量，一定要搞好、搞彻底，川北人民正在等待着你们、注视着你们。"接着，他提出了打开局面必须抓好的几个环节。巴中县委、县政府同土改工作团密切配合，根据胡耀邦的指示，立即组织土改工作人员认真学习领会土改路线的要求，加强思想建设；召开群众大会，宣讲土改政策，组织忆苦思甜，激发群众的阶级觉悟；把钻入农民协会的坏分子清理出去，整顿农会组织；对一些意志薄弱、违法乱纪的土改工作人员，根据情节轻重，给予处分；对罪大恶极、民愤极大的地主、恶霸、反革命分子坚决镇压。经过扎扎实实的工作，很快发动了群众，打开了局面。恩阳的试点，为其他地区提供了经验。

此时，川北已集中土改干部数万名，还有从中央和西南局来的土改工作团近千人。于是成立了川北土改工作总团，胡耀邦兼任总团长。他向全体土改工作队员着力强调：在自身学好土改总路线、总方针和一系列政策的基础上，要大张旗鼓地进行宣传，将土改的目的、任务、步骤、方法、依靠谁、团结谁，这些原则性问题，具体切实地传达给群众，要做到人人皆知、家喻户晓。对地主、富农，也要让他们懂得政策，要守法不要违法。胡耀邦强调的另一点，就是必须紧紧依靠贫雇农。恩阳试点里曾有一种状况，就是不少干部对依靠贫雇农的重要性还不甚了解，有些人甚至看不起贫雇农，认为他们“落后”，“不好发动”。因此，胡耀邦反复强调：“群众、特别是贫雇农，真正发动起来了，地主阶级真正打倒了，是土改好坏的基本标准。”“依靠和发动贫雇农是土改斗争的关键。”后来，以川北区党委名义发出的指导土改的第一、二、三号指示，也都指出发动和依靠贫雇农是土改“最基本的关键”。

各土改县遵照川北区党委和胡耀邦的指示，召开了二十二天左右的扩大会议，训练干部。会上除了进行土改路线、方针教育和强化对贫雇农的认识外，还对前一时期减租退押中贫雇农的发动程度作了实事求是的分析。大家看到，减租退押中虽然也强调了贫雇农的领导地位，但由于那次运动本身的局限性，中农得利最大，政治兴趣也高。加之当时没有严格划分农民内部成分，以致除少数地方确为贫雇农领导和极少数地方仍为封建势力所把持外，大多数实际上是中农当权。通过分析、学习，干部们认识到这样的阶级状况很难适应土改斗争需要，非继续深入发动贫雇农不可。

干部思想认识的提高，大大加快了宣传政策和发动群众两项工作的进程，广大贫雇农踊跃行动起来了。

1950年6月，中央人民政府颁布了《中华人民共和国土地改革法》。那时候川北地区还没有实行土地改革，但许多地主已看到自己的财产即将不保。在那之后的一年多时间里，他们分散、盗卖、隐藏甚至烧毁粮食，破坏农具，砍伐林木，拆卖房屋，杀害或饿死耕牛，以至抽屋夺佃，造成很大破坏和损失。所以第一期土改一开始，就开展了反破坏、反分散、反隐瞒的斗争。第二期土改以前，胡耀邦、赵林等系统总结了第一期土改中反违法斗争的经验教训，指出了反违法斗争是土改斗争的中心环节，是从政治上打掉地主威风、搞垮封建经济、适当解决贫雇农生产困难的必然过程。这种斗争必须贯穿在土改运动的每个阶段。在胡耀邦指导下，川北区党委作出了《正确开展惩治不法地主斗争的几项规定》，进一步阐述了斗争的性质、必要性和重要性。《规定》明确指出对这场斗争不能单纯从经济上着眼，更应着重于政治。对于斗争的范围、界限、做法，其中也作出了具体规定，并特别指出：反违法斗争只惩治违法者，守法地主不予惩罚；赔偿面要宽些，但要近于实际，判罚面要窄些，要经过法庭判决；赔偿量要留下一定比例，使违法地主有生活出路；那种"要钱无底"、"越交得快，越罚得多"的做法，都是不对的。胡耀邦还特别提出，对历史上虽有罪恶，但新中国成立前后有出力、立功表现的头面人物，要"保护过关"，已移居城里的地主，不允许农民进城抓人，由领导出面调解并对农民进行说服。对于任行署委员或协商委员会委员的，则实行硬性保护，甚至由行署借钱给他们向农民退赔。

这些做法，都获得了农民的赞许和认可，从当时和长远来看，这样做都有利于社会的稳定和发展。

1951年12月上旬，第三期土改铺开。川北区党委鉴于第一、第二期土改中还有百分之二十左右的落后村，存在着严重问题；即使一般或较好的村，也有不同程度的遗留问题，因此决定在业已完成土改的20个县开展复查工作。复查的范围是：清查漏网反革命分子；斗倒继续作恶的不法地主；纯洁和加强农村组织；修订敌我间划颠倒了的成分；彻底处理未分完的胜利果实；处理尚未处理的山林问题；调整区、乡；填发土地证。复查的重点是落后乡村。为了安定各阶层情绪，促进生产的发展，对一般和较好的乡村，不开展大规模的群众斗争。川北区党委指出，复查的原则是："团结内部，刀锋对敌，有利生产。"

在指导全部三期的土改运动过程中，胡耀邦始终全神贯注，兢兢业业。在土改的同时，还有镇压反革命运动和抗美援朝战争也在进行，即20世纪50年代初期的"三大运动"，任务极其繁重，政策性极强。胡耀邦几乎是在日以继夜地工作。他在重大问题上同区党委反复商量，同时也不辞辛苦地深入各县、乡检查指导，工作中他既大刀阔斧又认真细致，使各项政策都得到较好的落实。

1952年4月，川北地区土改工作全部完成，全区共没收、征收土地964万亩，占总耕地的39.4%；占全区农村人口56%的无地、少地农民，分得了这些土地和一部分生产资料。封建剥削制度的消灭，给川北带来了前所未有的欢乐、兴旺景象，广大农民的政治、生产积极性空前高涨。在保家卫国的号召下，四万多翻身青年农民踊跃参加中国人民志愿军，奔赴抗美援朝前线，他们中出现了黄继光那样的英雄人物。

对川北地区的土改，中共中央西南局作了肯定的评价。西南局在接到川北区党委关于土改情况的报告后复电说："你区土改发展正常，甚慰。你们的各项处置均属妥当。"中央土改参观团也来到巴中，特地总结了当地的土改经验。

为庆祝土改的胜利，土改总团送给每个土改干部一本纪念册，胡耀邦为纪念册题了词："每个革命干部都应牢记毛主席这四句话：完成任务，坚持政策，调查研究，实事求是。"

这既是对干部的要求与期望，也可以看做是胡耀邦的自勉与自律。胡耀邦也正是以这样的姿态和风格，迎接着随后到来的"三反"、"五反"等一系列运动。

八 "三反"、"五反"在于改造社会，移风易俗

1951年年底，中共中央鉴于干部队伍中出现严重贪污蜕化现象，在全国范围内发动了反贪污、反浪费、反官僚主义的"三反"运动。12月8日，毛泽东为中央起草了《关于三反斗争必须大张旗鼓进行的电报》，强调"应把反贪污、反浪费、反官僚主义的斗争看作如同镇压反革命的斗争一样的重要，一样的发动广大群众包括民主党派及社会各界人士去进行"。[①]"三反"运动开展不久，就发现一些重大贪污案件的共同特点，是私商和蜕化分子相勾结，共同盗窃国家财产。私商对干部的引诱、侵袭几乎无孔不入，他们甚至把伪劣产品提供给抗美援朝前线。1952年1月26日，毛泽东又为中央起草了《关于首先在大中城市开展五反斗争的指示》，号召"在全国一切城市，首先在大城市及中等城市中，依靠工人阶级，团结守法的资产阶级及其他市民，向着违法的资产阶级开展一个大规模的坚决的彻底的反

① 《建国以来毛泽东文稿》第二册，第548—549页。

对行贿、反对偷税漏税、反对盗窃国家财产、反对偷工减料和反对盗窃经济情报的斗争，以配合党政军民内部的反对贪污、反对浪费、反对官僚主义的斗争"。① 这样，一场震撼人心的"三反"、"五反"运动，就开展起来了。

川北地区就是按照中央部署，适时地开展了"三反"、"五反"运动。已经从土改、"镇反"等大规模群众运动中吸取了丰富经验的胡耀邦，本着一贯的审慎态度，关注着运动的每一步发展，认真掌握着政策。

胡耀邦特别注意从更深层次上理解这两个运动的意义，他认为这样的运动的终极目的，在于推动社会的前进。因此，当1952年年初部署运动的时候，他就引导干部把眼光放得远一些，而不要斤斤计较于眼前的功利。他说："'三反'运动不单是清经济问题，它的目的是改造社会，移风易俗，教育干部为政清廉、全心全意为人民服务，推动各项事业向前发展，我们一定不能忽略这一点。""'五反'运动主要是揭露资产阶级向党和政府猖獗进攻的各种阴谋，配合'三反'运动，肃清经济内奸和坐探分子，提高干部的阶级斗争觉悟，巩固国营经济的领导地位。并在这一运动中，划清劳资界限，进一步组织和发动工人阶级，所以，'五反'运动实际上是城市的民主改革运动。"

"三反"运动很快进入"打虎"即斗争贪污分子阶段。胡耀邦深知，一场运动发动起来，开头容易出现"左"的倾向，会有些过火行为，所以他及时提醒大家："我们什么时候都不能忘记党的政策和实事求是作风。"他密切关注运动的发展，一方面随时纠正那些不符合政策的做法，一方面研究那些带倾向性的情况和问题。

① 《建国以来毛泽东文稿》第三册，第97页。

由于运动发展迅速，一些单位虽揭出了“老虎”，但材料并不充分，于是硬追死逼，甚至施以变相肉刑。胡耀邦、赵林等领导人发现后立即指出：“逼供信要避免，防止假老虎，要谈具体事实。”在2月6日至9日的四天内，川北区党委连续三次发出指示，指出证据是降“虎”最有力的武器，要求各地把斗智、斗理、斗法和斗据很好地结合起来，重证据而不单纯重口供。

为了掌握真实情况，胡耀邦不断派出干部到基层单位作实地调查。他把各地纷纷上报的反出了多少贪污分子和贪污金额的材料，同经过调查掌握的第一手材料两相对照，综合分析，发现这里面有不小出入，打出的一批“老虎”中有些并非真正的“老虎”。于是他在一份调查报告上鲜明地指出：“目前‘三反’的基本情况和特点是，两种情况同时并存：一是老虎还打得不彻底，一是已有一批假老虎（而不是一两只）。目前我们的指导方针就一定要注意两方面，否则不利。”他还指出：“我们相信数字，又不能轻信数字，要对情况作深入分析，掌握运动事实情况。”他疾呼：“应该是我们更加清醒的时候了。”3月，运动进入“打虎”高潮。胡耀邦昼夜思虑，从3月1日到6日六天时间里，五次向川北区各地领导干部打招呼：“每一个新问题、新步骤，要精细地思考成熟，不要过于慌忙。”“凡属社会上，干部群众中实际上不赞同的事就不可做，这里不可完全听信勇敢分子的话。”如果有打错了的，“在的确错了之后，平反得早好不好？好！可以使好同志不受委屈，使大家心服”。他还再一次要求川北区各地党委书记要亲自领导，精心指导运动。

一天，有几个办案人员到川北行署来，报告有个基建单位的经营人员贪污几千吨石灰。胡耀邦疑惑地问他们：这个单位建房一共用了多少石灰？这些石灰堆放在哪里，你们调查过吗？几个人都回答不上来。他又问其中一名负责人：“你知道吗？”

回答说："没有去看过，只是材料上反映的。"几个人都有些紧张。胡耀邦没有批评他们，只是要他们回去再好好深入调查，情况弄清楚再讨论。几天之后，他们又来汇报说，经过实地调查，那里建房总共才用了几百吨石灰，贪污几千吨的事是不实的，并且作了检讨。胡耀邦耐心地对他们说："遇事必须实地调查研究，不能凭道听途说或者书面材料去下结论，这样很危险，给革命和建设事业带来的只会是损失、是灾难。这必须引起我们每个党员干部的高度重视。在行动中要深入实际，认真贯彻党的实事求是的作风，大家在今后的工作中要吸取这次的教训。"

根据上报材料，川北全区共统计出贪污在1000万元（合现行人民币1000元）以上的有四千多人。胡耀邦怀疑这个数字的可靠性，派人到各地去检查。经过反复逐个核实，最后落实为二千人，使一大批无辜者得到解脱。

在"五反"运动开始和进行当中，工商界情绪紧张，思想也较为混乱。一些人认为："'五反'是政府要搞资本家的钱"，"政府口头说要保护工商业，实际是要没收我们财产，搞垮我们，'五反'就是一个重要步骤"等等。他们普遍担心被划为"违法户"，怕退财补税过重，负担不起，怕挨了斗以后在工人面前无法抬头……

胡耀邦在实地调查中了解到这些情况，十分重视，迅即指示有关部门要搞好政策宣传和思想工作。在川北区党委统战部召开的工商等各界代表座谈会上，胡耀邦讲话时明确告诉大家："'五反'的目的是使工商界能守法，按照《共同纲领》的规定搞好自己的生产和经营。'五反'的政策，仍然是坚决保护正当的工商业生产。但对那些知法犯法的，不管以前、现在、将来，都是要反对的，绝不含糊。"对于大家提出的一些政策方面的问题，他一一做了回答和阐释，他说："退补罚款，能够很快缴清又不影响营业的应一次缴清，实在有困难的，可分期补缴。税收要合情合理，合乎中央的税收政策。缺少资金的，国家可以贷款。劳资两利的原则不变。关于违法户与治安的关系，没有判刑的违法户，公安系统不能剥夺他们的权利。"胡耀邦还掷地有声地说："人民政府对工商界有三条保证：一、合情合理严肃谨慎地结束'五反'，并适当解决'五反'后工商界的实际困难。二、今后工商界的朋友，只要能够做到'严格守法，大胆经营'，政府一定坚决保护，坚决团结。三、任何一个人，在发展生产上、经营上、在工商业工作上有了成绩，对国家有功劳，人民政府是不会忘记的。"

由于严格把握政策，所以"五反"运动发展较为平稳，大多数有违法行为的工商户交代了问题，作了检讨，许多人获得了工人群众的谅解。

1952年端午节，"五反"运动已经接近尾声。上午，胡耀邦召集工商联委员到川北行署开会。委员们到会后，胡耀邦一一点名，只差南充市工商联主任林全久和一位副主任未到。

"林全久呢?"胡耀邦问。

"他还在川北大旅社交代问题。"有人回答。

"哎，运动都基本上结束了，他还有哪些大不了的问题要交代呢?快去叫他来开会。"

不多久，林全久和那位副主任相继赶到。见人到齐了，胡耀邦笑着对大家说："今天请你们来是为了给大家散散心。今天下午大家到嘉陵江去看划龙舟，热闹一下，庆祝'五反'取得的胜利，让'五反'在欢乐的气氛中结束。"

听了这样的安排，委员们兴高采烈，运动中受了冲击的委员也一扫郁闷紧张的心情，精神为之一振。

"'五反'运动虽然胜利结束了，但有些糊涂观念和错误认识还需要澄清。"胡耀邦接着说。在对这些糊涂观念和错误认识讲清了道理、交代了政策之后，他又一次强调了"严格守法，大胆经营"。他说："毛主席说过，凡是对人民做了好事的，人民是永远不会忘记的。你们也是一样，只要对国家作出了贡献，政府就不会忘记，我们说话是算数的。"

话一讲完，全场就响起了热烈掌声。

下午，嘉陵江上龙舟竞渡，锣鼓喧天。胡耀邦和行署领导同工商界人士以及南充人民共同欢度佳节，用这种特殊的方式，庆祝"五反"运动的胜利。

九 "恢复和发展生产永远是第一位的"

一个接连一个的民主改革运动情况错综复杂，问题千头万绪，需要付出极大的精力和智力。这一时期胡耀邦昼夜工作，真可谓朝乾夕惕。但是就在最繁忙的时刻，他也从来没有忽视过恢复和发展生产，而是一直抓紧经济建设，正确处理了民主改革和发展生产的关系。

到任不久，他就兼任川北行署财经委员会主任。在理清川北施政方针的思路之后，他立即主持召开有各地、县税务、贸易部门干部参加的财经会议，通过了保证国家公粮、税收、整编等三个决议。这次会议使川北区财政工作从思想、政策统一，进一步达到了业务、制度统一。以后，他又多次主持召开全区经济工作会议，确定了一系列有关经济建设的方针、政策。平时，他主持财经委员会的工作，每一项重要经济工作的决策，都要同委员会组成人员和专家讨论研究，然后亲自布置、动员落实。他常说，革命的最终目的，就是发展生产力，也只有发展生产才能保证改革的最终完成。哪个对建设、工商不感兴趣，那就是对社会主义没有感情。

1951年春耕季节，川北全区土改正值高潮，农民群众的注意力都在土改上。胡耀邦看到了有因运动而耽误生产的危险，因此由行署向各级政府、各土改工作团、各地农民发出了《大力领导春耕生产十项命令》，其中包括：一切工作必须围绕春耕生产进行；已土改地区务必于春耕以前把土地分配完毕，把可以推后解决的问题放到春耕以后解决，保证农民已经分得的土地财产不受侵犯；尚未土改地区应巩固减租退押成果，保证佃权，保证不荒芜一寸土地，谁种谁收；允许富农经济发展，严格保护中农；提倡农村借贷自由，有借有还；对缺少劳动力的烈、军属组织好代耕工作；督促地主、游民、懒汉参加生产；发生灾荒地区，抢收早熟作物渡荒自救；县、区、乡三级组织农业生产委员会，统一领导春耕事宜。由于做到未雨绸缪，所以没有贻误农时，基本保证了在土地改革中农业生产的正常进行。

川北属于丘陵和山区交错的地区，农业生产长期处于落后状态。1951年春夏之间，全区大部分县发生旱灾，有些县又加上风、雹、虫害，灾情严重。7月7日，胡耀邦召开行署紧急行政会议，安排全面抗灾工作。这次会议决定，一切灾区，无论是已土改区、正土改区或未土改区，毫无例外，都要以发动和领导群众抗灾为最中心任务。土改因此不能按期完成的，可以推迟。会议强调要发动男女老少一起动手，树立战胜灾害的信念。行署并且拨出专款和救济粮，赈济受灾严重的农民。经过群众性的抗灾自救，各地驻军的协助配合，再加上后来普降喜雨，1951年仍获得较好的农业收成。同1949年相比，粮食增产

132%，棉花增产150%，蚕丝增产120%，为川北农业发展开拓了良好前景。

在土地改革完成以后，川北经济如何发展，以适应全国大规模工业建设的形势，是一个紧迫的现实问题。胡耀邦在反复调查研究之后，确认川北的农业既然占全区生产总值的85%，当然还是应该以农业为主。1951年下半年，胡耀邦及时向川北各级党政领导提出了“有计划、有预见地领导农业生产的发展”方针。他说：“现在，我们已有了全国政权，有了规模宏大的工业原料的需求，有了广阔的国内市场。这个重大情况的变化，一方面给我区农业潜藏力以充分发展的可能，另一方面，又需要我们在因地制宜的基础上，配合着整个情况的需要更有计划更有预见地领导。”从而，他响亮提出了发展农业的“四大”口号，即：大量发展蚕丝棉麻；大力提高粮食生产；大规模地植树造林，多种桐树，多种果木；大量繁殖畜牧，多喂猪，多养牛羊，多喂鸡鸭。这些号召，由于切实符合农民群众的愿望，所以得到热烈响应，没过多久，就大见起色，广大农村出现了粮棉遍地、牛羊盈野的喜人景象。胡耀邦认真总结了这“四大”的成功经验，掌握了它们的普遍性和规律性。20世纪60年代初，他在下放到湖南湘潭地区任地委书记时，又在湘潭推广了这“四大”，同样收到了很好的效果。

胡耀邦一面大抓农业生产，一面又苦心谋划发展交通运输问题。“要致富，先修路”的迫切性，他自然看得很清楚。农民虽然有了粮棉，但积存在家里，还是富不起来。农副产品必须卖得出去，工农业产品的“剪刀差”要缩小，使各项产品得以流通，这就非发展交通运输事业不可。胡耀邦同区党委一班人根据川北人多、劳动力充足的条件，决定给民工一定报酬，发动群众修路、护路。这样，除采取以工代赈办法整修了国民党军队溃败时破坏的公路外，还修成了从南充经蓬安到营山、阆中到苍溪、巴中到南江的沙河这三条公路共168公里，这对于恢复和发展革命老根据地的经济有着重要作用。新修南充经武胜到合川的公路，准备同重庆连接起来。当时翻修和新建的公路总计一千六百多公里。经过多次疏浚，全区内嘉陵江、涪江、渠江的水路航道近两千公里，也都畅通无阻。同时，又架设电话线一万多公里。后来西南地区自筹经费投资修建成渝铁路，川北行署成立筑路委员会，胡耀邦又亲自挂帅，兼任主任委员，动员数万人参加这个宏伟的铁路工程。

为解决边远山区人民土特产品销售难和生活用品购买难的问题，胡耀邦制定了迅速普遍发展山区合作社、大力开展城乡物资交流的措施。他在1950年签署的《关于成立生产供销社各项决定的通知》中明确规定了供销社的经营方针是："扩大本区的土产和手工业品的流通范围，结合救灾，调剂本区农副产品及手工业产品的供求，扶助手工业产品与合作事业的发展，配合巩固物价稳定及人民币下乡，促进城乡物资交流。"到1952年8月，全区一半以上的乡镇建立了基层供销社。根据胡耀邦的指示，川北各国营贸易公司、山区生产供销社和山区合作社大量收购了农民的土特产；同时又积极向山区人民提供棉织、食盐、粮食等生活用品。全区和各县还每年都召开土特产交流会，促进土特产增产和物资交流，见效颇快，深受城乡人民欢迎。

当时川北地区的工商业经济更是落后。1950年，全区二十二万多工商户中，工业只有八万多户，其中手工业又占96.8%，机械工业仅占3.2%；商业约十五万户，其中摊贩占53%，坐商占35%，行商占12%，他们多系家庭商业户和独立劳动者，资金在1000万元（合现行人民币1000元）者占96%，充分表现出了浓厚的农村市场色彩。新中国成立初期，这些工商业者怕财产被没收，怕戴“资本家”帽子，将财产大化为小，小化摊贩，坐商化行商，或关门停业，以致物价波动，市场萧条，经济运行处于停顿状态。

胡耀邦看到，这一切都在于有相当数量的工商户对党的相关政策不了解，或者不相信，因而解除他们思想上的障碍，仍然是工作的第一步。因此，一方面，他布置有关部门的干部都去做这方面工作，一方面他也亲自出马，只要是有工商户人士的场合，他都要宣传党的工商业政策。平时，他经常邀请工商界人士座谈或者个别谈话，了解他们有些什么疑虑，有哪些实际困难，一一解答，澄清或者帮助提出解决办法。对于坚持营业的，他热情予以表扬，树立为大家学习的榜样。他时常对工商界一些头面人物说：你们要多做工作呀！要主动宣传党的政策，劝导工商业者开门营业，不必有什么思想顾虑。要慢慢地耐心地教育他们，以现身说法，多举身边大家都熟悉的好例子，去开导他们，是完全能够争取他们恢复、重操旧业的。他强调说，只要守法，工商业的前途是光明的。这些代表人物对胡耀邦如此倚重和信任他们深为感动，回去后果然纷纷去做其他人的工作。

按胡耀邦的布置，1950年10月23日召开了川北工商会议，各县、市工商界代表和工商科科长参加。会议的目的是，更深入地了解工商界现状，听取代表们对党的政策、措施的反映和意见，调查在公私、劳资、城乡关系上必须解决的问题，同时在代表中发现积极分子，经过培养以作为今后工作中的骨干。

每次开会，胡耀邦都要来参加听取意见。他认真记录，不断提一些问题，或者商讨一些想法。来自县里的代表，发言顾虑较少，提意见直截了当。如说政府对工商户没有尽到应尽的责任，“公营排挤私营”，有的要求国家重新审定税率，等等。一次，在场的区统战部负责人觉得有的意见有点“出格”，示意代表们“客观些”、“缓和些”，胡耀邦掉转头对他说：“这些意见提得都很好，很少能听到这样发自肺腑的声音”，鼓励大家继续踊跃说下去。代表们见胡主任有这样海纳百川的气度，更加无拘无束，敢言直陈。几天意见听下来，胡耀邦掌握了大量第一手情况，对全区工商界的心理、要求、不满有了清晰的了解。他经过同区党委、行署领导交换意见，最后形成了一篇在11月6日闭幕会上发表的三个多小时的讲话。他一口气讲了27个问题，既从大处着眼，告诉大家不要听谣言，不要怕国营，又讲了政府方面的方针、举措。胡耀邦在讲话中对工商界的号召、叮嘱，体现了党和政府对工商业者的殷切关怀与期望，以及按照政策经营的严格要求。这篇经过充分调查的，同工商界面对面的直接交流的讲话，起了非常好的作用，澄清了模糊观念，坚定了经营信心。一些代表说，听了胡主任一席话，胜过攻读十年书啊！

1951年1月19日，南充市工商业联合会正式成立。此时川北各县工商界在税收方面已完成并超过了中共中央西南局下达任务的30%，在支援抗美援朝、参与市政建设方面也都作出了贡献。胡耀邦在到会讲话时，满怀欣喜地首先对工商界的表现作了充分肯定和高度赞扬，这使工商业者们深受鼓舞。胡耀邦接着又非常坦诚地把今后各级政府在工商业工作方面要处理的六个问题告诉了大家：一、正确处理劳资关系，不能因片面强调维护工人利益而妨害了劳资两利原则。二、关于税收问题，仍采用民主评议的方法。三、工商界的人权要有保障。发生了劳资纠纷，绝不应采取农村斗地主那样的方式，应运用协商、调解、评议、仲裁的方法。四、工商界的经营方式，提倡“联营”，但政府不能强制组织“联营”，“联营”与“单营”完全取决于自愿原则，政府一视同仁。五、销路问题。由于帝国主义的封锁，商品以内销为主。六、要认真听取工商界反映的意见和困难。

这样，就把政府同工商界之间的关系，差不多全都理清了，也为工商业的发展指明了方向。经过这次会议，南充以至整个川北的工商业又有了新的发展。

但胡耀邦没有就此放松对贯彻工商界政策的关注。1951 年 5 月，他曾有一个批示，指出对工商界不仅在经济上，而且在政治上，都要防止“冒险主义”倾向，在当时带来了很大震动。当时中共中央西南局统战部和中央统战部为筹备全国工商联，责成川北区党委选一个小城市作为工商联工作的典型实验县，于是区党委统战部派出一批干部到岳池县蹲点。胡耀邦每期都审看他们编写的《岳池县工商联典型实验通讯》，这《通讯》出到第三、第四号，他读后十分不快。《通讯》介绍经验说，工商业者在爱国公约学习中，从工商联负责人，到学习大组长、小组长，自上而下层层检讨，并有 12 个人在 1200 人的大会上作检讨，作“典型示范”，会场“情绪紧张热烈”。胡耀邦批道：“这一套不好，实际把大家弄得精神很紧张……大概想把工商业者当做布尔什维克来培养教育了。”《通讯》写道：“岳池工商业者运用自我批评，坦白自己的错误、毛病和怪花样还是第一次，他们感到惊奇。”胡耀邦批示：“当然惊奇，幼稚的同志啊，这样他们是害怕的。”《通讯》还反映有个别人对这种做法不满，胡耀邦批道：“绝不是个别，只是个别人说出来了，多数人虽没有说，内心一定担忧！”胡耀邦最后写道：“这些办法请大家用心思考，究竟为什么不对，然后才能提高思想水平。”胡耀邦又就这份材料，给区党委统战部写了一个批示：“紧接着工商业的经济冒险政策之后，现在又出现了政治上的冒险政策。这份材料，实可作为代表，请你们考虑用什么方法求得最迅速有效的纠正和防止，否则演变下去，又会变成荒谬绝伦！”在胡耀邦的具体指导下，岳池县的试点纠正了“左”的做法，区党委统战部也认识到了工作中的问题，注意防止“左”的倾向。

十　切实关心群众生活

只要区党委、行署没有重要会议，胡耀邦就极少待在机关里，而总是到各县、到企业、到基层、到群众中去，调查研究，发现问题，解决问题。对于群众反映的意见、要求，他十分重视，总是力求解决；对于从调查中听到、看到的重要情况，他常常举一反三，进而联想到其他方面，作更大范围的考虑。1950年年初，南充市许多缝纫工人因货源缺少而停机歇业，生活陷入困境。胡耀邦听说后，专门去到缝纫工人家里访贫问苦，同他们探讨出路。在同有关部门协商后，他决定将原由重庆加工的川北军区的军服和川北区党政干部的制服包给南充市缝纫合作社，同时指示粮食部门用粮食支持丝绸公司购茧，支持贸易公司收购土布。这些措施确有起死回生之效，使濒临破产倒闭的中、小缝纫工业迅速复苏过来。

1952 年 1 月 8 日，胡耀邦外出时经过南充市城西北市政府办公楼和工人俱乐部工地。他下车察看，发现市府楼修建了华丽的围墙，当即提出了批评。附近居民见他到来，纷纷上前反映拆迁中的一些不合理情况。胡耀邦认真听取了这些意见后，立即提出要因陋就简地结束俱乐部工程，不许继续拆除民房。回去之后，那些居民的急切目光和焦虑情绪，一直使他深感不安。他反复思索，觉得这是关系群众生活的大事，一点都马虎不得，现在才发现，似乎晚了一点，但正因为晚了一点，所以更需要下猛药救治。他又认真思索下去，想到有关住房的其他问题。这些问题如果不加以解决或解决得不好，都会影响政府同老百姓的关系。于是，他给南充市市长吴致中写了一封信，讲了他对这些问题的看法和处理意见，请吴市长将这封信在1月10日召开的南充市第二届第三次各界人民代表会议上宣读，以唤起普遍的注意。胡耀邦写道：

> 一年多来，国家修建房屋，不仅浪费很大，而且，因为收回了大量国有土地，购买了大批民房，特别是将其中一部分拆掉，使国家财产和政府威望遭受到许多损失，在这个问题上，我犯了官僚主义的错误，应向人民群众公开检讨。为了补救在这个问题上可能尚未发现的问题，请你们立即检查：
>
> 1. 搬迁户有无不满的，如有，请以我的名义向他们道歉。
>
> 2. 所购买的民房，是否还有没有全部合理地给足购买金的？所取回的国有土地户，是否还有没有完全妥善安置的？如发现有，务须由修建机关立即并合理地予以补偿和安置。不办或拖延者，以违纪论处。
>
> …………
>
> 据说现在市内民房不足，尚有一些人租不到房子住，为此特明确规定：
>
> 1. 自即日起，一切机关、部队、团体，均不得再购买一间民房，违者以违纪论处。
>
> 2. 指定专人负责，统一协调一下公家住房。在十五天

内，腾出一百五十间左右的公家住房，以稍低于市上的房租，租给无房可租的市民居住。

3. 公家新建居民区的房屋租金是否尚高，如高了一些，请即再减低一点。

在这封信里，胡耀邦还指示要改革一些其他有关群众生活及利益的事情：

——学习班、识字班、夜校、业余学校，必须实行自愿原则，不得采取强迫命令办法实施；

——除国家正当税收和人民团体的会费以及国家统一的捐献外，所有一切机关团体，均不得借口举办什么事情向群众募捐，违者以贪污论处。

——请全体代表发挥为人民服务的高度热忱，在会议期中，广泛收集人民群众正当的合理的意见与要求，并提交大会切实讨论，务使我们每次各界人民代表会议真正能够为人民办出许许多多的好事来。

由于信里提到的都是关乎群众实际利益的实实在在的问题，所以宣读之后引起了代表们的强烈共鸣。经过热烈讨论，不仅关于居民住房等问题一一得到解决，而且也启发了代表们又提出一些其他方面的问题。特别是大家从中认识到，无论是人民代表还是政府工作人员，应该随时关注民情民意，在人民呼声面前不能麻木不仁，应该有大公无私的气概和处处为人民着想的精神。

十一　尊重知识分子，发展文教事业

1950年胡耀邦到川北不久，就提出了一定要办一所全区性大学。行署文教厅根据他的指示，将三台县私立川北大学迁到南充市，与南充市原川北文学院合并，建成川北大学，学生一千多人，为川北地区及川北周边许多县的优秀青年接受高等教育打开了一条通途。胡耀邦异常关心两校合并工作，提出：一、要亲密地紧紧地团结起来；二、不看牌子只看货色；三、对两校师生同等看待，学生一律参加甄别考试。当时虽然干部紧缺，但他还是抽调了一批得力干部担任学校领导，使学校发展很快进入了正轨。

在胡耀邦的关注下，川北地区的中、小学教育也有很大发展，到1952年，平均每个县有两所中学，小学也比新中国成立前增加了一倍，少数民族地区还开设了民族小学。此外还办起了工人业余学校二万三千多所，农民夜校三万四千多所，有近六百万工农群众参加学习。胡耀邦外出视察时，经常要了解学校教育情况，有时候还径直到学校去察看教学设施，同教师们座谈。根据当时政治运动频繁的情况，他多次批示必须保持正常的教学秩序，保证教师队伍的稳定，限制政治学习时间，星期日不得召开会议，防止学校教育被冲击。

川北当时约有知识分子十万，其中大部分为中、小知识分子，又多集中在中、小学里任教。在历史上，川北特别是南充各县教师队伍的形成，同张澜先生兴办现代教育事业密切相关。这位清末秀才、早期革命家，从日本师范学习归国后，在家乡长期办学，培养了一代又一代的教育人才。他的子侄辈中也有众多优秀教育家。对这样一批学识、经验都很丰富的教育人才，胡耀邦视为重要财富，尊重有加，关爱备至。1950 年的除夕，他以行署主任名义，在《川北日报》上发表了向全川北文教工作者表示慰问的贺年信，信里说："由于诸先生的努力，使我区新民主主义的文化教育得以顺利展开。切盼继续奋斗，俾使 1951 年的学校教育、工农教育及抗美援朝的爱国主义与国际主义教育更向前迈进一步。"社会上三百六十行，他特地向文教工作者贺年，使人感到意味深长。他还同行署副主任联名指示各县、市都要向文教工作者表示慰劳，在元旦后邀请城区 5 公里以内的文教工作者举行座谈并聚餐一次，5 公里以外不便参加者由文教厅赠送新华书店书券一张。

1951 年 5 月，发动了对电影《武训传》的批判。川北虽然没有放映这部影片，但由于这场批判来头极大，影片又是文教题材，所以在知识分子中引起不小的惊恐。随之而来的，就是对知识分子的思想改造运动。川北区党委组织了"川北区教育工作者寒假学习会"，有两千多名大、中学教师集中到南充来"学习"，进行组织清理和思想改造。胡耀邦担任学习会的主任委员，审慎地领导着这一场"学习"。他一开始就提出了"和风细雨"的口号，以避免精神紧张和粗暴斗争。进入思想检查时，他要求本着与人为善、耐心帮助的精神，联系实际，以理服人；对历史问题，他要求"坦白从宽，既往不咎"；总之是"放下包袱，轻装前进"、"仁至义尽，帮助到底"。他考虑到这期间教师们精神负担重，会影响身体，因此非常关心教师的生活。他多次到食堂察看伙食，到教师住地问寒问暖，并且再三嘱咐工作人员，要特别关照年老体弱的教师。在胡耀邦主持下，运动进行得大体是与人为善的。在学习会结束时，胡耀邦为大家题词送行："敬祝诸位平安返校！敬祝诸位为人民、为后辈服务中获得更大的功绩!”给教师们以安慰和新的鼓励。

1952年春，正是“三反”运动高潮期间，他深入一些县、市考察，发现小学教师政治学习任务繁重，且常常被任意抽调去参加临时任务，各级行政部门在小学教师的任免、调用、待遇等方面问题不少。经与行署有关部门研究，他做了三点指示：一、小学一律不进行“三反”。教师政治学习，完小和中心小学每周讨论会不得超过两次，每次不得超过两小时；村小每周举行一次讨论会。星期日为教师休息时间，均不应召开会议。二、小学教员任免，必须依照人事制度，务必防止混乱现象。三、各级人民政府应对小学教师关心爱护，照顾其实际困难，严禁一切轻视、侮辱小学教师的事情发生。

主政川北时期，思考面极广的胡耀邦对生产人民精神食粮的文艺工作也密切关注，但是现在我们所见到的，只有1951年8月7日他给区党委宣传部副部长张永青的一封信系统地讲了这个问题。从这封有2500字的长信里，可以看到他把文艺看做是反映时代的号角、教育人民的利器而十分重视。他热情奔放地呼吁文艺工作者要深入基层，深入群众，去讴歌英雄的人民，讴歌伟大的时代。他所阐释的观点，无疑是深刻透辟的。他说：

我区的文艺工作者，骨干虽然不多，但一年多来，他们做了不少工作。建立了三万人的群众性的文艺队伍，深入到工厂和农村，与各种群众运动相结合，开展了大规模的群众性的文艺活动，创作了一些作品，在川北人民的各种斗争中起了一定作用，这是可喜的现象。可是，综观已发表的作品，能够完满地表现新社会、新人物面貌的实在很少，这不能不引起我们的十分警惕。无论如何，我们不能漠视川北人民斗争的新情况，这就是，一年多以来，我区千余万人民，在一个紧接着一个的翻天覆地的翻身斗争中，必然会涌现并已经涌现了无数的英雄人物，必然会产生并已经产生了无数可歌可泣的英雄事迹。……

在饱含激情地列举了一系列感人肺腑的事例后，胡耀邦接着写道：

这些英雄人物和英雄事迹，也许有些还是朴素的，但无疑的，由于他们大无畏气概和英雄精神的出现，才掀起了空前的翻天覆地的伟大斗争，才急剧地深刻地改造着社会面貌，改造着一切人们，也改造着他们自己。他们不愧为新川北的主人，是真正的新人，也是“最可爱的人”。他们的事迹，是惊天动地的事迹，也是应该大书特书的事迹。因此，表现他们，歌颂他们，刻画出他们的思想感情和性格，以他们的崇高品质做榜样，鼓舞人民群众的战斗意志，指明人民群众的斗争方向，并通过这些英雄的事迹反映出正确的政策思想，就不能不是我们一切文艺工作者、戏剧工作者、音乐工作者、美术工作者、舞蹈工作者、曲艺工作者乃至新闻记者的基本任务。我认为：这是我们新文艺发展的方向问题。只有首先充分地表现这些朴素的新英雄人物，在这个基础上，再进而集中加工，才能创造出更为集中的典型人物；如果我们不首先面向这些新人物，而企图一下子就凭自己的“灵感”创造出所谓的典型，那就是脱离现实的创作方法。

接着，他尖锐地指出：

可惜的是，这一重要问题在我们的创作思想中还没有根本解决，因而还没有认真去表现这些新英雄人物，甚至没有认识表现他们的重要。我们有一些文艺工作者，他们虽然有十分的热情，他们也许熟读过了和拥护毛主席的文艺政策，他们也说拥护“面向工农兵”的方向，但实际上，他们却不自觉地存留着有害的小资产阶级观点，他们不去寻找、调查、访问、捉摸这些活生生的新英雄人物，而是坐在屋子里以自己的性格、思想臆造出一些莫须有的人物和故事；或者，以想当然的思想感情来代替那些真挚的动人的新英雄人物的思想感情；或者，拼命地去堆砌许多美丽的词藻来代替有血有肉和有声有色的事实；或者，即使是下到工厂或乡村，对于这些新英雄人物也是熟视无睹，认为他们平淡无奇，而仍然写不出作品来。这样，他们就永远同人民群众格格不入，永远是“门外汉”。这样，他们也就把被他们认为是“平凡”的人物故事和“平凡”的历史无情地推在“后台”，打入“冷宫”。而他们自己也将永远徘徊于现实的边缘，变为“流浪儿”，无“家”可归。

从这个观点出发，还可以有力地打破另一种错误思想。这个思想是：我区之所以没有成功的文艺作品，乃是由于我区没有“有名的”、“优秀的”作家。如果把这个思想用另一句话来解释，那就是：我区要产生成功的文艺作品，就得攀请一些名作家来。诚然，我区现时没有优秀的作家，这给予我们文艺创作某种困难，但优秀的作家，从来也不是从天上掉下来的，而是从人民群众的斗争中锻炼、成长出来的，更不是被一些固定的人物所“垄断”的，而是在人民群众的斗争中不断成长起来的。如果我区的文艺工作者和文艺爱好者，能脚踏实地地本着毛主席所指出的创作方向去下苦功夫，那么，可以断言，我区将逐渐地一批又一批地成长出优秀作家来。

为此，我认为必须立即着手改变我们的文艺创作与现实斗争脱节的这种情况。我认为应采取如下的有效方法，这就是：讲明方向，组织力量，树立榜样和坚持下去。……

在这封信里，胡耀邦谈到了文艺工作的方向问题，文艺工作的功能、责任问题，文艺工作者深入群众、深入实际问题，文艺创作思想、创作方法问题等，可以看做是他对文艺指导思想的全面阐述。他在谈“树立榜样”时还写道：“为了给那样的作者和作品（指深入工农兵群众的作者及讴歌新英雄人物和事迹的作品。——引者注）以应有的地位，我们的报纸与刊物，同时就应该拒绝刊登那些随便臆造、全属空话的通讯、小说、唱词、新诗等作品，以保持我们创作上的严肃性。”这不仅在当时，即使在今天，不是依然有很强的警示作用吗？

在电视尚未出现的20世纪50年代，报纸是最重要的宣传武器，一个懂政治、有远见的领导人必然异乎寻常地重视报纸。胡耀邦曾说：“没有哪一件工作比得上报纸，为干部为广大人民服务得如此之广，如此之及时，如此之深刻，如此之完备。”他对报纸的爱护和指导，当得上“无微不至”这四个字。

还在准备赴川北时期，胡耀邦就着手《川北日报》的筹办。他从第十八兵团商调新华社驻兵团分社社长袁玉明负责筹办，又在兵团政治部办新闻训练班，培养了三十多名学员，还调拨印刷机，随他一同来到川北。开始时条件艰苦，设备简陋，机器要靠人力摇动。虽然困难很多，但在他的具体过问下，只经过短短的时间，1950年3月，《川北日报》就同读者见面了。

胡耀邦对《川北日报》的指导，首先着重在贯彻政策、方针方面。他要求报纸密切配合各个时期的中心工作，全面、准确地宣传报道群众的首创精神和英雄事迹。区党委的一些重要会议，以及胡耀邦同区党委、行署主要领导同志的小型商谈，都吸收总编辑袁玉明参加，以便使一些重要思想在报纸上及时体现。胡耀邦还经常为报纸出社论题目，他自己也动手撰写社论。他审阅大样的时候，看得极细，从政策提法到文字差错，从不放过。甚至连报纸印刷质量方面的问题，他的要求也很严格。1950 年10 月，他专门给报社写了一封信，具体详尽地指出了这方面的问题：

——我们的错字、倒字、歪字往往比别的报纸多，往往还排得零乱；

——我们的拼版，很少端正过，线条往往是歪的，特别是这两天的报，歪得不像样了；

——我们有些新添的字体很难看；

——我们的油墨常常没有调好，多半太浓，有时则是漆黑一块；

——我们的报，常常是把字印得凹进报纸里去，常常有些字又没有印出来；

——我们的报纸十张总有好几张没有弄平而印重叠了的。

在列举了这些问题之后，他接着写道：

我这样提出问题来，根本不是想批评你们，而是想和你们大家一起商讨，能否把报纸（书籍、刊物也一样）印得更好？要如何才能印得更好？还有一些什么问题，有些什么具体困难要解决？

这些，我都希望你们一件一件地告诉我，我愿意和你们一道来解决这些问题。

这深厚博大的关爱之情和对工作一丝不苟、精益求精的精神，使报社上下深受感动，经过认真的研究，使印刷质量很快得到改进。

胡耀邦经常要求各部门善于运用报纸指导工作，克服“手工业式”的领导方法。在他的倡导下，由区党委、行署有关部门负责人和报社负责人共同组成社论委员会，以加强对社论工作的领导。社论委员会每次开会，胡耀邦都要出席。由于胡耀邦的带头示范，区党委、行署各部门的领导人都很注意为报纸撰写文章或提供重要情况。

十二 奉调进京

1952 年下半年，在完成建国初期的民主改革和建设任务以后，川北等四个区重新合并为四川省。川北区一级党政干部一部分到四川省工作，一部分到西南和中央各部门工作。1952 年 6 月，川北区党委收到中共中央电令：“调胡耀邦来中央工作，务于七月底抵京。”

“胡耀邦要调走了。”这消息迅速传开。人们惊愕、惋惜，希望这不是事实。当看到这确实是不可改变的事实之后，大家就商量如何对胡主任表达自己的尊敬、感戴和惜别之情。川北政协副主席卢子鹤和南充市各界人士按中国传统的做法，筹备给胡耀邦送一堂德政碑式的以红色缎子为底、上镶金字的八幅锦屏。胡耀邦得知后，特地去跟这些人会见，表示婉谢。他说，大家“坚决不能做这个东西。若真要送，就送我五个字好了：‘为人民服务’。这五个字是毛主席说的，叫我们每个革命工作者，时刻用这五个字检查自己为人民服务的事做得如何了”。等一阵掌声过后他又说：“你们送我这‘五字箴言’，不用缎子，不用金字，只需口头嘱咐我、告诫我就行了。‘良友之言，金石之贵’嘛，超过缎子做的屏、金子做的字啊！”一番话，说得大家更是感慨系之。卢子鹤老先生不禁黯然神伤地说：“知己已去，我将安归？”

在胡耀邦离开南充的前夕，川北区党委、行署全体干部在办公楼前广场上，为他举行了欢送会。区党委、行署领导和干部们，对他的离去都有些依依不舍。在同大家讲话时，他也明显地十分动情。讲话的最后，他既是自勉、又是鼓励大家说：“党叫到哪里，就到哪里；到了那里，就把那里的工作做好。”

1952年7月初，在静悄悄的黎明，胡耀邦轻车登程，悄然离开川北。到中共中央西南局办过手续，同老首长、老战友等话别之后，他即乘军用飞机到武汉中转，然后飞抵北京报到。

川北主政，是胡耀邦第一次从事地方工作，而那又正是一个社会矛盾错综复杂、各种斗争接连不断的特殊时期。但他很快驾驭全局，创造了出色的业绩。这固然在于他从长期的革命实践中增长了突出的才干，同时更在于他的眼睛、他的心灵，始终是向着人民。他关心人民、热爱人民，总是以人民利益为施政的第一标准。

曾经在胡耀邦身边工作多年，对胡耀邦深有了解的黄天祥（川北行署政研室主任），对胡耀邦在川北的政绩作了这样的评价：

川北在全国并不占有显著的地位，它只有四川的四分之一。在社会经济的发展上，同沿海地区不能相比。对全国的全盘工作来说，没有特别重要的意义。但是，在从战争转向建设这个伟大变局中，以胡耀邦为书记的川北区党委在指导思想上，在领导艺术上，在工作作风和工作方式上，都是有预见和果断的。川北区党委根据本地区的实际情况，创造性地，放手大胆地执行中央的路线方针，执行西南局的决策和指示，符合川北人民的现实利益和长远利益。如何临政亲民，如何通盘筹划，如何调动和协调各种社会力量，颇有值得借鉴的经验。

作为川北党政全盘工作的领导人，无可否认，胡耀邦的作用是重大的，在某种意义上是具有决定性的。当时法制不健全，干部依靠领导，人民依靠"清官"，兴邦丧邦，第一把手的作为是太重要了。李登瀛同志在川北区党史座谈会上说："川北时期的工作大体没有留尾巴，干群心情舒畅。"这是川北干部和人民的心声。邓小平同志当时曾评论胡耀邦同志说："有主见，不盲从。"这个评价十分得当。胡耀邦是有思想的实干家，能实干的思想家。

这说得十分客观透辟。现在半个多世纪已经过去了，这段历历如在眼前的往事，经受住了历史的反复检验。

第八章　青年工作战线上（上）

一　小伙子上台

中共中央调胡耀邦进京，是周恩来提名的，原是要由他组建政务院建筑工程部并任职。恰在这时候，青年团中央书记冯文彬调动工作，需要有人接替。由于胡耀邦有过长期从事青少年工作的经验，年纪也轻，工作上朝气十足，是做团中央领导工作的最佳人选，毛泽东说，团中央的工作还是由胡耀邦来干好，于是党中央决定由胡耀邦来接替冯文彬的工作。就胡耀邦的志趣来说，他愿意站在党政工作第一线，从事经济恢复和建设工作。川北的火热斗争生活，使他的情绪仍然处于兴奋和激动状态。但他一向组织观念极强，无条件地服从了党中央的决定。毛泽东找他谈话，用惯有的幽默口气问："你敢在大庭广众中作报告吗？""你敢跟知识分子谈话吗？"一身豪气的胡耀邦毫不犹豫地说："敢。"毛泽东说："好，我就要这样的人，你去。"

刘少奇也找他，向他说明为什么要改派他去团中央，说："你年轻，曾经做过团的工作；你领导过一个省，有全面工作经验；你当过总政组织部部长，人缘好，能联系各方面的关系，选来选去，就选中了你。"就这样，胡耀邦又踏上了青年团的工作岗位。

历史上的青年团，在1936年经过改造之后，作为组织就已不复存在。但是抗日战争胜利后中共中央认为根据形势发展的需要，有必要把青年团重新建立起来。1946年下半年，由中共中央书记处书记任弼时主持，对重建青年团的工作作了多次研究和布置。经过两年多的试建，取得了经验，条件已经成熟。1949年1月1日，中共中央发布了《关于建立中国新民主主义青年团的决议》，确定"中国新民主主义青年团，是在中国共产党的政治领导之下坚决地为新民主主义而奋斗的先进青年的群众性组织，是党去团结与领导广大青年群众的核心，是党以马克思列宁主义教育青年的学校"。4月，在北平召开了中国新民主主义青年团第一次全国代表大会。毛泽东、朱德为大会题词并接见了会议代表，周恩来作了关于青年学习与青年团作风的报告，任弼时代表中共中央向大会作了政治报告。大会选举任弼时为中国新民主主义青年团中央委员会名誉主席。在随后举行的团的一届一中全会上，选举冯文彬为团中央书记，廖承志、蒋南翔为副书记。在1951年11月举行的团的一届二中全会上，增选了李昌、荣高棠、宋一平为团中央委员会书记，组成团中央书记处。

胡耀邦于1952年8月10日到团中央上班，他的第一个任务，就是要筹备召开团的一届三中全会，以确定团的任务和改选团中央领导。

连续几天里，他向冯文彬、蒋南翔、李昌等了解团的工作情况，交换意见。经过调查了解，他对团的工作状况有了初步的认识。他认为，几年来青年团工作很有成绩，但是也存在不足，必须把团的工作紧紧纳入党的总体工作中去。同时，他认为团在发动青年为实现党的主张、政策和当前的任务而斗争的时候，又不可抄袭党的全套方法，而必须采取适合青年的方法，这种方法从根本意义上说就是教育的方法。此外，当时团员有730万，在将近一亿青年中还感到数量不足，因此争取在今后一年内再发展300万。

8月14日，他给毛泽东、刘少奇写了关于召开团的一届三中全会的请示报告，讲了他的这些想法。报告中说："应从总结工作来解决团的工作一些根本性质的思想问题，……这些问题彻底地解决了，其他一切问题便可迎刃而解。"8月16日，毛泽东就作了批示："同意这些意见。讨论团的方针的会议，可在8月21日至24日之间择一天召开。会前我可以与你们谈一下。"

8月23日、30日，毛泽东两次主持召开会议，讨论青年团工作。刘少奇、周恩来、朱德、邓小平等都参加了会议。毛泽东亲切地说：青年的特点是英勇积极，知识不足。面对着一个新的时期，学习是更加特别突出的任务。除了党的中心工作就是团的中心工作外，青年共同的普遍的经常的东西，是学习教育。学习马列主义的基本理论，学习文化和科学技术。还要注意身体，一定要把青年一代的身体搞好。毛泽东还指出，要把每个干部搞得实在些，除了学习马列主义基本理论、党的政策而外，还要根据自己的工作岗位，努力具备必要的专业知识。他还出了两个题目要大家研究：一是党委应如何领导青年团？二是青年团应如何工作？

参加了这两次会议，看到党中央、毛泽东如此关怀和重视青年团工作，胡耀邦十分感动和深受鼓舞。他觉得毛泽东所提的两个问题意义重大，既包含有对青年团工作经验教训的总结，又是新时期里对青年团长远工作的根本要求。他觉得只要把这两条把握好了，工作是有信心的。但同时他又感到很大压力。他是第一次走上全国性工作岗位，这个岗位又是寄托着党中央的重任和亿万青年的殷切期望的。他很清楚，自己虽然做过团的工作，但现在整个形势已经发生了根本性的变化，一切都要从头学起和做起。在那些日子里，他不断地找人谈话，了解情况，多方求教，极其专注地阅读马克思、恩格斯、列宁、斯大林和毛泽东关于青年与青年工作的论述。他既兴奋又焦虑，常常终夜失眠，苦苦思考如何做好工作。

8 月 25 日至 9 月 4 日，胡耀邦主持召开了青年团一届三中全会。刘少奇到会作了政治报告。会议讨论并通过了《关于当前工作的决议》。胡耀邦传达了毛泽东的指示和提出的两个问题，作了题为《在毛主席的亲切教导下把青年工作更加推向前进》的报告。他说：根据毛主席的指示，我们在决议中指出了引导青年善于学习，是青年团今后的一个“更加特别突出的任务”，并且因此明确规定了“关于学习的问题，关于学习和工作相结合的问题，关于青年团如何协助党教育好整个青年一代的问题，乃是青年团检验自己工作的标志”。关于青年团如何工作，他说：“青年团的各级团委，要把工作做得更好，要能够以切实的工作成绩来体现党的助手作用，根据历来的经验，首先必须巩固团服从党的领导，其次必须深入群众，认真研究群众工作中的经验。”他着重讲了关于巩固团服从党的领导的问题，从政治上、组织上以至工作方法上都提出了要求。他特别提到了“青年团的工作是一种群众性的工作，它应当经常关心党的政治方向和政策，但它不能像党一样去规划政治方向和各种政策，因而它应当避免乱发政策性的决定，应当防止长篇大论的空洞指示”。他还向团的干部提出要求。他说：“团的工作是人民的一种事业，团的干部应该成为青年的表率。因为，保持和发扬团内那种朝气蓬勃的踏实苦干的优良作风，乃是开展青年团今后工作的重要关键之一。”团干部要“一致努力，忠诚地当人民的勤务员，忠诚地当青年的好朋友”。

会议改选并扩大了团中央书记处，胡耀邦当选为书记，其他书记是廖承志、蒋南翔、李昌、荣高棠、宋一平、刘导生、罗毅、许世平；候补书记区棠亮、高扬文、杨述、章泽、胡克实。

这样，37岁的胡耀邦便正式接手了青年团的领导工作，在以后十多年的岁月里，以他一贯的激情澎湃的风格，在青年团的舞台上演出了有声有色的一幕。

团的一届三中全会之后，胡耀邦头脑里仍然盘旋着毛泽东提出的那两个问题。这期间他到团中央直属单位《中国青年报》社、《中国青年》杂志社、中国青年出版社、中央团校去同工作人员见面，也总是就这两个问题同这些单位的负责人探讨、交换意见。

9月，胡耀邦同蒋南翔、李昌联名就团的一届三中全会的情况向中共中央作了报告，报告对党委如何领导青年团、青年团如何服从党的领导的问题，明确提出：（1）要经常地、认真地研究党的方针政策。（2）要绝对服从党委的整个工作部署并接受党交给团的具体任务。（3）要根据党所制定的中心任务，提出团的切实可行的计划。（4）上级团委要经常监督下级团委切实贯彻党委的指示。关于青年团应如何工作的问题，报告中提出各级团委必须遵守：（1）不要过分强调团的系统领导，而要切实地尊重各级党委的统一领导。（2）政治上、工作上要有积极性、主动性，不懂的东西要大胆地向党委请示。（3）每个干部都要老老实实埋头苦干，要以切实的成绩来体现助手作用。各级团委必须警惕轰轰烈烈、空空洞洞的形式主义倾向，注意防止干部中华而不实、骄傲自大等倾向。

经过这一段紧张工作之后，胡耀邦得以稍许从容地、更加系统地思考新的历史时期青年工作的深刻性。他经常同大家谈到“党的青年工作的战略意义”，他说：辩证唯物主义者历来认为，历史是不断前进的，在一个民族前进过程中，青年总是处在打先锋的地位。一个政党只要掌握了青年，就掌握了未来。因此团的工作重要任务之一，就是教育青年向前看，看到祖国的未来，看到自己的前途。他还说，一个青年工作者一定要热爱青年，要善于把青年中蕴藏的那种蓬勃向上的因素激发出来，同时自己也从中受到感染。一次，他见到一位与他相处多年、后来因为多种原因心情不大好的部下，他说：听说你感到有些孤独是不是？这大概是因为你接触的人大都是一些老人。你应当多接触青年人，同青年人交朋友，这就不会感到孤独了。

在深入基层团组织探讨“青年团如何工作”问题时，胡耀邦发现，团的基层干部热情高、干劲足，但办法不多，特别是对工作中的困难不会处理。还有的发牢骚说：“党有权，政有钱，无权无钱青年团。”胡耀邦在帮助大家想出各种办法的过程中，归纳出三句话：“上下请示，左右求援，自我奋斗。”他说，上下请示是上向马克思请示，向毛主席请示，向党的方针、政策请示，向同级党委请示，不要自作主张。下向群众请示，深入作调查研究，向群众学习，做群众的小学生。左右求援是配合行政、工会、妇联工作，共同完成党交给的任务。他说，自我奋斗是基础，不奋斗而总是请示，就不会引起重视；奋斗出了成绩，再去求援，就比较容易获得支持了。

在团的一届三中全会以后，经过几个月的筹备，1953 年 6

月23日至7月2日，中国新民主主义青年团第二次全国代表大会在中南海怀仁堂召开。这次大会是青年团在祖国开始进入有计划的经济建设时期的誓师大会，大会的主题是，团结全国青年，站在祖国建设事业的前列。刘少奇代表中共中央致祝词，朱德到会讲话。刘少奇在祝词中充分肯定了青年团的工作成绩，阐述了进入经济建设时期全国人民的历史任务，要求青年团发挥党的助手和后备军作用，站在为国家工业化而斗争的前列。

胡耀邦在会上作了题为《团结全国青年在建设祖国伟大行列中奋勇前进》的工作报告。报告中说，在新的建设时期里青年团要团结全国各族青年为建设祖国而忘我劳动、奋发学习；要协助党以共产主义精神教育团员和青年，使他们成为热爱祖国、忠于人民、有知识、守纪律、勇敢勤劳、朝气蓬勃、不怕任何困难的年轻一代。报告中要求全国青年：我们要做新中国的积极建设者，我们要做伟大的中国人民的和伟大的中国共产党的好儿女，贡献出我们的全部力量、全部智慧，在建设祖国的伟大行列中奋勇前进。

大会后期，6月30日，毛泽东接见了大会主席团成员。他有针对性地说："现在的问题是缺乏团的独立工作，而不是闹独立性。青年团要配合党的中心工作，但在配合党的中心工作当中，要有自己的独立工作，要照顾青年的特点。""团的领导机关要学会如何领导团的工作，党的领导机关也要学会，就是围绕党的中心任务，照顾青年特点，组织和教育广大青年群众。"他说，新中国要为青年设想，保护青年一代更好地成长。他满怀关爱地说："十四岁至二十五岁是人们长身体的时期，二十五岁以后就不长了；又是工作时期，又是学习时期"，因此要"一方面学习，一方面娱乐、休息、睡眠，要两方面兼顾"。"两头都要抓，学习工作要抓，睡眠休息玩儿也要抓"。他强调说：

"一是照顾青年特点，一是照顾团的系统工作，同时受各级党委的领导，这是总不会错的。这不是新发明，老早就有了的，马克思主义历来就这么讲的，这是按事实，从实际出发，青年就是青年，不然何必搞青年团?" 毛泽东还着重说："我给青年讲几句话，一祝他们身体好，二祝他们学习好，三祝他们工作好。"①

毛泽东还要求，新一届团中央委员，年龄要更轻一些。在谈到青年人是否有威信时，他说："威信是慢慢建立的。""群众对领导者真正佩服要靠了解，真正了解，才能相信他。""青年团只有四年历史，胡耀邦刚刚上台不久，不是一个早晨都佩服的。" 说到这里，毛泽东把头转向胡耀邦，问："胡耀邦，你来多久了?" 胡耀邦答："半年多了。" 毛泽东风趣地说："小伙子上台，威信不高，不要着急，不受点批评不挨骂是不可能的"。②

毛泽东对青年"身体好，学习好，工作好"的祝愿在大会作了传达，会上顿时沸腾起来，代表们人人欢欣鼓舞，感谢党和毛泽东对青年一代的关怀。尤其毛泽东把"身体好"摆在第一位，大家觉得不同寻常。大会一致决定，将毛泽东提出的"三好"作为青年团今后工作的方向。

在接下来举行的团的二届一中全会上，胡耀邦继续被选为团中央书记处书记。

胡耀邦敏感地认识到，毛泽东提出的青年"三好"和关于照顾青年特点、开展独立活动的指示，应该是青年团工作总的指导思想，是从更深刻的意义上回答了"党委如何领导青年团，青年团如何工作"的命题。胡耀邦高兴地看到，到这时可以说原则上解决了在新的历史时期青年运动与整个人民运动的关系、

①② 高勇：《胡耀邦主政青年团》，第25页。

团的独立活动和党的中心任务的关系、团的系统领导和党的统一领导的关系这些原则性问题。他多次用地球和太阳的运行关系作比喻，向团的干部阐述对毛泽东这个指示的体会。他说，青年团要像地球，既要围绕太阳公转，又要自转。公转就是服从党的领导和党的中心工作，自转就是积极主动地开展有益于青年“三好”的独立活动和工作，发挥青年团的主动性和积极性。要把公转和自转结合起来，缺一不可。他叮嘱中国青年报、中国青年杂志组织文章深入透辟地宣传毛泽东的指示精神，宣传青年“身体好、学习好、工作好”的深远意义。

二　独立开展活动，投入经济建设

20世纪50年代初，正是国民经济从恢复时期进入有计划地建设的新时期，第一个五年计划对工业、交通运输业、商业都提出了具体增长目标，要求国民经济实现快速发展。经济建设的大潮已经汹涌有声，眼看就要到来了。

胡耀邦深知，在经济建设中，党是把青年作为重要力量，作为生力军，抱有殷切期望。他多次明确地说：“过去几十年的革命只有两个字，叫做‘解放’，今后的一切也是两个字，叫做‘建设’”。因此青年团的一切工作，都应当围绕国家建设的任务展开。团的三中全会和团的“二大”，都提出了迎接大规模经济建设的任务。

1954年5月3日，在纪念五四运动三十五周年大会上，胡耀邦以《立志做社会主义的积极建设者和保卫者》为题发表了讲话，热情洋溢地对新时期里广大青年群众和青年团员的任务作了阐述。他说，“要把我国建成一个伟大的、光辉灿烂的社会主义国家，这个历史任务已摆在全国人民的面前。我们青年为这个伟大的事业所鼓舞，提出了‘一切为着社会主义’的口号。”他说，广大青年树立了为实现社会主义而奋斗的决心，“我们的中国就是需要这样的青年。……只要我们能够奋发上进，刻苦学习，不断地虚心向周围的人请教，有勇气打倒前进中的困难，那就一定能够为国家做出漂亮的成绩。”他要求全体团员都应该“更好地学习，更好地劳动，切实遵守纪律，准确地模范地去完成党和国家所交给的任务。”最后向广大青年提出要求，“我们要努力做到：哪里有青年团员，哪里就活跃，就有火一样的劳动热情，就有克服困难的勇士，就有团结友爱的集体，哪里就一定充满着崇高的爱国主义和国际主义的思想感情。”

在发动青年投身经济建设过程中，胡耀邦一直在思考、探索着毛泽东指示的照顾青年特点，独立开展活动的适当方式。

1954年初，在北京建设苏联展览馆工地上，出现了一支青年突击队。当时，工程结构复杂，施工质量要求高，一群青年工人便组成突击队攻坚。这支突击队不怕苦累，有钻研精神，能攻克难关，受到工地领导和群众的高度赞扬。青年团北京市委总结了这个经验之后，向团中央汇报，胡耀邦听了非常重视，认为这种形式就很好地体现了照顾青年特点，开展独立活动的要求。他说，首先，突击队能接受艰巨的任务，突破定额，提高劳动生产率；其次，可以带动大家开展劳动竞赛；第三，可以锻炼培养人，在劳动竞赛中表现好的团员和青年，可以吸收为党员和团员。他指示，要大力推广展览馆青年突击队的经验。

1954年4月底，胡耀邦出席了北京团市委召开的推广青年突击队经验的动员大会，在天安门广场亲切会见了第一支青年突击队和后来相继建立的突击队的队员。他站在观礼台上兴高采烈地向突击队员讲话，赞扬突击队不怕困难，勇于攻关，提高了劳动生产率，在经济建设中作出了榜样。他希望突击队活动长期坚持下去，并表示要向全国推广这一经验。他举起手臂高呼："工人阶级万岁！"

这样，一时间，各地纷纷组织了青年突击队。到1954年年底，据二十六个省市的不完全统计，仅建筑工地上的青年突击队就达六百五十多个，一万二千多青年参加。这一活动一出现，就显示了强大的生命力，四十多年来一直延续不断，直到今天，仍然有大量青年突击队活跃在建设战线上。

在青年突击队的带动下，又出现了青年节约队。第一支青年节约队是在长春市建筑工程公司建立的，他们拣回了大量被遗弃的金属和建筑材料等等，为国家节省了大批资金。在中共中央提出"厉行全面节约，克服一切浪费"的号召后，青年节约队在全国有了普遍发展，作用也更加扩大，不仅回收了废弃物资，而且推动了行政管理，特别是材料管理的改进，提高了青年爱护国家财产和向一切浪费现象作斗争的自觉精神。

后来又有青年监督岗出现。顾名思义，青年监督岗是青年们为帮助党组织和行政领导发现和消除工矿企业生产中的缺点和不良现象而建立的。参加监督岗的都是生产能手，是能联系群众，敢于斗争，并有一定技术水平和管理经验的优秀团员和青年。

工业战线上的这些活动，都有效地激发了广大青年从事社会主义建设的积极性和创造性，并且也使青年们从中受到教育和锻炼。

在农业战线，一直发动广大青年踊跃参加互助组、合作社并积极协助党贯彻农业合作化和统购统销政策的青年团组织，也在寻找和创造着更加适合青年特点的活动内容和方式。广东省的基层团组织，便是学习了北京张百发青年突击队的经验，在抗旱斗争和农田基本建设中组织农村青年突击队，取得了很好的效果。在珠江三角洲，由于有了青年突击队，积肥和兴修水利的工效普遍提高。1955 年夏，胡耀邦到广东考察青年工作，团省委书记田心向他汇报了这一情况。胡耀邦关切地问："大家对青年突击队的看法怎样？"田心说："群众拥护，青年高兴，党委满意，团干好当。"胡耀邦兴奋地说，从农业增产出发，又根据青年特点，群众自己创造出来的东西，是很有生命力的。他明确表示，农村青年突击队这一形式，可以在全省推广。

其后，青年团广东省委写文章总结了中山县新平乡第九农业合作社的青年突击队的经验，这篇文章被选入毛泽东编的《中国农村的社会主义高潮》一书，毛泽东还特地写了按语："青年是整个社会力量中的一部分最积极最有生气的力量。他们最肯学习，最少保守思想，在社会主义时代尤其是这样。希望各地的党组织，协同青年团组织，注意研究如何特别发挥青年人的力量，不要将他们一般看待，抹杀了他们的特点。"这个批语产生了重大影响，不仅使全国广大青年和青年工作者受到了极大鼓舞，也使各级党委更加注意发挥青年人的作用和加强对青年工作的领导。胡耀邦更是长时期思考和领会这一段论述。他多次说，毛主席这个批语是对社会主义时期青年特点的最精辟的概括，把青年最本质的特点给我们指出来了，而且为我们青年团工作指明了方向，我们要下力气很好地研究如何特别发挥青年人的力量。

1955 年 5 月，中共中央批准中央农村工作部《关于垦荒、移民、扩大耕地增产粮食的初步意见》。胡耀邦认为，垦荒事业正是青年们的广阔用武之地，他提出动员一部分城市未就学的初中、高小毕业生及其他失业青年参加垦荒事业。在他的主持下，团中央提出了《关于响应党的号召，组织青年参加开垦荒地的几项意见》，其中提出："青年团在这一工作中应当承担动员青年参加开荒的任务，并保证一定数量的团员参加。……按照垦荒生产工作的各项需要，选拔那些有决心的、身强力壮的、政治比较纯洁的青年前往。"

这个精神传下去不久，就有众多青年报名要求垦荒，北京市郊区的杨华、李秉衡、庞淑英、李连成、张生等五名青年向团北京市委申请组织垦荒队去黑龙江。团市委批准了他们的请求，并从报名青年中选出六十人，组成北京青年志愿垦荒队。胡耀邦细致地了解了垦荒队的筹备情况，会见了杨华等五名青年，充分肯定了他们这种可贵的爱国热情，并且亲切地询问了他们是否完全出于自愿，还有什么困难和要求。8月30日，北京市青年志愿垦荒队出发赴黑龙江省萝北，北京市各界青年一千五百多人举行隆重的欢送大会。胡耀邦在会上发表了题为《向困难进军》的热情洋溢的讲话。他说："你们的行为是英勇的行为，是爱国的行为。为什么这样说呢？因为你们肯到祖国最需要的地方去，敢到最困难的地方去。""几千年来，我们的祖先把十六万万亩荒地变成了耕地，留下了十五万万亩在那里睡大觉。志愿垦荒的同志们说得好，我们中国青年一定不能让那些荒地长期睡觉，长期长野草，一定要有计划地让它们长粮食，要它们为祖国社会主义服务。……你们是垦荒工作的星星之火，星星之火是可以燎原的。"他强调说："我们只应该给你们必要的支援，你们应该用自己的双手独立去建立起自己美好生活。""但是困难还是很多很多的。……那么我们应该怎样对待困难呢？我看就是四条八个字：忍受、学习、团结、斗争。……搞社会主义不但要'向科学进军'，而且要'向困难进军'！有一千条困难，就打破一千条，有一万条困难，就打破一万条。”胡耀邦代表团中央把绣着“北京市志愿垦荒队”的锦旗授给队长杨华，并面对全场高声说道：“这面锦旗代表了全国青年对你们的希望，请你们不要玷污这面旗帜，祝你们高举这面旗帜英勇前进。”杨华代表六十名垦荒队员庄严地表示了决心：“要在荒无人烟的土地上建立新的团支部，建立起新的村庄和新的生活。”然后，他们登上了北上列车，踏上了北大荒创业的艰苦征程。

次年5月末，胡耀邦赴吉林考察团的工作，6月7日，他前往黑龙江萝北青年垦荒区看望垦荒队员。他会见了杨华、庞淑英等各垦荒队发起人和领导干部，听取了汇报。他勉励垦荒队员“不要向困难低头，要向困难冲锋”。他深入田间地头，看了垦荒队员种的庄稼，在茅草棚里同大家一起进餐，嘱咐大家要经受考验，经受锻炼，要热爱“北大荒”，在这里扎下根来，成家立业。他在那里住了三天，临行前，他勉励全体队员做到“五好”：劳动好、团结好、学习好、纪律好、身体好。在平时，他尽可能帮助他们解决生活、学习、工作上的各种实际困难。1960年、1961年，他两次给杨华写长信，鼓励他们克服困难，不断前进。经过四十多年的奋斗，现在北大荒已建成八十四万亩规模的萝北农场，包括四十五万亩良田、植树造林十五万亩。杨华后来说，他在北大荒扎根四十年，前后与胡耀邦有过多次接触和书信来往，使他在北大荒极其艰苦的条件下创业的决心从未动摇，终身不悔。

几乎在北京建立垦荒队的同时，青年团上海市委组织了九十八名上海青年志愿垦荒队员到江西省德安县鄱阳湖畔的九仙岭从事垦荒。1955年11月29日，垦荒队到达这里刚四十天，胡耀邦便风尘仆仆地前来看望大家。他关切地到处察看，同队员们促膝交谈。他看到一名队员手上打着血泡，问他“疼不疼呀，苦不苦呀?”那队员回答：“不疼，不苦。”胡耀邦赞许地说：“不疼不苦是假的，不怕疼不怕苦才是真的。”他又指着简陋的茅草棚问：“住得惯吗?”队员们说：“茅草房是我们自己盖的，我们喜欢它，我们要叫茅草房万岁。”胡耀邦笑着说，“茅草房固然好，你们能吃苦，这是可贵的品质。但是茅草房也只能住两三年，不能叫茅草房万岁。你们一定要靠自己的劳动，创造出比茅草房高级得多的房子，在不久的将来你们也要住高楼大厦，走宽阔的马路，也有电灯、电话、汽车。一句话，把这里建设得繁荣富足。”到了吃饭时间，胡耀邦同大家一起喝稀饭，吃炒黄豆、萝卜干。垦荒队副队长陈家楼请胡耀邦为他们垦荒队命名题字，没有毛笔，胡耀邦便用两个竹片夹着药棉，题了“共青社”三个字。到北京以后，他还用自己的稿费买了篮球、排球、乐器、书籍等寄给他们。

从此，胡耀邦同江西“共青社”结下了不解之缘。他关心着这里的每一步发展，多次派人前去看望。这里的垦荒队员每到北京也必去看望他，向他汇报，亲如家人。1984年12月，已任中共中央总书记的胡耀邦再次来到这里。当年的湖畔荒滩此时已经具备城市面貌，他漫步街头，登高俯瞰，对这里的变化万分欣喜，挥笔重新题名：“共青城”。而最终，他就以这里为归宿地，长眠在共青城畔的富华山上。

如今，经过几代共青人近半个世纪的努力，胡耀邦当年充满期望的那一番描绘已经成为现实。共青城现在已是面积二百平方公里，十万人口，职工两万五千，拥有固定资产十多亿元、农工商综合经营的特大型农垦企业，成为一个山清水秀、欣欣向荣的新兴城市。

从1955年8月到1956年9月，一年时间里，全国有近二十万青年参加了垦荒事业，为改变祖国面貌做出了突出贡献。

1956年1月，中共中央提出《一九五六年——一九六七年全国农业发展纲要（草案）》。根据毛泽东“人迹所至，舟车所及”的地方都要绿化起来的指示，《纲要》中规定：“从一九五六年开始，在一切宅旁、村旁、路旁、水旁以及荒地荒山上，只要有可能，都要有计划地种起树来。”在此之前，国家还公布了根治黄河水害、开发黄河水利和绿化黄土高原、控制水土流失的宏伟规划。为了配合《纲要》和规划的实施，胡耀邦主持制定了《中国青年实现纲要的奋斗纲领》，其中规定：“每年四月一日和十一月一日为全国青年植树造林日，无论城市或农村团的组织，都应该在这两天，组织广大青年进行植树造林的活动。”接着，团中央同有关部门合作，开展了极有声势的植树造林活动。

1956年3月1日至11日，在陕西省延安召开了陕西、甘肃、内蒙古、山西、河南五省（区）青年造林大会。实际上这是一次全国性的青年造林大会，除了这五省（区）的青年代表外，还有来自全国其他省、市、区的代表，共一千二百多人。中共中央对这次大会十分重视，特地发来贺电，指出植树造林“不但要快造，而且要造好；不但要多栽，而且要栽活；不但要植树，而且要育苗；不但要造林，而且要护林。”同时还要求这次大会“不只是应该讨论造林问题，还应该全面地讨论水土保持问题，以便实现国家根治黄河水害和开发黄河水利的规划。”胡耀邦向大会宣读了这个贺电。

会上，胡耀邦作了题为《青年们，把绿化祖国的任务担当起来》的报告，报告中提出了全国青少年开展造林活动的四条要求和六条办法。四条要求就是中共中央贺电中提出的“不但要快造，而且要造好”等四项。他希望青年们一定要以顽强的意志和最切实的组织工作，去实现党的指示。他提出的六条办法是：制定造林规划，实行计划造林；抓紧造林季节，实行突击造林；广泛建立苗圃，搞好基地建设；学习造林技术，提高造林质量；开展护林活动，保证森林安全；实行奖励制度，促进造林高潮。他在报告中还宣布，党中央已经批准了团中央提出的每年四月一日和十一月一日为全国青少年植树造林日。他号召全国各地团组织，都应当带领青少年，下定豪迈的决心，开展规模巨大的活动，一定要把祖国大地变成绿色的“海洋”。其后，由胡耀邦主持，在延安杨家岭举行了“向荒山进军”大会，代表们展开了热火朝天的植树活动。会议结束时，发出了《致全国青少年的信》，倡议在全国青少年中开展植树造林大竞赛。在这次大会带动下，大规模的植树绿化活动便在全国各地广泛地开展起来，并持续下去。

当时，在第一个五年计划和社会主义建设目标的鼓舞下，充满革命理想的广大青年劳动热情高涨，各条战线都涌现出大批积极分子。胡耀邦十分珍视这些先进人物的积极性、创造精神和他们的先进思想品质。他要《中国青年报》和《中国青年》杂志以大量篇幅宣传介绍这些先进人物，用他们作榜样去影响带动更多的青年。此后，《中国青年报》经常在头版头条位置，刊登有关他们事迹的通讯，刊登大幅照片，并发表社论论述他们的精神境界，《中国青年》杂志则请作家学者们作更深刻细致的分析与论述。对先进人物这样大规模的报道宣传，青年团这两家报刊迈出了独创的一步。正是经过这样的宣传，像王崇伦、郝建秀、徐建春、吴运铎、倪志福、李瑞环、张百发这样一些杰出青年的名字才广为全国青年所熟知，他们的思想和事迹成为广大青年学习的榜样。

为了更大规模地调动全国青年在社会主义建设中的积极性和创造性，表彰各个战线的青年积极分子对祖国的贡献，并且把他们的先进经验和优良品质向全国青年宣传和推广，经胡耀邦提议，1955年9月20日至28日，团中央召开了有1527名优秀青年积极分子参加的全国青年社会主义建设积极分子大会。毛泽东和党中央对召开这样一次大会十分赞成和支持。毛泽东不仅亲自出席了大会开幕式，还要正在北京开会的各省党委书记们统统出席。刘少奇、朱德、周恩来为大会题词。邓小平代表中共中央讲话，他指出，“无数的事实表明了中国的青年是敢于向前看的，是生气勃勃的，是对社会主义抱有无限热情的，是有强烈上进心的。我们毫不怀疑青年是我们的希望和我们的将来。”他说，“社会主义事业的推进更是为青年的全面发展打开了无限广阔的天地，你们有一切机会学会为建设社会主义所需的本领，你们有一切可能把自己的聪明才智和力量贡献给祖国，只要你们方向正确，你们的任何一点积极性都应当受到珍视，都应当得到党和国家的支持。”

胡耀邦作了题为《中国青年为实现第一个五年计划而斗争的任务》的报告。报告中说：“根据国家第一个五年计划的具体要求，根据青年的特殊情况，根据目前我国的国内外实际环境，全国青年应当为下面这几件大事而普遍地积极地动员起来，这些大事就是：一、积极参加社会主义工业建设和农业合作化运动；二、学习文化，掌握技术，向科学进军；三、提高革命警惕性，保卫祖国的社会主义建设。”他对这几件大事分别作了详细阐述。报告中，他还特别告诉大家，团的二届三中全会提议将中国新民主主义青年团改名为中国共产主义青年团。他说：这标志着青年团这个组织将更加坚定更加积极地为社会主义和共产主义而奋斗到底，是意味着每一个团员都更加努力把自己培养成为一个共产主义者。他要求大家老老实实、勤勤恳恳、生气勃勃地继续前进。

毛泽东、刘少奇、周恩来等出席了闭幕式，同全体青年积极分子一起照了相。

大会期间，会场门前，每天都挤满了自动前来要求同积极分子见面的青年。大会提出的快速炼钢、节约煤炭、节约原棉、突击队竞赛、四无粮仓、植树造林等七十多项倡议和保证，都得到会外成千上万青年的响应。会后，各地利用各种机会迅速传达大会精神，广大团员青年纷纷制定行动计划，开展各种“争取做一个社会主义建设积极分子”的活动，到处呈现着热气腾腾的景象。

对于这一时期的工作，胡耀邦大体是满意的。1955 年 2 月，他在团的二届二中全会上，向全体团中央委员强调说：“许多事实告诉我们，哪里的团组织注意运用了适合青年特点的工作方法，哪里的青年就特别显得生气勃勃，建设社会主义的劳动热情就更加高涨，同时也有助于他们集体主义品质的成长，而团的领导机关和青年群众的联系也就愈加密切起来。”以后，随着工作的深入开展，他发觉并及时指出了需要改进之处，如像计划性不足，只顾数量不顾质量，前松后紧，铺得太大，等等。1956 年 9 月，胡耀邦参加中国共产党第八次全国代表大会。他在大会发言中回顾青年团工作时说：我们八年来“还只解决了一个半问题”，“一个问题是指我们已经建立了一个全国性的青年团，半个问题是指我们初步摸到了一些按照青年特点的工作方法。”这里，胡耀邦十分坦率地把按照青年特点开展团的活动问题，说成只解决了一半，就在于这里面还有很大的发挥和改进的余地。在这样庄严的党的大会上，他毫不隐讳地指出了有待解决的问题：由于我们有些活动没有注意同有关部门多加商量，取得他们的支持，有时就和这些部门的步调不够一致；由于有时我们提出的要求过高过急，到了下面又层层附加任务，就使得某些事情不太行得通，甚至发生一些强迫现象；由于有时我们过分强调青年打先锋，“包下来”，就使得一部分青年过分劳累，使得青年和中老年之间的关系不够协调。他诚恳地指出了这还没有解决好的“半个问题”，期望着在各级党委领导下得到较好的解决，使团的独立活动得到更好的开展。

三 “宣传教育工作是团的工作的灵魂”

在动员广大青年参加经济建设过程中，胡耀邦把青年团的宣传教育工作作为一个重点，他要求在全部团的工作中，从始至终都要贯彻加强对青年的思想教育的工作内容。

“可以这样说，宣传教育工作是团的工作的灵魂。”1954 年 5 月 30 日，胡耀邦在同青年团大区宣传部长谈话时，把团的宣传教育工作提到了这样的高度。他说，“我们的任务是要把青年一代培养成为社会主义社会的直接建设者，要达到这个目的，最主要的方法，就是做好宣传教育工作，不倦地以共产主义精神教育青年。”

他说：“青年是国家的未来，完成伟大的社会主义建设，主要靠现在的一代青年。青年劳动积极性和创造性的发挥和提高，正是我们进行教育的结果。而他们在劳动及其他各种斗争中，则受到实际的锻炼。如此反复不已，青年就进步和成长起来。所以把青年教育好，是一项极光荣的政治任务。”

胡耀邦认为，做好团的宣传教育工作，同样必须把握青年特点。青年富有敏感性，容易接受新事物、新思想，只要宣传教育工作做得好，他们是容易接受社会主义思想，积极为社会主义奋斗的。但青年人又比较幼稚，也容易受旧的影响，学坏样子，所以需要好好地引导和教育。如果不懂得这个道理，就会失去能够把最广大的青年教育好的信心，或者在教育方法上急躁、粗暴，而不是耐心说服，循循善诱。对青年只使用，只要他们发挥作用而不教育，或者教育方法不适当，都是不对的。

胡耀邦指出，为了把宣传教育工作做好，必须懂得群众的需要，从群众的水平出发，学会用群众的语言。他说，“广大青年要求解释政治生活和经济生活中的很多实际问题，我们就不能空洞地只说社会主义好得很。如果我们不了解青年对当前的任务和各种社会现象想些什么，要求什么，怀疑什么，有什么误解，那么我们就不能针对这些问题，给予马克思列宁主义的解释，我们的宣传教育工作就不能对症下药，就不起作用。”

他还特别强调，在宣传教育工作中，“很重要的一条，就是讲真话，不要讲假话”。“我们国家经济上文化上还很落后，就要同时讲这落后的方面，光说我们国家如何如何伟大呀，也是片面的。我们不要怕在青年中间讲各种困难问题……”

在胡耀邦的主持下，青年团的宣传教育工作，一方面配合着党在各个时期的中心工作展开，一方面又针对青年的较普遍的思想状况，经常性地进行。

1953 年 9 月，中共中央发布了过渡时期总路线：“从中华人民共和国成立，到社会主义改造基本完成，这是一个过渡时期。党在这个过渡时期的总路线和总任务，是要在一个相当长的时期内，逐步实现国家的社会主义工业化，并逐步实现国家对农业、对手工业和对资本主义工商业的社会主义改造。这条总路线是照耀我们各项工作的灯塔，各项工作离开了它，就要犯右倾或左倾的错误。”这意味着中国革命转入了第二阶段即社会主义革命阶段。这在理论上和实践上无疑都是一件大事。

全民学习总路线的热潮即将兴起。胡耀邦认为，这正是对青年进行社会主义前途教育的重要时机。12 月间，他主持发出了团中央《关于学习和宣传国家在过渡时期总路线的指示》。《指示》中说，组织这种学习和宣传，就是对广大团内外青年最现实的共产主义人生观与道德观教育，通过这种教育，使他们知道社会主义是新中国发展的必然，要求他们自觉地拥护过渡时期的总路线和总任务，更好地培养自己成为为实现社会主义而斗争的坚强战士，这是当前和今后长时期内最根本的思想建设任务。《指示》对青年工人和农村青年提出了具体要求：青年工人要懂得中国工人阶级在社会主义改造中的重大责任，发挥中国工人阶级勇敢勤劳、忠于全体人民事业的先锋作用，克服资产阶级自私自利的腐朽思想对工人阶级的影响。农村青年要懂得工农联盟的重要性，认识发展互助合作的重要性。

对青年的总路线教育，很快地普遍开展起来，各地团组织运用多种多样的方式，帮助青年们了解总路线的主要内容和基本精神，从而提高了青年的积极性和创造性。

但是在总路线的宣传教育过程中，有些地方的团委工作粗糙，甚至简单粗暴，他们对青年们提出了过高过急的不适当的要求，把青年们的一些思想认识问题笼统地当做“资本主义思想”，要青年们做检查，提出要“铲除”、“肃清”青年中的“资本主义思想”。对于思想工作中的“左”，胡耀邦经历得太多了，他深知这会严重伤害青年，贻误工作。几乎每次谈思想工作时，他都要强调“思想斗争，批评与自我批评是要的，对的，但有的人却乱扣帽子，不讲道理，这就要不得了。”不要“搞得过分”。他说，“一讲反对资产阶级思想，也不要什么都和资产阶级思想联系起来。”在及时发现了总路线教育中的种种不正常做法后，他同团中央书记处成员认真讨论，于 1954 年 3 月发出了《关于总路线教育中防止发生急躁情绪和粗暴做法的通知》。

《通知》明确指出：中国现在还允许资产阶级存在，中国共产党现在还采取着和资产阶级联合的政策，因此，资本主义思想就有它存在的社会基础，并且一定会不断地来侵袭和腐蚀人们，在目前要求广大团员和青年都立即肃清资本主义思想，显然是办不到的。在教育方法上，应当是正确启发，循循善诱，树立先进的榜样，鼓舞他们追求上进。这个通知不仅在当时制止了那些错误做法，对以后的思想教育工作也产生了重要影响。

1955 年 7 月，毛泽东作了《关于农业合作化问题》的报告。10 月，中共中央七届六中全会作出了加快农业合作化步伐的决议。紧随其后，胡耀邦主持召开了青年团二届四中全会，作出了《关于动员和组织广大农村青年迎接农业合作化高潮的决议》。会上着重讨论了团组织在农业合作化运动中如何向青年进行宣传教育、发挥青年劳动积极性以及整顿和发展团组织等问题。胡耀邦在会上发表了讲话，要求把党的农业合作化思想政策向青年特别是农村青年广泛宣传，使他们为明确的目标奋斗。他要求各级团委把经济工作和政治工作紧密结合起来，巩固青年的劳动热情和发挥青年办社的积极性，发扬农村青年突击队在遇到紧急或困难任务时所起的突出作用。他还特别提出，农民组织了合作社，为了经济上的需要，迫切地要求学习文化，这要从扫除文盲做起。他说："扫除文盲工作是实行对农业社会主义改造有战略意义的任务之一。""青年团在扫除文盲这个任务中是党和政府的天然助手"。以后，胡耀邦还多次强调在广大青年特别是农村青年中扫除文盲问题，他把扫盲的步骤、形式以及教材的编写等问题都做了十分周密的规划。

在经常性的教育方面，当时的提法是对青年进行共产主义教育。这是从苏联共青团学来的。但在工作实践中，已逐渐形成了自己的概念。1955 年 2 月 16 日至 26 日，以进一步加强对青年的共产主义教育为议题，举行了团的二届二中全会。胡耀邦在工作报告中，对于共产主义教育的总的原则和要求，作了系统的说明。他说：

——加强青年共产主义教育，必须紧紧结合全国的社会主义建设和社会主义改造进行。

——我们必须用一切方法教育、鼓舞和组织各个战线上的青年诚恳地劳动，热爱自己的专业，自觉地遵守纪律，克服某些青年中不安心平凡的劳动，轻视体力劳动，不遵守纪律的现象。

——我们必须加强青年革命警惕性的教育，加强青年革命责任感的教育。

——我们需要有计划地使新一代熟悉我国民族的历史、革命的历史、共产党的历史，熟悉我国历史上伟大的英雄人物，熟悉我国优秀的科学、文学、艺术，熟悉祖国优美的语言。

在日常工作中，胡耀邦以身作则，不断到团员和青年群众中间去，根据各个时期的中心任务和青年的思想实际，同大家谈话，作报告，解决各种思想认识问题，启发和推动大家思想上的提高。这一时期，他讲得最多的，是青年们要在各自岗位上成为先进生产者、工作者，成为优秀的社会主义建设人才，为此就必须掌握实际本领、掌握科学技术；为此就必须下定决心，不怕困难，而且善于克服困难；为此就必须虚心学习，下苦功夫向书本学习，向实际学习；为此就必须团结合作，谦虚谨慎。他大力倡导青年团的思想工作必须坚持说服教育，以理服人。他说："我们必须用说服教育的方法去发扬青年群众的积极性和主动性，这也是我们党在过渡时期对青年进行思想教育的根本方针。"但他同时也指出，可惜"有些同志没有完全弄清楚这个方针，因而在实际工作中还存在两个重要缺点：一个是界限不清，把根本不违反集体利益的个人兴趣和个人爱好也加以排斥，甚至把青年的一些优点，例如有朝气、有理想、爱提问题、思想活泼等当成一盆脏水，同个人主义一起泼掉。一个是方法简单，急于求成，在对待落后青年的问题上，我们的同志总是希望他们在一个早上就赶上先进，如果不能，就得出悲观结论。”在以后那些纷纭严峻的岁月里，胡耀邦更是一再地抵制那些“左”的声调，反复不断地强调在对青年的思想工作中务必坚持以理服人，实事求是。

胡耀邦倡导青年团做思想工作要“有声有色”，“多种多样”，“声音要响亮优美、要洪亮之声，要男高音女高音，低嗓子是不行的，枯燥的东西给人印象就不深。”胡耀邦本人就是杰出的宣传家、鼓动家，他的报告、演讲、文章、谈话，几乎无例外地都是言之有物，条理分明，生动风趣。他厌恶党八股，厌恶陈词滥调，厌恶枯燥乏味，总要别出心裁，有些新意，有新的语言，有动人的举例。他的命题、论点有力度，但不生硬，总是能够把青年的注意力吸引过去，使青年能够从中受到鼓舞、激励和思想上的启迪。

从1954年10月开始，在胡耀邦指导之下，开展了一场引起全社会关注和好评的共产主义道德教育活动。

当时不断有情况报送到团中央，反映青少年中的道德败坏、腐化堕落现象，有的偷盗、抢劫、拐骗、赌博，还有的结成流氓团伙，玩弄妇女或强奸幼女，作案犯罪，破坏社会治安。像上海，1954年上半年青少年犯盗窃罪的，几乎达到前一年全年的人数。天津市第三区收容的二百多流氓分子，青年就占三分之二。北京市1954年4月至6月共逮捕六百多名有严重罪行的流氓分子，青年占三分之二。这个情况引起了胡耀邦和团中央书记处的高度重视。胡耀邦认为，在这里团组织必然有很大的工作空间，很繁重的教育任务。为了更加有的放矢，胡耀邦提出要组织力量进一步把情况调查清楚，比如，一、犯罪作案的究竟有多少人，有严重错误但还够不上违法判刑的有多少人，有一般性问题的有多少人；二、产生这些问题的原因是什么；三、绝大多数青年对这些问题的态度，有哪些模糊认识；四、团的工作在这方面有哪些问题。

经过一些大中城市团委的调查，情况反馈回来，胡耀邦和书记处成员再作分析研究，认为，在全体青少年中，有道德败坏、腐化堕落，以至犯罪行为的，并不占多数；新中国建立未久，旧社会污垢尚未彻底清除，也势必会出现这些现象；但这种人危害社会，影响很坏，对这些人要分别给予打击或劳动教养。而对广大青年，则是教育问题。胡耀邦认为，新社会要有新风尚，而树立道德意识是核心环节，这应当是一场除旧布新的斗争。团中央书记处经过研究，决定在全国大中城市比较集中地进行一次提倡共产主义道德品质、反对资产阶级腐朽思想侵蚀的宣传教育活动。胡耀邦主张在这次活动中，要提倡勤劳朴素，提倡尊重妇女，提倡团结友爱，教育青年关心集体，爱厂爱社，把集体利益放在个人利益之上。为了扩大这次教育活动的影响，具有震撼力，胡耀邦赞成在团的报刊上刊登几个反面典型，推动各级团委组织讨论，以形成气势。他强调说，这种反面典型不能多，基层一般不要搞；不要只暴露他们的罪恶，还要揭示他们堕落犯罪的原因，以唤起青年的警觉。

10 月 12 日，《中国青年报》发表了通讯《马小彦为什么会腐化堕落?》，报道了上海行知中学初三学生马小彦从一个单纯的少年堕落成斗殴、偷窃、嫖妓的流氓的经过。这篇引人深思的报道揭开了进行共产主义道德教育活动的序幕。其后《中国青年》杂志第二十期又刊出了同样题材的特写《在歧路上》。这两个典型产生的影响之大，超过了预期。接着，《中国青年报》

和《中国青年》杂志又连续发表了多篇社论、文章。各级团委也纷纷行动起来，运用各种形式，组织青年学习讨论。家长、教师们普遍欢迎这个活动，纷纷出来配合。一时间，清新之风在社会上吹起，青年们认识到“下流娱乐场所去不得，黄色书刊看不得，流氓坏人交不得”。对青少年不仅要在物质生活上和身体健康上关心他们的成长，更要关心他们思想品德上的健康成长，成为社会上的共识。

胡耀邦注意到，一些青年有不良行为，以致腐化堕落，同他们缺少良好的业余生活，受到反动、淫秽的书刊的腐蚀，大有关系。调查显示，不少城市的书摊上，诲淫诲盗书刊随处可见，下流娱乐场所也不少，而社会上的管理有许多疏漏，青年团在这方面的工作更是一片空白。在团中央一次研究道德教育的会上，胡耀邦提出，青少年精力充沛，兴趣广泛，却又缺少生活经验，不会正确地生活，以致有些青少年业余时间赌博、玩牌、酗酒、打架、哄闹、沾染不良习惯。而我们不少团干部对青年的业余生活关心不够，“只管八小时，不管二十四小时”。他说，青年的共产主义道德品质，必须从日常生活中形成。我们青年团务必要改进工作，关心广大青年群众的业余文化活动。要充分认识到这是共产主义教育的重要组成部分，是青年团的一项重要工作，切不可轻视小看。他提出，青年团要积极组织青年学习科学文化技术知识，组织和指导青年阅读书籍报刊，开展多种多样的业余文学艺术、文化娱乐活动，广泛开展体育运动。要切实帮助青年办好俱乐部、图书馆、集体宿舍和各种文艺、体育团体，使青年有丰富多彩的业余生活。在他的指导下，团中央起草了《关于加强青年业余文化工作的决议》，在团的二届二中全会上全体通过。

到1955年7月为止，全国一百三十五个城市开展了共产主义道德教育活动。在党和政府有关部门的支持之下，这个活动发挥了很好的净化社会风气的作用。那一时期里，社会文化环境有了改观，青少年讲道德讲文明成为时尚，社会各界对青年团也更加信赖。

四 “扫除窒息群众创造性的作风”

1956年，在中华人民共和国建立以来的历史上，是具有重大转折意义的一年。一开年，中共中央就召开了关于知识分子问题的会议，强调根据新的形势和新的任务，要重视发挥知识分子的作用，提出知识分子已经成为我们国家的各方面生活中的重要因素，他们中间的绝大部分已经是工人阶级的一部分，并作出了《中共中央关于知识分子问题的指示》，要求充分了解和尊重知识分子，使他们发挥有益于国家的专长。紧接着，又制定了十二年科学技术发展远景规划，响亮地提出要“向科学进军”的口号。5月间，毛泽东宣布实行“艺术方面的百花齐放”、“学术方面的百家争鸣”的“双百方针”，并且提出“调动一切积极因素”。这些举措，都深受知识分子的欢迎和拥护，他们为能够从几年来不断的政治运动和思想批判中解脱出来而舒了一口气。一时之间，学习文化、钻研科学技术的热潮迅速兴起，人们开始敢于表达个人观点、个人意志，整个社会呈现出前所未有的自由、宽松、祥和、欢乐的气氛。

大学生的反应格外敏锐而热烈。学生们不仅举行各种科学报告会，踊跃地发表科学论文，而且也饶有兴致地关注各种社会问题和探讨个人的成长道路。胡耀邦这时的情绪也是昂奋的，当时的形势使他思想中民主的底蕴大大活跃起来。他十分关心大学生中的各种思想动向，多次会见大学团的干部、积极分子，听取情况，同时应邀到大学去作报告。他完全了解，以前在学校里开展的许多思想批判活动，不仅窒息了教师队伍的生气，也在学生中产生很大的消极影响，以致长期以来，一些学生精神上过于紧张，过于拘谨。在他的布置下，4 月 22 日《中国青年报》发表社论：《扫除窒息群众创造性的作风》，批评了思想教育工作中简单粗暴的做法。5 月 21 日，青年团北京市委召开北京市高等学校团的干部会议，胡耀邦到会发表了长篇讲话，特别强调了在青年学生中树立好的思想作风和好的精神状态的重要性。

他说，我们国家在政治上独立了，但在经济上、科学上还没有独立，因此要很好地培养高级知识分子。这些知识分子从哪里来呢，从大学里培养还是主要方法。他明确地说，大学是国家培养人才的地方，是研究学术、传播学术的场所，这种场所应该是思想最活跃的地方，在这个场所里可以大胆讲话，大胆怀疑，大胆询问，大胆争论。他指出，现在有些学生精神过于紧张，过于拘谨，不敢讲心里话，不敢大胆争论问题，不敢大胆怀疑提问，也不敢大胆交朋友，这种精神状态是令人担忧的。他说，要使科学独立，科学"解放"，精神不解放是不行的。学校不是立法机关，不是决定政策的地方，因此争论错了也不要紧，不要害怕。反过来说，这也不敢，那也不敢，那倒很危险，倒会发生学术上的宗派垄断、惟我独尊，倒会在学问上发生盲从。针对着某些简单化的作风，他说，有知识无知识的人，明显的区别就在于有知识的人能够讲道理，没有知识的人不能够讲道理。有知识的人如果不能充分地讲道理，就证明自己的知识还不够。因此我们提倡以理服人，而不要不加分析地用大帽子压人——你是个人主义，个人主义就是反党，反党就是反革命……当然，年轻的同志要讲很多的道理是困难的，要完全做到以理服人也是困难的，但是应当不断地学习讲道理，学习以理服人。在学习上，要按部就班，循序渐进，而不要贪多图快。他还特地讲了关于集体和个人的关系问题。他说，不要造成一种观念，好像为了顾全集体利益就一定要牺牲个人利益，好像这两者有着不可调和的矛盾。事实上，集体利益和个人利益是可以兼顾的。我们不要过分地宣传和提倡个人的一切利益都要服从集体利益，相反地要宣传一切不违背集体利益的个人兴趣和爱好可以充分发挥。他说，要做到这些，首先团的组织生活要加以改进，不要只搞生活检讨，内容要广泛些，丰富些。特别是，团内生活要少用一些党内斗争的术语。

会上，有人提出要注意青年也容易产生骄傲情绪。胡耀邦说，骄傲是要注意的，但还要注意两个问题，一个是虚心，一个是信心。只有虚心是不行的，中国各行各业的青年决不能丧失信心和勇敢的气概。

胡耀邦的这些见解是带有突破性的，有助于打破僵化，促进思想活跃，弘扬民主精神。正像他号召青年大胆思考、大胆讲话一样，他本人就是敢于大胆讲话的榜样。

在那段时间里，许多高校团委请胡耀邦去作报告，他都一一答应下来。秘书见他太忙，劝他谢绝一些。他说，平时跟学生们接触太少，现在人家请上门来，想见见面，听听讲话，是合情合理的，他们有这个权利，我们有这个义务。这两年同工农青年有接触，跟知识青年、尤其是大学生接触少了些。这些大学生将来都是高级知识分子，优秀的还会成为科学家、哲学家、文学家，成为大知识分子，成为建设国家的栋梁之材啊。有几次他约定的去大学的时间，恰好在人大常委会或政协常委会召开（他是这两个常委会的委员）会议期间，他都是向会议请假，而赶赴大学去同学生见面。

当时青年中流行着“独立思考”和“干预生活”这样两个口号，胡耀邦都热烈地给予支持。在不同场合，他多次对青年团干部讲到，应当要求青年开动脑筋，善于独立判断是非，成为有见解、不断前进、敢于攀登思想高峰的年轻人，而不要当思想懒汉，不要当唯唯诺诺的应声虫。他主张尊重青年的个性，使他们都具有各自的性格特点，而不要以简单粗暴的做法，使他们成为同一个模式，千篇一律。他说，在青年团组织之内，尤其要有民主、活泼的空气，要改革那种“书记不发言，大家不发言，书记一发言，大家没意见”的状态，要改变那种即便发言，也是先说，“主席，我发表一点意见，意见很不成熟，可能讲得不对，如果讲得不对，请大家提出批评”这样绕了很多弯子才开始讲话的风气。我们不需要这种性格，有意见就大声说，主席，我有意见，同意某某的意见，不同意某某的意见，理由是……我们干事情要干干脆脆，不要拖泥带水，吞吞吐吐，转弯抹角，老是扭秧歌，进三步退两步；态度要明确，赞成就赞成，反对就反对，同意就同意，有棱有角。这样，团组织内部才会有朝气。

所谓“干预生活”，也就是揭露、批评和抵制各种社会不良现象，在当时尤其令人憎恶的是脱离群众的官僚主义。胡耀邦认为青年们敏锐、勇敢，在这方面正是大有用武之地。那时正流行苏联小说《拖拉机站站长和总农艺师》。书中的总农艺师娜斯佳是一个很有性格、很有正义感的年轻姑娘，她站在新生事物一边，反对官僚主义，反对因循守旧，充满创新改革精神。胡耀邦指示团的报刊好好推荐这本小说，以期在中国出现千千万万的娜斯佳式的青年。适应着“干预生活”的社会要求，《中国青年报》创办了《辣椒》副刊，以辛辣的形式，嘲讽社会丑陋现象。这个批评讽刺性的副刊，受到读者的热烈欢迎，但是也有人认为这种批评是对社会主义的丑化，要求胡耀邦把这个副刊取消。胡耀邦开着玩笑说："苏联有《鳄鱼》杂志，是动物，专门讽刺官僚主义；我们有个《辣椒》，是植物。这叫异曲同工啊。"

为着贯彻"双百"方针，培养青年文学人才和促进文学事业的发展，1956 年 3 月间，团中央和中国作家协会联合召开了全国青年文学创作者会议。中国作家协会主席茅盾和副主席老舍都到会发表了讲话。3 月 29 日，胡耀邦在会上发了言。他一如既往地关注着文学事业的发展，对众多文学新秀的脱颖而出由衷喜悦。在发言中他说，繁荣文学创作和培养新生力量是当前文学创作的方针，两者要密切结合。不认真培养新生力量，就无法顺利地完成繁荣创作的任务。文学创作应当大胆地充分地反映和处理现实生活中各方面的矛盾，反映各种形态的斗争。这是反对公式化、概念化的最有效的办法。他指出，作品的形式应该是代表民族性的，应该具有民族的特点和风格；反对盲目的一切崇拜外国的观点，以及与马列主义思想相抵触的资产阶级思想。除此，创作的形式还应该是多样化的。他鼓励青年作者不但要向老作家学习，研究古今中外的优秀作品，而且要特别注意向人民群众学习。他还指出，青年时代是精力最旺盛的时代。青年作家要很好地爱惜和支配时间，在严格工作要求的原则下，尽量发展业余爱好。他最后要求青年作者防止骄傲，更大胆和更下功夫地创作，和老作家一起把社会主义的文学事业推向新阶段。

五 "勇于独创，办出特色"

深深懂得报刊书籍的巨大影响力，并且有丰富的编辑、指导报刊工作经验的胡耀邦，异乎寻常地重视团的各种宣传部门和各种出版物在宣传青年运动、对青年进行思想教育和普及科学文化知识方面的作用，他以很大的精力指导这些部门的工作，尤其是对团报——《中国青年报》，团刊——《中国青年》杂志。

从1953年秋天开始，他就确立一个制度：每个星期天晚上，团中央宣传部、《中国青年报》、《中国青年》杂志社、中国青年出版社、《中国少年报》的负责人到他家里开"碰头会"，研究宣传工作。这种小型的会议总是开得热烈、自由、活跃。经常是胡耀邦先传达中央一些重要决策精神和中央领导人的讲话，然后他就敞开思路，谈他对这些精神的领会和由此派生出的对青年工作的想法。接着大家就无拘无束地议论开来，谈情况，谈观点，对胡耀邦那些想法表示赞成或不赞成，同他讨论。胡耀邦乐于听取大家的意见，有时也会相互争论起来，在这议论纷纷、谈笑风生当中最后形成一些重要宣传报道思想和题目。

在各个宣传单位中，他倾注心血最多的，当数《中国青年报》。

创刊于1951年4月的《中国青年报》以贴近群众、丰富多样而深受青年的喜爱，有很好的社会声誉。胡耀邦到任不久，就明确谈到，团中央所以要办一份青年的报纸，是为了通过它指导青年运动，以共产主义思想教育青年，它区别于党报和其他报纸之处在于它具有青年特点，今后应当使这一特点更加突出。他还说，办报纸不像上课，也不像编杂志，而是必须更多地提出和解决实际工作和生活中的问题。

当然，胡耀邦首先是极其注意《中国青年报》的"大行动"，这就是及时地鲜明地宣传党和政府一个时期的重大方针政策，宣传广大青年群众和团组织在贯彻执行这些方针政策方面的突出作用。他经常批转这方面的典型材料，要报社编为报道或者据以撰写评论。他要求在这些报道中都要体现出鲜明的青年特点，比如要大张旗鼓地报道青年的发明创造、宣传青年先进模范人物、批评挫伤青年积极性创造性的思想行为。……

在那一时期里，《中国青年报》经常以勇猛泼辣的姿态开展社会批评，批评官僚主义，批评保守思想，批评违法乱纪行为，批评不良社会风气，胡耀邦总是热情地支持这样的批评。1953年1月，中共中央发出反对官僚主义，反对命令主义，反对违法乱纪的指示，胡耀邦指示《中国青年报》按中央决定精神加强批评报道，特别是对违法乱纪行为的批评火力要猛，同时又告诫必须谨慎从事，事实准确，不能胡乱开炮。他还特别提出要表扬那些勇于同坏人坏事作斗争的青年和团的干部，如果有这样的典型，就要报道、通讯、社论这些形式一起上，还要配合图片，以形成一种声势，给读者留下印象。有时报纸由于开展批评而惹来了麻烦，他总是给报纸以保护。同时他也强调，批评是一个武器。凡是武器就包含两方面，一方面说明有力量，可以打敌人，打坏人坏事，一方面说明弄得不好就有危险性，可能打到自己人。因此在开展批评问题上既要坚决，又要谨慎。

他一如既往地特别注重报纸的社论，认为社论是报纸的旗帜，报纸倡导什么反对什么主要是从社论体现出来。他常常把《中国青年报》总编辑和部门负责人找去专门研究社论，有时他一开就是一串题目。这些题目的别开生面的角度和立意，往往使编辑们思想和眼界豁然开朗。对文章，他不但推敲“义理”，也极讲究“辞章”。他布置写文章时，从标题到结构到行文，甚至怎样开头、怎样结尾，都有要求。他喜欢创新和文采，讨厌人云亦云，更厌恶“板起面孔训人”，“抡起棍子打人”，要求青年报的文章应该是亲切自然，娓娓道来。常常早晨总编辑上班不久，他的电话就打过来了，多半是兴奋地称赞当天报纸上哪篇哪篇文章写得好，并且要询问作者的情况，有时也有批评，分析缺点错误。他懂得编排技巧，所以常常对版面安排也提出意见。他希望编辑、记者们多写千字以内的短文章，并且要学会作生动醒目的标题，他举例说，像列宁的《链条的强度是由最弱的一环决定的》、鲁迅的《论“费厄泼赖”应该缓行》这样的题目多么生动，看过题目，人们不是就非看正文不可吗？

1955年10月，团中央“为了迎接社会主义新高潮的到来，适应青年团工作发展和广大青年的迫切需要”，决定《中国青年报》自1956年1月起由原来的周三刊改为周六刊。11月4日，胡耀邦专门到报社去作动员，他热情洋溢地鼓励编辑、记者“甩开顾虑，勇于独创”、“办出特色”，使改刊后的《中国青年报》在内容、规模、技巧、文风、版面五个方面都有所创新。改版后的《中国青年报》适时地作了多方面的改革，更大地拓宽了报道面，更鲜明地提出和回答青年普遍关心的问题，更尖锐地抨击时弊。同时打破以往报纸只办一种综合性副刊的惯例，创办了以指导青年业余文化生活为宗旨的《周末》、《自学》、《科学与卫生》、《长身体》、《青年团支部》等等副刊专栏，这在国内尚属首创。这些举措改变了过浓的政治色彩，突出了服务性、知识性，使报纸面貌焕然一新，从而更受广大青年的欢迎，成为在全国新闻界有影响的大报，以致毛泽东也多次说过，他喜欢看《中国青年报》。

与《中国青年报》齐名的《中国青年》是一份有革命传统、影响广泛的刊物。它于1923年创刊以后，曾随革命形势的起伏，数次停办和恢复。1948年12月再度复刊以后，它以切合青年的思想、学习需要和文章思想的深刻性、说理的透辟性，在青年中享有很高的威信。胡耀邦对这份刊物也是关爱有加，他指出：

“《中国青年》并不是一般刊物，而是充满着思想性和战斗性的刊物。那么它应该有思想的权威，这就是我们杂志的个性。”

因此，胡耀邦明确指出：《中国青年》作为全国性的政治思想教育刊物，首要的是要抓思潮，要注重解决青年在革命和建设的重大斗争中所发生的带有共同倾向的、有普遍性的理论的或思想上的问题。但这不等于干巴巴的说教，而必须血肉丰满。同时也要关怀青年的身心修养和学习生活，包括对人要作阶级分析的情况下，还要不要孝敬父母，还讲不讲人道主义这样一些问题，都要有正面的回答。

他在一次讨论改进《中国青年》的会上说，总结过去的经验教训，首先应该要求每期刊物都有两三篇非常切合当前广大青年在政治生活中的问题的文章，这好比是工业中的一百五十六项①，没有它，就压不住，杂志的分量就显得轻飘。

他认为，“抓思潮”，教育青年，年长的人经历多，可以“现身说法”，而有思想深度的文章，则主要靠一些专家学者。因此他主张，以刊登文章为主的《中国青年》，应当更多地邀请社会名人、专家学者写稿子，以保持刊物在理论和思想上的总体上的较高水平。

在这种思想指导下，《中国青年》做了很大努力，邀请了一批名家成为比较固定的作者，逐渐拥有了一支高质量的作者队伍。这些作者的文章逐渐形成为“名牌”，成为了青年们的“良师益友”。直到如今，许多当年的青年读者，现在已是鬓发苍苍的老人，仍然清晰地记得那时从某篇某篇文章里受到的启迪和教益。

在倡导延请名家为作者的同时，胡耀邦也极其重视从群众

① 指当时在国民经济中举足轻重的建设项目。

来稿里发现优秀作品。1956年10月26日，他给当时任《中国青年》总编辑的邢方群写了一封长信，热情推荐两篇农村青年的文章，提议在《中国青年》杂志上登载。他将选用优秀的群众性稿件称作“革命性措施”。从这封信里可以看出他对这类稿件的着眼点以及他的写作主张：

送去两篇稿子①，请你看看。我觉得写得极好，真是文情并茂，一口气可以读完，许久以来，我是极力主张我们的报刊适当地但又必须是认真地登载一些来自群众的稿件，特别是来自先进分子群众中那种自传性的通讯、特写、发言和论文的稿件。我始终认为，这样的稿子对青年，对知识青年，对我们自己，都是很好的教材。因为：

第一，这些稿子充满着生活气息，而充满生活气息的东西，最能鼓舞人们热爱生活，把美好的幻想和生活联系起来，从而能够丰富和坚定人们的革命人生观。

第二，这些稿子充满着一般教材书和一般文艺作品所找不到的阶级斗争知识和生产斗争知识。这些更具体更实在的知识，对帮助青年，特别是帮助同社会同劳动比较隔离的知识青年去认识世界是有很大作用的。

第三，这些稿子不但有内容，文字上一般的也简明、朴实，不空空洞洞，不哼哼哈哈，不拖泥带水，有些语言也非常深刻。这对锤炼知识青年和我们干部的文字能力（即思想表达能力），反对党八股、学生腔也能起好的作用。

① 两篇稿子：指河北省隆化县某农村青年写的《江南鲜花塞北开》和河北省静海县农村青年培珍写的《我在农村安了家》，后来都发表在《中国青年》1959年第21期上。

第四，有计划地刊载这样的稿子，不但可以有力地鼓舞广大青年向先进分子学习，鼓舞先进分子努力保持先进，而且可以鼓舞成千上万的普通劳动者的写作勇气。这是任何历史上的报刊所没有干、也不会干的一个举动。我们应该干，我们得在一切方面同群众一起破除迷信、解放思想。我们要同群众一起，把写作这个宝座由少数人的独占变成人民群众的文化广场。

第五，有计划地刊载这些稿子，还可以使我们自己更好地联系群众，熟悉群众的斗争、生活、语言和思想感情。我们得不断地努力从联系群众中学好群众观点，用“从群众中来”的办法丰富我们办报办刊物的群众路线。

我有意罗列了这么一大堆理由，目的是加重我在这个问题上的想法。我认为这么办是一个带革命性的措施。而任何一个革命性的措施都是有人反对的。反对的理由，我们预先可以想一想。我看，数来数去，不外是一条，就是说这些稿子没有“水”（指水平——编者）。这就要斗争，坚决地斗争，要用马列主义的观点去分析究竟我们要哪种“水”。水有许多种，毒水不去说它，有两种水：一种是深山里的泉水，虽然有点不“卫生”，但好喝；一种是蒸馏水，实验室里制造出来的，卫生倒很卫生，但喝起来简直是受罪。

如果你们同意，请有计划地办，第一要认真同下面联系，第二要认真地组织一些先进分子写。最近各地都召开先进分子会议，一定有许多好东西，请你们注意收集，也可以要各省市以后经常送你们两份来。

当然要注意质量，决不能因为疏忽而在反对者面前吃败仗。这就要认真选，认真加加工。……

这封信推动《中国青年》既有扎实的思想理论文章，又有生活气息浓郁的青年群众作品，向着密切联系群众大大跨进一步。

1952年，团中央下属的青年出版社经国家新闻出版署协调，同开明书店合并。开明书店创办于1926年，是一家具有进步传统、基础雄厚的私营大书店，一向是以青少年和学生为读者对象。1953年4月，两个出版单位正式宣布合营，改名为中国青年出版社，胡耀邦担任董事长。

开明书店有一批老编辑，多是饱学之士。胡耀邦关照当时的中国青年出版社总编辑李庚务必尊重这些人员，善于同他们合作。他说，不应该忽视开明书店解放前属于进步书店的历史和它对中国文化事业做出过的贡献，更不能把这一批老知识分子简单地当做"私方人员"对待，他们有真才实学，懂得如何办出版社。他说："我就是尊重那些有知识、有学问、有业务经验、正派的、踏踏实实、勤勤恳恳一辈子干事业的人，我们应该重视这样的人。"他一再嘱咐："一定要和他们团结好，把他们安排得当，用其所长，有职有权，让他们能充分发挥作用。"

中国青年出版社的成立使胡耀邦极为高兴。他早就向往青年团要有一个强大的书刊出版阵地，向往着广大青年能够获得更多更好的适合自己需要的读物。他对出版社提出，出书的范围不要太窄，不应只限于团的工作指导和青年思想修养的读物，而应扩大到包括社会科学、自然科学、文学艺术诸多方面，特别要多出版文化知识性读物。他极为欣赏"知识就是力量"的口号，要求出版社以优秀的书籍，增强青年们建设社会主义的力量。

由于指导思想明确，中国青年出版社在创建最初几年里，事业发展迅速，出书品种由1952年的十几种增加到1956年的五六百种，每种发行量达到几十万到上百万的已不在少数，其中像小说《红岩》，翻译小说《牛虻》等等，都曾影响过几代人的精神世界。

六 “把少年儿童带领得勇敢活泼些”

少年时代便是从做少年儿童工作起步迈上革命道路的胡耀邦，在多年的团中央工作中，仍然热切地关注少年儿童工作。当时的团中央书记胡克实后来撰文说：胡耀邦“指导全团像大哥哥大姐姐一样去带领少年先锋队”，在少儿工作中“做出了重大贡献，为全国和少儿工作者留下了宝贵的精神财富。”

1949年中共中央所作的《关于建立中国新民主主义青年团的决议》，把建立少年儿童组织作为团的一项重要任务，并且委托青年团直接领导。同年10月，中国少年儿童队建立，1953年在团的第二次全国代表大会上，“为了更确切地反映少年儿童队的性质任务和适应儿童们的愿望”，决定改名为“中国少年先锋队”。

团的“二大”开过不久，1953年11月2日至10日，胡耀邦主持召开了第二次全国少年儿童工作会议（第一次会议开于1950年）。会议根据过渡时期总路线和第一个五年计划的基本任务，确定了少年儿童工作的方针和任务。胡耀邦以《热爱新的一代是共产主义美德》为题对会议做了总结。这个讲话是他对新时期少年儿童工作的极具开创性的论述和部署。

他说：“共产主义事业是人类历史上空前艰难、空前伟大的事业，也是一个长久的事业，它不是我们这一代人就能完成的。

这个事业一定要传给我们的后辈，我们的子孙。我们的子孙还要世世代代地传下去。为保证我们的伟大事业能够继承下去，使人类社会达到空前未有的幸福的高度，就要在现在把少年儿童培养和教育好。”“因此，培养教育新一代，是共产主义事业的根本任务之一。爱护儿童，教育儿童是具有重大意义的任务，也是新中国人民的一种共产主义美德。”但是，“并不是所有的人都明白这些道理，旧中国所遗留下来的轻视儿童的心理，还未得到应有的转变”，因此他疾呼：“首先我们应该积极地、耐心地和长期地宣传爱护和关心少年儿童的必要性”，“需要用宣传的方法来改变这种旧社会轻视儿童的心理，争取更多的人来关心儿童。”

对于培养少年儿童的方针，他是这样说的：“我们的方针，就是要将今天的儿童教育培养成为社会主义优秀建设者”，而“社会主义建设者必须是具有高度科学文化知识、共产主义道德品质、健全体魄的新型人物。”接着他就完整而明确地提出：“这就是说，我们应该把今天的少年儿童培养成为全面发展的、爱祖国、爱人民、爱劳动、爱科学、爱护公共财物、健壮、活泼、勇敢、诚实的新一代。”

这个“五爱”的方针，当时不仅在青年团范围内，而且在教育界也引起强烈回应，后来甚至成为全社会的道德目标，直至今天。

胡耀邦还提出，在对少年儿童教育的方法上，要掌握两个原则：一是坚持长期、正面教育。少年儿童年纪小、知识不足，明辨是非能力差，因此就要耐心地、长期地进行正面教育，用正面的东西引导他们前进，而绝不能采取打击、惩罚、斗争等粗暴的方法。这是培养少年儿童的根本方法。二是要善于发挥少年儿童的独立性、主动性和积极性。他说，“独立性、主动性和积极性，这是一种好的品质，它使人们一生中不盲从，不依赖，在任何困苦情况下，都是乐观向上的，勇敢地去和困难做斗争。”

在这里，胡耀邦强调的是，少先队是少年儿童自己的组织，它和学校的教育目标是一致的，都是为了把少年儿童培养成为一代社会主义新人。但是方法途径不同，学校主要是通过课堂教学，而少先队则是发挥少年儿童的主动性、积极性和创造性，通过自己组织的丰富多彩的活动，接触社会，接触自然，在生动活泼的实践中受到启蒙和教育。

这次会议提出的少先队组织发展的方针是，“采取积极态度，分别不同情况，有领导有计划地发展队的组织”。其后，一些地方的少先队开展了倡导独立性、积极性、创造性的公益劳动，包括绿化环境绿化学校，帮助学校制作简单的教学实验用品，栽培植物，饲养动物等等，后来统称为“小五年计划活动”。这些活动把大批少年儿童吸引到了少先队周围。但是，有些地方把入队条件定得过高，要求只有最拔尖的，一切方面都好，要能起模范带头作用的才能入队，稍有些顽皮表现的就不行，这样，许多少年儿童要求入队得不到批准，自尊心上进心受到伤害，而队的组织也发展不快。

于是，1955 年 3 月，胡耀邦主持召开了第三次全国少年儿童工作会议，着重讨论和解决少先队发展过于缓慢，少先队和少年儿童课余生活不活跃、不能满足少年儿童身心发展的要求问题。会议结束时，胡耀邦发表了讲话，题目是：《把少年儿童带领得更加勇敢活泼些》。

他开门见山地提出问题：究竟少年儿童“调皮”些好，还是“斯文”、“规矩”些好？他明快地回答，少年儿童还是“调皮”些好。他说，一味地要孩子们“斯文”、“规矩”，而不许

"调皮"，是"有害"的，"这是当前少年儿童工作中一个很重要的问题，也就是如何正确地看待孩子，培养他们优良性格的问题。"

他满怀理解地讲道：孩子们是很好奇的，在他们的小脑袋里充满了许许多多奇怪的问题，例如，太阳为什么总是在早上升起来，月亮为什么老是跟着我走，等等，他们都想探求个究竟，问出其中的道理来。这样对自己不懂或不赞成的事物敢于怀疑，敢提问，是很好的，我们要耐心地给予解释和说明，直到他们弄明白为止。这样才有助于培养他们勇于追求真理的精神。如果我们不许少年儿童"争论"，一味强调听话，听老师、家长、辅导员的话，好话听，不正确的话也听，就是不许孩子讲话和争论，结果就会造成他们不去思索，只会盲从，唯唯诺诺，不利于孩子们的智力发育。

他进而讲道：孩子们之间发生一些争吵和打架，是免不了的，不必大惊小怪。至于对孩子们走路蹦蹦跳跳，说话吵吵闹闹，也都作为"调皮"去指责管束，就更是没道理。这"实质上就是压制和摧残少年儿童性格的健康成长，把他们变成毫无生气、呆头呆脑、放在那里动也不动的'小大人'"。他赞扬"小老虎"精神，而反对把孩子们造就成"小老头"。

胡耀邦还指出了少年儿童教育方面的另一种倾向，就是把孩子养得"娇娇滴滴，轻视人民，轻视劳动"。他主张引导少年儿童从事力所能及的体力劳动，如植树造林，修整校园，打扫卫生等等，以养成热爱劳动，热爱劳动人民的意识。他还指出，许多家长光是给孩子喝牛奶增强营养，却不允许他们划船、爬山，怕摔伤了，怕累倒了，这会把孩子养得弱不禁风。"身体是锻炼出来的，单靠营养是不行的。"

最后，胡耀邦有力地强调说："我们的少年儿童是我们伟大的共产主义事业的继承人，他们应该是朝气蓬勃，不怕困难，乐观而富于创造性的人。因此，注意培养儿童开朗、勇敢、活泼的性格是一件十分重要的事情。”“如果我们能注意从积极方面去引导他们，满足他们的兴趣和要求，有领导地发展他们的才能，就可以得到良好的教育效果。相反地，如果一味地加以压抑和限制，必然会伤害孩子们的朝气，妨碍他们健康地成长。”

他的这些意见，在当时旧的传统的教育观点还有一定市场、孩子们“循规蹈矩”才是正途的情况下，是具有挑战性的，但也是具有说服力的，因而得到愿意接受新观点的大多数人的认可。通过这次会议，少先队组织也有了很大发展，少先队员从1955年的一千万人，发展为1956年的八千三百六十九万人。

到1959年，少先队已走过了十年的发展历程，10月18日，在北京举行了庆祝少先队建队十周年大会。面对参加大会的一万七千名少先队员，胡耀邦意气昂扬地以《预备队的光荣任务》为题发表了讲话。在这次讲话里，他提出了著名的“三支队伍”的概念。

他亲切地告诉少先队员们说：“摆在我国人民面前的是一个极其伟大的事业，这就是建设社会主义和共产主义。”“而在我们的国家有建设社会主义和共产主义的各种各样的队伍”。

他说：“第一支是伟大而光荣的中国共产党。这是领导我国人民建设社会主义和共产主义的先锋队。

“第二支是我们战斗的共产主义青年团。这应该是一支不知疲倦、不怕任何困难、为建设社会主义和共产主义而英勇奋斗的突击队。

“第三支就是你们的少年先锋队。你们这支队伍，我想应该是为建设社会主义和共产主义而积极准备的预备队。”

这里，他清楚地讲述了我国革命事业三支队伍的阶梯与他们之间的领导与继承关系。

接着，他鼓励少先队员们说，“希望你们不要因为现在年纪小就小看自己。你们应该这么想：现在，我是小孩，不久我就会成长为大人；今天，我是建设社会主义和共产主义的预备队员，明天，我应该成为建设社会主义和共产主义的突击队员，后天，我还应该成为建设社会主义和共产主义的先锋队员。”

他说：你们现时的任务，“就是党和毛主席所号召你们的：好好学习，天天向上”。“怎样才算好好学习呢？应该好好地学习些什么东西呢？我认为，第一，应当学习知识。第二，应当学习劳动。第三，应当学习为人民服务的共产主义精神。”就是说，要用丰富的知识“把自己的头脑武装起来”；“努力准备好我们勤劳和灵巧的双手，跟随父兄和接替父兄，把我们的社会主义和共产主义事业一直多快好省地推向前进”；并且“经常不断地为祖国为人民做一些好事情。不是成天为自己着想，而是常常为祖国为人民着想，不是斤斤计较个人利益，而是时时关心祖国和人民的利益”。

直到六十年代初，胡耀邦下放湖南湘潭作地委书记时，他仍然关心着少年儿童工作。1963 年 12 月，他在湘潭县中路铺小学到班上去跟小学生作了一次对话，鼓励孩子们从小立下改造世界的志向，但这要从参加力所能及的公益劳动、扎扎实实为人民为集体办事做起，后来整理成文章在《中国少年报》上发表，即《和少年朋友谈改造世界》。这在后面还要提到。

胡耀邦同样十分重视《中国少年报》和中国少年儿童出版社在指导少年儿童工作，向少年儿童进行思想教育和普及科学文化知识方面的重要作用。他曾形象地说，培养少年儿童，要靠“一个身子两个翅膀”。身子是学校，两个翅膀，一个是少先队组织，一个是少年儿童书报读物。他对《中国少年报》和中国少年儿童出版社的工作，也都给予多方面指导。

七　有声有色的外事活动

1953年青年团第二次全国代表大会前夕，胡耀邦接待了来自许多国家的青年代表团，其中有苏联和民主德国、罗马尼亚、朝鲜、越南等东欧和亚洲社会主义国家青年组织代表团，也有意大利、英国、智利、澳大利亚等国青年团的代表。他们都是应邀来参加团的“二大”的。胡耀邦也就从这时开始，拓开了一条新的战线——青年外事工作战线。

中国青年的对外交往是中国总体外交的组成部分，是中国青年运动和青年工作的一条重要战线。抗日战争胜利之初，中国的民主青年团体就开始参加了以多边活动为主的国际青年活动。建国之后，中国新民主主义青年团、中华全国青年联合会（全国青联）、中华全国学生联合会（全国学联），在原有的工作基础上，又扩大了对外交往，邀请以社会主义国家为主的世界各大洲众多青年代表访问中国，派出了许多代表团参加国际青年活动，参加国际青年组织的工作，发展了同各国青年的友谊。在当时中国同大多数国家尚未建交的情况下，青年对外交往作为民间外交，在扩大新中国影响、增进相互了解、促进国家间交往关系方面，发挥了特有的作用。

1953年7月14日，胡耀邦率领中国青年代表团前往罗马尼亚，出席在布加勒斯特举行的第三届世界青年代表大会，随后又参加了在同一地点举行的第四届世界青年学生联欢节。

当时有两大民主进步青年组织活跃在国际舞台上，这就是

1945年成立的世界民主青年联盟（世界青联）和1946年成立的国际学生联合会（国际学联）。中国青年组织是这两个组织的主要成员组织之一，多次参加了由两个组织召开的世界青年代表大会和世界青年联欢节。

胡耀邦的到来，受到罗马尼亚共青团中央书记的热烈欢迎，两个年轻的领导人很快熟识起来。7月27日，胡耀邦在世界青年代表大会上发表演说。他详细介绍了中华人民共和国成立以来，中国青年同全国人民一道从事紧张的和平劳动，在短短四年中医治了战争创伤，基本上完成了国民经济恢复时期任务的情况。他说，我们祖国的伟大成就，鼓舞着中国青年积极参加建设。在我们人民缔造自己的文明和幸福的斗争中，青年已经成为一支重要力量。他还向大会报告说："由于我们完成了社会主义民主改革和经济恢复工作，我国已经进入了一个新的历史时期，今年是我们第一个五年建设计划头一年。""新的建设时期标志着我国开始了把农业国逐步改造成为工业国的伟大工程，标志着我国将从新民主主义逐步过渡到社会主义社会的美好前途。"他还讲了志愿军在朝鲜英勇作战和停战谈判的情况，最后他表示，"我们在毛泽东主席教导下的中国青年，永远忠实于世界民主青年的团结事业。""我们将始终与世界爱好和平的青年结成亲密的友谊，在世界青联的旗帜下，更紧密地拉起手来，向着和平、友谊和青年的美好将来奋勇前进。"

他的演说讲得慷慨激昂，当说到在志愿军强有力的抗击下，美国不得不同意停战议和时，全场鼓掌四十多分钟。后来毛泽东得知这一消息，十分高兴，特地把他找到家里，极有兴趣地询问了当时的情景。毛泽东问他：真的是鼓掌四十分钟吗？他说，主席呀，是四十一分钟呢。毛泽东说，你就讲得那么好？他说，是志愿军打得好啊！

参加世界青年学生联欢节的中国青年代表团由四百人组成。这个联欢节是当时国际上规模最大、最有影响的青年多边活动，每两年举行一次，每次有几十个国家的数万名青年参加。中国青年代表团的成员热情参加了联欢节内的各种政治集会、文艺演出、体育比赛，参观了各种展览。胡耀邦在其间忙碌异常，他组织全团接触并联系了一百多个国家的青年代表两万多人。在当时，还只有十九个国家同中国建立了外交关系，这样大规模的交往，对于开辟更广阔的外交空间，无疑起了播撒种子的作用。

联欢节结束后，胡耀邦受苏联共青团中央的邀请，到苏联作短期访问。两周前，他在到布加勒斯特的途中，就曾在莫斯科作两天逗留，但那次行色匆匆，这回第二次来到莫斯科，得以较深入地对这个久已向往的地方作些探访了。但在这里仍然是紧张繁忙，除参观之外，他还要同苏联共青团中央领导人座谈，同各有关方面个别交流，作报告，给《共青真理报》写文章、接受采访、为电台广播准备讲稿。结束莫斯科的日程之后，他又去列宁格勒，然后转赴基辅，主要看乌克兰集体农庄，然后经乌拉尔地区到西伯利亚城，乘坐火车，经过漫长的旅途回国。

这是胡耀邦第一次出访，他以富有感染力的热情和真诚以及敏锐而活跃的思维，向全世界的青年展示了新中国的建设成就，显示了新中国青年的动人风采，赢得了一致的好感和赞誉。

1954年8月9日至10日，世界青联第十次理事会在北京召开，六十八个国家的青年组织的二百六十三名代表出席会议。会议着重讨论的是殖民地、附属国的青年运动问题。胡耀邦作为东道国中国青年代表团的团长，在开幕式上以《中国青年和世界青年永远友好》为题致欢迎词。他说，这次会议的议题

"的确是非常重要和迫切的问题"。因为，自从第二次世界大战以后，蓬蓬勃勃发展着的民族独立解放运动，已从根本上动摇了帝国主义的殖民制度。但是，以美国好战集团为首的侵略势力是不甘心失败的，他们打起"反共"的幌子，到处建立军事基地，胁迫一些国家组织所谓"防卫集团"，干涉他国内政。这种罪恶计划给殖民地和一切被压迫国家的人民带来了无穷无尽的灾难，使国际安全和世界和平受到严重威胁。他着重强调，这些国家的青年都懂得，只有反对美帝国主义，只有取得了和平和民族独立，青年的切身权益和自己的美好前途才有保证。他说，我们青年之间，固然有不同的信仰，不同的生活志趣，但都是纯洁的、热情的。我们都有为人类创造幸福的高尚理想，也都希望自己有一个美好的前程。青年之间不应该存在任何的歧视和仇恨。青年人完全可以作好朋友，完全可以在这个世界上共同生活下去。眼前的会议就是一个有力的证明，在座的几十个国家的代表，有着各种不同的肤色、党派、宗教信仰、政治见解和生活习惯，并代表不同制度的国家。但我们找到了共同的语言，我们肩并肩地站在和平斗争的前列，彼此间建立了亲密的友谊。加强团结，扩大团结，争取更广泛的青年走进和平斗争的前列，我们就可以对和平事业做出更大的贡献。最后，胡耀邦再次表示：中国青年永远忠实于世界青年的团结事业，永远是各国青年最忠实可靠的朋友。

会议期间，中国代表团作了题为《殖民地半殖民地国家的青年为民族独立而斗争的正义事业一定胜利》的发言。这个在胡耀邦参与和指导下形成的发言，围绕民族独立这个中心问题，阐述了对殖民地半殖民地国家的青年运动应以反帝国主义、反封建为中心，必须重视学生运动和正确理解学生运动与工农运动相结合，以及如何开展青年运动的广泛统一战线等一系列问题的看法。发言受到了代表们的重视和好评。

利用这次开会的时机，中国青年组织还提交了由胡耀邦参与定稿的《对于世界青联在亚洲殖民地半殖民地国家工作中的一些问题的建议和意见》，主要内容是：一、亚洲殖民地半殖民地国家的青年运动虽有发展，但不能估计过高。世界青联有关这些国家青年运动的工作方针、斗争纲领和活动方式等的决议和意见，必须适应这些国家的历史条件和具体情况，才能给这些国家的青年运动以更大更实际的帮助。二、应充分注意亚洲殖民地半殖民地国家争取民族独立的要求，把争取青年权利的斗争摆在适当的地位上。还应更多地注意这些国家的学生运动，帮助加强和巩固这一阵地。三、应考虑在可能条件下，给予这些国家的青年运动以必需的精神和物质的帮助。四、应在民主协商、协同行动的基础上进行工作，决定重大问题和提出具体要求时，必须充分酝酿，吸收各方面的意见。要加强对各国青年运动的具体研究，加强与各国青年运动的联系，了解他们的实际情况。这些较全面的、带方针性的意见，引起了世界青联负责人的重视，使世界青联后来的工作更切合实际和更有成效。

其后，1957年7月，胡耀邦率领由一千二百人组成的中国青年代表团参加了在莫斯科举行的第六届联欢节，同来自世界一百三十一个国家和地区的三万四千多名各界青年、学生进行了广泛交流。此前不久，胡耀邦曾率中国青年代表团一行十八人出席了在基辅举行的世界青联第四届代表大会，在会上作了题为《为发展各国青年友好合作而奋斗》的发言。联欢节期间，中国代表团盛情邀请美国青年代表团成员访问中国，有四十二名美国青年接受了邀请，其中包括学生、职工、工人、记者和艺术界人士。他们冲破美国政府的阻挠，到中国进行了六个星期的访问。其间周恩来总理接见了他们，称他们是“打开两国人民来往的先锋”。这是新中国成立后第一次有这样多的美国人公开来华，引起了美国公众舆论的高度重视。

团的“二大”以后，1953年年底和1954年年初，在胡耀邦具体指导下，调整了外事组织机构，变过去的临时机构为分工比较明确的常设机构，同时进一步明确了新时期对外交往的重点：加强在国际青年组织中的作用；积极开展对社会主义国家青年的工作。1956年年初，团中央书记处又专门讨论开展国际活动问题，胡耀邦提出，要大力加强国际合作，同社会主义国家青年的交往应遵循“发展友谊、交流经验”的方针，要重视和珍惜社会主义国家青年工作的经验；对资本主义国家的上层分子要多请进来，并注意建立个人之间的联系，争取更多的朋友。接着，办起了对外宣传刊物《万年青》。随着对外交往的不断扩大，外事工作在胡耀邦日常工作中的比重也日益加重，他要就一些国际重大问题发表文章表明中国青年的立场，要接待一批批来访的外国青年代表团，同他们会谈，陪同他们去会见党和国家领导人，要参加各种外事方面的会议。在外事工作中，他坚持既放开又谨慎的精神，重大原则问题有的要请示中央，有的要团中央书记处集体讨论，注意把握政策，把握分寸，而在具体活动中，则纵横挥洒，谈笑自如，决不束手束脚，拘谨呆板。这样，他成功地完成了一次次的外事工作任务，毛泽东、周恩来对他的工作十分满意。

第九章 青年工作战线上（下）

一 八大之后

1956年9月15日至27日，中国共产党召开了第八次全国代表大会。这是一次确定今后发展方向的极其重要的会议。大会提出了团结全党和国内外一切可以团结的力量，为建设一个伟大的社会主义中国而奋斗的总任务。刘少奇在会上所作的政治报告中指出："我国的无产阶级同资产阶级之间的矛盾已经基本上解决"。大会通过的关于政治报告的决议指出："我们国内的主要矛盾，已经是人民对于建立先进的工业国的要求同落后的农业国的现实之间的矛盾，已经是人民对于经济文化迅速发展的需要同当前经济文化不能满足人民需要的状况之间的矛盾。这一矛盾的实质，是先进的社会主义制度同落后的社会生产力之间的矛盾。党和全国人民当前的主要任务，就是要集中力量来解决这个矛盾，把我国尽快地从落后的农业国变为先进的工业国。”报告还指出：革命的暴风雨时期已经过去了，新的生产关系已经建立起来，斗争的任务“已经变为保护社会生产力的顺利发展”。大会鉴于苏联斯大林的教训，还提出了坚持集体领导原则和反对个人崇拜问题。

这次大会提出了一系列正确的理论、决策、方针，具有顺应历史发展潮流，并且推动历史潮流奔腾前进的重大意义。

胡耀邦作为代表出席了会议，在大会上作了题为《把我国青年引向最伟大的目标》的发言，全面汇报了青年团过去八年来的工作。他说，到1956年6月底，全国已有二千万团员，差不多占全国青年的百分之十七，绝大多数团员的思想是进步的，工作是有朝气的，青年团已成为党的一支可靠的后备队，成为吸引全国青年蓬勃向上的巨大力量。在肯定这些重大成绩的同时，胡耀邦也坦诚地说，过去几年里只解决了一个半问题。一个问题是指已经建立了一个全国性的青年团，半个问题是指只是初步摸到了一些按照青年特点工作的方法。

在这庄严的大会上，胡耀邦的发言充满历史的凝重感。他总结了青年团的历史经验，论说了青年团同党的关系以及青年团工作的总的方针任务这样一些带根本性的问题。他说：过去我们党所领导的革命青年组织，都曾经吸引了广大青年，对整个革命事业做了很大贡献。但是在组织问题上，我们却有过两次不同的教训：国内战争时期的共产主义青年团，只强调先进性的一面，忽视了群众性的一面，结果产生了关门主义，成了第二党；抗日战争后期的青年抗日团体，又因为缺乏先进组织作骨干，结果流于松懈无力。所以党中央在1949年在建团决议里就规定了现在的青年团必须是党领导下的先进青年的群众组织。几年来，我们一直在坚持这个正确的建团路线，既反对把团变为狭隘的青年组织，也反对把青年团降为一般性的群众团体，团的发展是健康的，绝大多数团员的思想是进步的，工作是有朝气的。他强调说，青年是整个人民群众中的一部分，是整个革命运动的一个方面军。因此，青年运动在方向上和政策方针上，必须同整个革命运动相一致；另一方面，青年运动又是整个人民运动的一个特殊部分，青年有着旺盛的精力，有着多方面的兴趣爱好，而且青年时期又是思想上矛盾最多的时期，少年没有发生的问题，他们可能发生，成年人已经解决了的问题，他们还没有解决。正因为这样，青年团就不能用一般化的方法去带领青年，就要创造一些适合青年特点的方法，去发挥青年的社会主义积极性，去满足青年的各种进步要求，并且使青年干部在干的当中增长才能。开展既有益于社会主义事业又适合青年特点的独立活动和向党闹独立性是完全不同的两回事。绝不能把独立活动和闹独立性、把先锋作用和先锋主义混淆起来。

发言中，他还讲到青年团应当担负起教育青年学习科学文化知识和扫除文盲的重任，以及干部的思想作风等问题。最后他满怀信心地说，培养社会主义新人和发展社会主义的新经济一样，都是我们党在过渡时期带有根本性的任务，而且是密切相关的任务。我们相信，全党一定会更好地关注我们这未来的一代，引导他们朝着最伟大的目标——社会主义和共产主义，胜利前进。

这样，胡耀邦就向全党介绍了青年团工作的主要方针和经验，特别是提出了不能简单化地对待青年，使得各级党组织对青年团有了更多的了解，能够更好地加强对青年团的领导。

在八大选举新的一届中央委员会时，胡耀邦被列入了候选人名单。他得知这一情况后，深感不安，立即给毛泽东等中央领导人写了一封信：

陈云、小平同志阅转

主席并原书记处同志：

今天上午，我出席主席团会议，看到我的名字摆在预定的正式中央委员里的时候，从心底里发出了无限的痛苦。几次想站起来提出意见，但老是感到难为情。当快要散会的时候，算是鼓起勇气站起来了，可是又被大家说“不要谈个人问题”，就坐下来了。

我是做梦也没有想到，我会被提名为中央委员的。我绝没有低估自己，我曾经估量过自己的分量。我这样计算过，如果我们党把领导核心选成一个二千多人的大团，大概我可以摆得上。后来决定选成一个大连（这是我衷心拥护的），在这个连里有了我的名字，心里非常不安。但又一想，做青年工作的没有一个人也不好。所以就拼命压制着自己，没有提，也没有同别的同志讲。至于由于提的太快，又没有把工作做好，因而欠了党的债，那以后还可以经过自己的努力去补偿。从这一点上说，我认为我这样做也是识大体的。

现在九十七个正式中央委员的名单中又有我，我就完全想不通了。这样做使我太没有脸面见那些无论是过去多少年和这几年，对党的贡献都比我大几倍的绝大多数的候补委员。这，对我的压力实在太大了。

无论如何，请主席和中央同志把我的名字摆在候补名单里去。

情绪有点激动，写的词不达意，想一定会原谅我。

敬礼！

胡 耀 邦

一九五六年九月二十二日

事后，刘澜涛代表主席团同胡耀邦谈话，说青年团里应该有一名负责人为中央委员，这样对工作有利，他本人的资望也符合条件，劝他不要再提这件事，他才不得已接受下来。

八大的新精神，使全国上下兴高采烈，人们准备用加倍的努力，迎接经济建设的新高潮。团中央也及时作出决定，1957年5月召开青年团第三次全国代表大会，贯彻八大精神。

1957年很快到了。从1月份起，胡耀邦就同团中央书记们一道，忙于筹备大会。他兴冲冲地思考着如何根据八大的精神——阶级斗争已经基本结束，阶级矛盾已经基本解决，进一步调整青年团工作的思路，进一步动员广大青年投身建设事业。

2月27日，毛泽东在最高国务会议上发表了《关于正确处理人民内部矛盾的问题》的讲话。胡耀邦去听了这次讲话。毛泽东提出的“人民内部矛盾”的概念以及正确处理人民内部矛盾的一系列理论、政策、方针、方法，使胡耀邦有豁然开朗之感。而最令胡耀邦触动的，是毛泽东批评说：最近一个时期，思想工作、政治工作减弱了。……我看是共产党应该管，青年团应该管，政府行政部门应该管。胡耀邦知道，毛泽东的这个批评是有针对性的。在此之前，由于东欧波兰、匈牙利事件的影响，一些地方出现了青年工人罢工和学生示威、罢课事件，这些都引起了高层的严密注意。胡耀邦敏感地意识到，围绕处理人民内部矛盾的新的思想工作必须迎头赶上。

他还是首先从做学生的工作入手。2月5日，北京大学团的干部举行学习会，他前去就学校青年团如何协助党加强学生的思想工作问题讲了一番话。他说，总的来说，我们的青年学生是好的，但是去年在学校中也出现了相当多的问题，叫作“大体还好、乱子不少”。他说，去年下半年问题暴露较多，原因相当复杂，必须具体分析，不能简单化。一条原因，是同我们的同学比较年轻有关系，这是最重要的一条。年轻说明青年的优点，也说明青年的缺点。优点就是比较真诚、爽直、坦率，有什么讲什么，脑子里藏不住什么东西。缺点就是没有经验，不知道多方面思考问题，想想这问题能否这样讲，这事能否这样做。他说，我们党历来都强调，对青年同志所犯错误放任自流是不对的，必须加以帮助，只要他们在做错事情以后，经过学习和讨论，进步了，就变成了好事情。

关于青年团怎样加强学生的思想工作，胡耀邦在指出培养正确人生观即为人民服务、而不是为个人服务的重要性外，还特别提出培养正确思想方法的重要。他说，青年人经验不多，阅历较少，往往把复杂的事情看得太简单，太容易，因此往往容易犯主观片面的错误。因此，如何通过每天所发生所出现的问题，使广大同学都不陷于空想，都不作主观片面的武断，都能进行实事求是的全面分析，也就是培养青年对一切事物的辩证唯物论的思想方法，这也应当是思想工作的目的。

在这次会上，他提出了八个问题，要大家思考，这些问题都是学生们经常议论的、也是最容易引发激烈情绪的，这就是：一、缺点错误问题，即在社会主义制度下共产党可不可能产生缺点错误。二、社会主义法制问题。三、社会主义制度下的官僚主义问题。四、妨碍个人自由问题。五、违反民主的问题。六、妨碍独立思考的问题。七、改善生活问题。八、群众观点问题。他认为这些问题不容回避，希望青年团引导大家对这些问题寻找出正确的答案。

2月8日至21日，胡耀邦主持召开了团的省、市委书记会议，着重研究新形势下青年团的思想教育工作问题。邓小平到会对团的工作任务、工作方法等作了指示。由于各地程度不同地出现一些新的矛盾，团干部的思想也活跃而参差，所以会上的讨论格外热烈。胡耀邦综合大家的意见和提出的问题，在作会议总结时，系统地讲了七个问题：新的形势带来思想工作新的问题；思想工作的目的；思想工作的方法；对待有错误思想的青年的方针；提高团员的思想是提高广大青年的思想的一个主要环节；抓思想工作同抓其他工作的关系；掌握青年思想动态、提高团干部的思想水平，是做好思想工作的基本前提。他说，新的形势带来思想工作的许多新的问题。由于阶级斗争基本上结束，阶级矛盾基本上解决了，同时也就带来了另一方面的问题，即人民之间的关系、人民内部的矛盾相对地突出了。青年是人民的一部分，由于他们特定的许多原因（年轻，经验少），他们的要求、意见和问题往往更多一些。如果我们的工作做得不好，如果我们的思想上麻痹，也就是说，如果我们放松了思想工作，青年里面就容易闹事。就可能引起人民之间的矛盾的尖锐化，甚至由一些非对抗性矛盾转化为对抗性矛盾。根据去年的情况，我们得出这样一条经验，就是从此以后任何时候我们都不能放松思想工作。在谈到对待有错误思想的青年的方针时他说，总的来说，对青年中的思想错误，要坚持在爱护和保护的前提下进行说服教育工作。在这种方针下，对以下四种情况应该适当地加以区别对待：第一种是，一般讲怪话，一般的不满的，要坚持说理的方针。第二种情况是，公开散播反动言论但是没有反革命证据的，应该加以公开批评，但是批评也是要采取说理的批评，而不能简单地谩骂，不要轻易处分人。第三种情况是，对一般品质不好，道德败坏的，也要采取教育的方针，充分说服，充分教育。只有对那些极个别屡教不改、破坏了社会治安、严重违法乱纪的，青年团就应该支持政府给以必要的处理。第四种情况是，凡属群众性的集体闹事（包括罢工、罢课、游行、示威），必须非常谨慎地细致地加以分析，对其中合理的要求要坚决加以支持，对不合理的要求和意见要帮助加以说服，对不妥当的要求要坚决加以反对。

在这次总结讲话中，他还对思想工作的性质作了发挥。他说，思想工作是一种什么性质的工作呢？第一，是一种先行性质的工作。就是说做任何一件工作，如果不先打通思想，先不从政治上讲清楚道理，先不说明问题的重要性，也就是说不以思想工作作先导，就要群众去做，就可能产生命令主义，形式主义，就可能助长某些人的个人主义。第二，还是一种保证性质的工作。它能够使一件事情坚持到底，能够使一些事情讲求质量，能够使一些事情有正确的目的性，能够使参加的群众在自觉的基础上发挥出持久的热情。因此，任何一件工作自始至终都要贯彻思想动员和思想教育。

3月间，胡耀邦在全国青联二届全国委员会第四次会议上的讲话中，又明确说道：有人说现在许多青年都埋头钻研业务，不问政治。我说这句话也要加以分析，不要一般批判。现在国内阶级矛盾已基本解决，今后更长的时间是同自然界作斗争。这就需要自然科学，需要业务。因此，埋头钻研业务是好事。为什么会发生不问政治的倾向呢？主要责任，百分之九十以上的责任，还是在于我们做思想政治工作的人。我们有些政治思想工作搞得不那么高明，我们所组织的政治学习多数情况甚至主要情况是内容枯燥，方法生硬。我们要将政治思想工作搞活泼一些，实际一些，大胆地去掉一些主观主义的、教条主义的做法。

其后，他在同《中国青年报》领导人等研究工作时，又强调了这一点：对于一些青年“只埋头钻研业务，不问政治”，可不能一刀切地进行批判。因为国内的阶级矛盾已经基本解决，今后长时期的中心任务是同自然界作斗争，这就需要钻研自然科学，钻研业务。我们应当提倡的是：抬头瞭望政治，低头钻研业务。这就合人心，顺趋势了。

这时候，胡耀邦对青年中可能出现的“闹事”等现象不无担心，但就青年全体范围来说，他仍然坚持要有一个宽松的环境，要有一种活跃的气氛，希望把青年团的工作建立在尊重青年个性，启发青年自觉的基础上。

团的“三大”的准备工作大体在5月初完成。5月11日，中央政治局讨论“三大”文件，刘少奇、周恩来、朱德、邓小平都发了言。邓小平提出，报告总的精神是六个字：劳动、学习、团结。他说，这要作为团的一个时期的方针。特别是劳动，是中心的中心；学习上强调向老一辈学习；团结上强调反对宗派主义；组织建设上强调紧一点。

5月15日，中国新民主主义青年团第三次全国代表大会在北京政协礼堂开幕。毛泽东、刘少奇、周恩来、朱德、陈云、邓小平等党和国家领导人出席开幕式。这次会议确定将青年团的名称改为“共产主义青年团”。邓小平代表中共中央致祝词说：“用共产主义青年团来作为我们这支先进队伍的名称，不只是给全体青年团员带来了巨大光荣，而且，也在中国青年的肩上放上了更繁重的任务。”“中国共产党深信，青年团员和全体青年必然能够克服自己道路上的各种困难，出色地完成自己的光荣任务。”

胡耀邦作了题为《团结全国青年建设社会主义的新中国》的报告。报告中说，“党的‘八大’提出‘我们党现实的任务，就是要依靠已经获得解放和已经组织起来的几亿劳动人民，团结国内外一切可能团结的力量，充分利用一切对我们有利的条件，尽可能迅速地把我国建设成为一个伟大的社会主义国家’。作为共产党的最亲密的助手——中国共产主义青年团的总任务，就是团结和教育全国青年，在党的领导下，为完成党所提出的这个历史任务而奋斗。”“在建设社会主义的伟大斗争中，我们青年的任务可以用三个口号来概括：积极劳动，努力学习，加强团结。共产主义青年团的工作，也就是要在这三方面对全国青年贡献出自己的力量，帮助青年更好地完成自己的任务。”他在报告中还就“教育青年热爱劳动”，“学习政治和业务，继承革命传统，掌握建设知识”，“巩固和扩大全国青年的大团结”，“坚持群众路线的工作方法”，“加强团的建设”，“加强同各国青年的友谊和团结”等作了阐述。

大会修改了团的章程，决定将改名以后的团的全国代表大会，同过去的中国社会主义青年团、中国共产主义青年团以及中国新民主主义青年团历次代表大会相衔接，将下一次代表大会定名为中国共产主义青年团第九次全国代表大会。

5 月 25 日，大会闭幕，毛泽东、刘少奇、周恩来、朱德、陈云、邓小平等再次到会接见全体代表。毛泽东面对一千四百多名团代表即席发表了讲话。他说：“你们的会议开得很好。希望你们团结起来，作为全国青年的领导核心。中国共产党是全国人民的领导核心。没有这样一个核心，社会主义事业就不能胜利。”他号召：“同志们，团结起来，坚决地、勇敢地为社会主义的伟大事业而奋斗。”并且强调：“一切离开社会主义的言论行动都是错误的。”

5 月 26 日，胡耀邦在共青团三届一中全会上当选为团中央书记处第一书记，其他书记为刘西元、罗毅、胡克实、王伟、梁步庭、项南。

二 保护团干部

当胡耀邦和他的同事们在总结这次团代会时，也自然地去认真领会毛泽东的关于"共产党是全国人民的领导核心"和"一切离开社会主义的言论行动都是错误的"这一番话。他们当然都体会出这番话是极具分量，大有深意的。

毛泽东在2月所作的《关于正确处理人民内部矛盾的问题》的讲话里，对社会矛盾的分析同八大是一致的，他说，应该肯定，社会主义社会矛盾是存在的。基本矛盾就是生产关系同生产力之间、上层建筑同经济基础之间的矛盾。[①] 随后毛泽东又同民主党派、文艺界、教育界、新闻出版界座谈，倡导"鸣""放"，动员开展批评。5月1日，中共中央发表了《关于整风运动的指示》，提出"在全党重新进行一次普遍的、深入的反官僚主义、反宗派主义、反主观主义的整风运动"。其后，毛泽东又起草了《关于继续组织党外人士对党政所犯错误缺点展开批评的指示》，要求党外人士帮助共产党整风。受着毛泽东号召的感召和正确处理人民内部矛盾精神鼓舞的人们，先是党外人士，后来许多党员以及团的干部和团员也参加进来，怀着帮助党改进作风的愿望，纷纷提出意见。其中有些意见涉及共产党的领导，有些意见放言无忌，较为尖锐。5月15日，毛泽东起草了党内文件《事情正在起变化》，其中说，"最近这个时期，在民主党派中和学校中，右派表现得最坚决最猖狂"，"他们不顾一切，想要在中国这块土地上刮起一阵害禾稼、毁房屋的七级以

① 《毛泽东传（1949—1976）》（上），第632页。

上的台风”。

6月8日，中共中央发出《关于组织力量准备反击右派分子进攻的指示》，同日，《人民日报》发表社论《这是为什么?》，正式拉开了反右派运动的帷幕。此时胡耀邦也认为，这确是一场严重的政治斗争。他特地去思想活跃的《中国青年报》社，按《事情正在起变化》的精神，跟编辑记者们打招呼。不久他就忙于出访任务。7月16日，他率团赴莫斯科，参加第六届世界青年联欢节。

9月中旬，胡耀邦从苏联回国在新疆停留。不觉两个月过去了，他知道国内运动情况会有很大变化。一到乌鲁木齐，他便急急地打电话给团中央，询问机关反右派情况。当得知团中央系统已经划了一批右派，单是《中国青年报》就划了17个，已占编辑部人数的17%，还有好几个待划时，他吃了一惊，不由地说，“损失惨重啊!”指示立即刹车，等他回去再说。

当时，胡耀邦虽然肯定反右派的必要性，但他没有想到过会给少不更事的青年戴上这样沉重的政治帽子，更没有想到呼啦一下子划这样多的青年“右派”。但他回天无力，他只能在可能范围内尽量保护一些人。

《中国青年报》总编辑张黎群，在新闻界一次鸣放会上说，现在报纸缺少自己的声音，成了“传声筒、留声机、布告牌”。毛泽东得知后让邓小平查处此事。邓小平找胡耀邦去询问张黎群的情况。胡耀邦说：他讲的那些话，是糊涂俏皮话。他年轻时就参加了革命，对党是很有感情的。田家英也帮忙说话，使张黎群免于戴上帽子。

《中国青年报》副总编辑钟沛璋，是一位老党员，地下工作时期曾做出过卓越贡献。胡耀邦十分赞赏他的文章，认为有思想、有气势。但钟沛璋在团中央常委会扩大会议上就青年团改革问题发言，提出青年团应有更大的独立活动空间，被人揪住，要划右派。胡耀邦说，那是在内部会议上的发言，各种意见都应该允许，将他保护了下来。后来批判“项梁”[1] 时他还是在劫难逃，胡耀邦实在顶不住了，对钟沛璋终于被划为“右派分子”惋惜不已。

中国青年出版社社长李庚是位学识渊博、性情鲠直的知识分子。反右后期，他上书表示了对出版事业照抄苏联体制和将一些文化人划为“右派”的不同看法，结果他自己也被划成“右派”，又因为不肯认错，而被层层加码，成为“死不改悔”的极右，因此抑郁不堪。1962 年，他从外地劳动改造回来后，胡耀邦立即托人捎话，邀他去谈谈。见面听了李庚的倾诉之后，胡耀邦表示：“是处理过重了。有意见允许提出来，组织上可以研究，该纠正的就纠正。……你吃了苦头，但不要耿耿于怀。”他对李庚郑重表示了道歉。李庚说：“当时你出国不在家，你没有责任，不必由你给我道歉。”胡耀邦说：“我是第一书记，团中央的事，我都有责任。错了就应该认错，我还是要向你道歉，请你原谅。”后来他设法为李庚平反，但阻力重重，只好给李庚打电话说，“你的事情现在怕一时不好解决，你不要现在就提出申诉，安心生活和工作，以后总会解决的。”这给了李庚以很大的生活信心和勇气。

当时团中央系统划了五十多个“右派”，加上划成“中右”的，达近百人。按照处置右派的规定，这些人都要下放到农村去劳动改造，一批去北大荒，一批去陕北米脂。1958 年 2 月，在他们出发之前，胡耀邦同大家座谈，为他们送行。

座谈会开始，大家神情沮丧，黯然不语。胡耀邦说：“那我先说几句”，然后开口叫了一声：“同志们”。

---

① 见本章第三节：“跃进”中的蹒跚。

这久违的称呼，使这些处境艰难的人感动得眼含热泪。胡耀邦继续说：你们中间的绝大部分是有才华的，才华横溢，为党为人民做过不同程度的贡献。可这次你们的错误犯得太大了，你们太骄傲了。他接着说：今天你们犯了这么大的错误，我有不可推卸的责任。我平时对你们只知使用，帮助不够，敲打得不够。你们当中大多数人现在悔恨、难过，我也不好受，很不好受。可是你们要明白，党中央、毛主席认为这是一个大是大非的问题，是敌我矛盾，但是可以当作人民内部矛盾处理。因此团中央组织上对你们不能不做出适当处理。他说，你们中间绝大部分同志要下去劳动锻炼，希望你们能自觉地找苦头吃，自觉地好好地劳动，通过劳动彻底改造非无产阶级的世界观，彻底改造资产阶级思想，争取早日回到革命队伍中来，可以恢复党籍，可以入党嘛！你们不要背包袱。过去种种譬如昨日死，今后种种犹如今日生。我希望听到你们的好消息。我相信你们能改造好，我坚信咱们还有共事机会！他最后说：你们改造好了回来时，我给你们开欢迎会。咱们就这样说定了。

这不啻是让在座的人在绝望中看到了希望，在迷茫中看到了未来，重新鼓起生活的勇气。

对于团中央系统划了那么多“右派分子”，胡耀邦一直感到有问题，以后做过多次检讨，说他对这些青年干部帮助不够，关心不够。后来这些被划为“右派”的干部，许多人都较早地摘了帽子，安排了工作，有的还照旧受到重用。

反右派斗争严重扩大化以后，毛泽东在八届三中全会上否定了八大决议中关于主要矛盾的论断，提出“无产阶级和资产阶级的矛盾，社会主义道路和资本主义道路的矛盾，毫无疑问，这是当前我国社会的主要矛盾”的论断。对这种理论上的变化，胡耀邦感到困惑。社会上“右派”划得越来越多，许许多多社会精英，许许多多共同奋斗过的朋友，只因几句批评，就定为“右派”，他也产生了怀疑。他担心这样下去势必又造成大批无辜受难者，以后再也没有人敢于向党进言了。随着这些疑虑的加深，他渐渐滋生了令他痛苦的念头，他觉得毛泽东已听不得批评。这就是他后来在“文化大革命”中所检讨的，几十年来对毛泽东的由衷崇敬，第一次产生了动摇。

三 “跃进”中的蹒跚

在“反右派”告一段落后，胡耀邦曾说，总不能天天“反右派”吧，总不能成为“反右派”的专家吧，还是要抓好团的工作，要组织力量下去搞调查研究，看看情况到底怎么样。他还想尽量有所作为，正像张黎群所说：“客观地说，五七年整风以后，耀邦同志在很多重大问题上，特别是在政治领域，政治斗争方面，是很艰难的，有时不得不做违心的事，说违心的话。他苦于无奈，只能招架应付，无回天之力。但是，他对青年工作，并不懈怠，仍然尽力所能及，在其权限的有限空间，尽力缩小‘左’倾错误的影响。要求各级团的干部努力改进工作方法和工作作风，避免简单粗暴的过火斗争，努力保护青年群众，努力实施自己的主张和观点，努力开展调查研究，发现、保护并推动新鲜事物，推动青年教育，开展有特色的青年活动，培养良好的作风。”

1958年，进入“大跃进”年代。

1月7日至21日，胡耀邦主持召开了团的扩大的三届二中全会，讨论和确定新的一年里的工作任务。“反右派”斗争以后，中共中央认为思想战线上的社会主义革命已经取得伟大胜利，要适时地推进经济建设快速发展。这一年的元旦，《人民日报》发表了社论《乘风破浪》，提出要“又多又快又好又省地进行各项建设工作”，而且必须“鼓足干劲，力争上游，充分发挥革命的积极性创造性”。胡耀邦认为，在这“大干快上”的时机，正可以将团的工作更好地引向经济建设，以突破“反右派”后的沉闷气氛，再现青年团的活跃风貌。他在这次全会上的工作报告《共青团1958年的工作任务》中，要求全团“鼓足干劲，加快步伐，作我们事业的促进派，带领广大青年成为生产大跃进中最英勇的突击力量”。在会议总结时，他又着重讲了“我们青年团的工作要不要跃进，能不能跃进，或者说能不能把我们团的工作做得更有生气一些”的问题。

3月15日，团中央在江西瑞金召开了以植树造林为主要内容的江西、湖南、福建、广东四省百县青年团的观摩学习会议，有四省一百个县的团委书记以及农村团的基层干部共一百五十余人参加。3月20日，胡耀邦作了题为《思想解放，勇敢前进》的讲话。他强调共青团干部要深入实际，调查研究具体情况，把上级的指示结合本地区的情况，创造性地进行工作。凡是对社会主义有利，符合“多、快、好、省”方针的事情，共青团就应该毫不犹豫地去干，坚决反对那种机械地、形式地、毫无生气地执行上级指示的工作态度。他说，我们要积极地协助党在各项中心工作中做出成绩来，绝不能抱着旁观等待的态度，要善于主动地选择我们青年团能够出力的地方订出规划，拿出措施，做出效果。在讲到青年团干部的工作作风和工作方法时，他提出团的干部都应该有两副革命正气，就是革命的志气和革命的勇气；两类斗争知识，就是生产斗争知识，政治工作知识；两套工作方法，一套是“蹲点”和“跑圈”，即深入调查和普遍指导相结合，另一套是“抓”和“推”，即善于发现和抓住典型，并加以推广。

会议期间，胡耀邦带领代表们来到当年毛泽东等从事活动的沙洲坝造林，种树五十亩，他提议取名为“赣湘闽粤四省百县林”，由此兴起了1956年以来全国范围的第二次青年造林绿化热潮。

继农业战线的活动之后，4月5日，团中央和全国总工会联合在上海召开了全国青年工人代表会议，主题是就青年工人如何实现祖国工业化的伟大历史使命交流经验。4月12日，胡耀邦在会上作了《人是我们伟大事业的决定因素》的报告。他说，在我们建设事业中，人，就是最重要的生产力；人，就是最宝贵的财富；人，就是我们伟大事业的决定因素。社会主义时代把人的作用提到了空前的高度，它要求我们既能掌握社会发展的规律，又能掌握自然发展的规律；要求我们既成为社会的主人，又成为大自然的主人。这就是说，时代要求我们青年工人应该成为具有高度政治觉悟，有文化修养和精通生产技术的人。他要求青年工人第一要增长志气，第二要掌握技术，第三要刻苦学习，第四要勇敢创造，第五要又勤又俭，第六要团结友爱。

在“大跃进”这面“红旗”的号召下，团组织又积极行动起来，带领青年为社会主义而“大干苦干实干”，“发出青春的光和热”。青年工人在进行技术改革中，青年农民在兴修农田水利的高潮中，都有很出色的表现。

5月5日至23日，胡耀邦参加了中共八大二次会议。这次会议提出了“鼓足干劲，力争上游，多快好省地建设社会主义”的总路线，将中共八大关于国内社会主义主要矛盾的论断，正式修改为：“在整个过渡时期，也就是说，在社会主义社会建成以前，无产阶级同资产阶级的斗争，社会主义道路同资本主义道路的斗争，始终是我国内部的主要矛盾，这个矛盾，在某些范围内表现为激烈的、你死我活的敌我矛盾。”这一修改“中断了党的工作重心的转移，使我们党和国家长期陷入阶级斗争扩大化的迷误，阶级斗争连续不断并逐步升级，严重干扰了社会主义经济建设”。①

为及时贯彻八大二次会议精神，6月2日至8月13日，胡耀邦主持召开了共青团三届三中全会。在会上，胡耀邦主持通过了《关于组织广大青年学习马克思列宁主义、学习毛泽东著作的决议》。

1958年下半年，完全背离客观经济规律的“大跃进”运动的恶果逐渐显现，团的工作也深受影响。“在广大农村，合作化运动高潮中的撤区并乡刚刚了结，大办人民公社以及随之而来的县社规模调整又全面展开。农村团组织也处于大变动之中。在合并县市和整顿公社机构中，有的中共地方组织对团干部的编制压缩过多，骨干抽调过猛，在使用上统得太死。另一问题是团干部调动频繁，变动过大，兼职过多，使不少地方出现团的日常工作无人过问，团员教育无人负责，团费无人收缴，团的关系无人接转，团员档案失落等现象。”② 团的思想教育由于“强调‘以阶级斗争为纲’，脱离建设实践，形成‘政治第一’，‘突出政治’的偏向。发展到后来，形成思想政治工作与经济工作‘两张皮’的痼疾。”③

面对这种局面，胡耀邦也深感棘手。但是对党的事业一贯赤胆忠心的他，不能无所作为，他仍然要尽力打开局面。为了把各条战线上青年的积极性纳入正常轨道，在他的倡议下，11

① 薄一波：《若干重大决策与事件的回顾》（下），第623页。
② 共青团中央编写：《当代中国的青年和共青团》下册，第28页。
③ 共青团中央编写：《当代中国的青年和共青团》下册，第191页。

月20日至12月2日，召开了第二次全国青年社会主义建设积极分子大会。朱德代表中共中央在开幕式上致祝词，陈毅在闭幕式上就青年的工作、劳动和学习的问题发表了讲话。胡耀邦作了题为《发扬共产主义精神，努力建设社会主义》的报告。他向青年提出了四项要求：一、积极地参加劳动，人人无例外地养成劳动习惯，并且在劳动中刻苦钻研，提高自己的本领；二、更加努力地学习文化和科学知识，更加努力地学习马克思列宁主义理论，并且把这两种学习密切地结合起来，向"又红又专"、"红透专深"的目标前进；三、继续发扬积极性和创造性，彻底破除迷信，解放思想，敢想敢说敢做，并且使青年人中的那种敢想敢干的精神同实事求是的作风密切结合起来；四、要在自己的思想上高高地举起共产主义的红旗，不断地提高自己的共产主义思想觉悟，不断地提高自己的共产主义道德品质。

这次大会开得还是那么隆重，但是由于它是在"大跃进"中浮夸风大盛的时候召开的，报上来的一些青年积极分子的劳动生产成果被夸大了，有的甚至是虚假的。"特别值得引为教训的是，当时高指标、瞎指挥、浮夸风、'共产风'泛滥成灾，在这样情况下所激发起来的青年建设热情，不能不带有盲目成分在内，加以'大跃进'中，不注意保护青年的热情，只提倡鼓干劲，不引导青年注意劳逸结合，把苦干和巧干结合起来，违背了青年生理特点，损害了青年身心健康。这样做法，不仅不能使激发起来的青年积极性得到健康发展，相反的，使青年的这种积极性受到严重挫伤。"①

像每年年初都要制定全年工作规划一样，1959年年初，胡耀邦考虑着全年的工作安排。在这之前，他刚刚参加了党的八

① 共青团中央编写：《当代中国的青年和共青团》上册，第65页。

届六中全会。毛泽东此时也发现了浮夸风、“共产风”严重，从郑州会议、武昌会议以至八届六中全会上都是反复强调“压缩空气”，纠正“左”的思想和决策。这种形势鼓舞了胡耀邦的信心，他要乘此时机振奋团干部的精神，把团的活动开展起来。

元旦一过，他就来到广西。广西正在开团的地、市、县委书记会议。1959年1月7日，他到会讲话。他首先从一些理论和政策问题讲起。他说，我国人民现阶段的任务是什么？提法需要变一变了，不是为建设共产主义而奋斗，而是为建成社会主义而奋斗。这是当前全国人民思想上至关重要的一个问题，必须把它弄明确，向全体团员、全国青年讲清楚。为着加速建成社会主义，具有决定意义的条件，就是努力发展生产。为此就要鼓舞、爱护、发扬群众的革命干劲，包括更好地关心群众生活，继续开展文化和技术革命。接着，他针对团干部对开展活动的疑虑说，不是要不要搞活动，能不能搞活动，该不该搞活动的问题。共青团当然要搞活动。团有团的业务，一个部门没有自己的工作内容就没有存在的必要了。他说，搞活动主要要有两条，一是要经过认真研究，切实可行；二是要符合党的任务政策，经过党委同意。对于1959年要开展哪几个方面的活动，他提出：主要是大搞思想教育活动，大搞生产活动，大搞学习文化科学知识活动。

2月23日至3月7日，胡耀邦在北京主持召开了团的三届四中全会。会议的主要议题是，根据党的八届六中全会精神，总结1958年团和青年工作的经验，确定1959年的工作任务。会议的最后一天，邓小平、彭真、陆定一等接见全体与会人员，邓小平对团的工作做了指示。

3月6日，胡耀邦作了会议总结。他着重讲到：服从党的领导不会影响正当的积极性；青年团要搞活动，这已经是完全肯定了的，我们应当也一定可以把活动搞得更好、更实在；要积累经验，提高水平，这没有别的办法，就是要努力学习。针对团的思想工作中仍然存在着的“左”的问题，他要求“把思想工作提高得更细致一些”，特别是要善于分清是非界限，区别对待：一、要区别好心肠和坏心肠。对好心肠讲错话的人，要耐心解释，热情帮助；只有对坏心肠说坏话做坏事，恶意拨弄是非的人和反革命分子，才坚决打击。二、要区别合理要求和“思想问题”。对于一切合理要求都要耐心听取，认真研究，不要当作“思想问题”加以批评。三、要分清政治问题和思想问题的界限。四、对道德品质方面的问题，也要区别轻重、情节的不同，对一般性问题都要采取教育帮助的态度。五、在学术问题上，要允许人们“争鸣”，在艺术上要允许有风格、形式的差别，不要强求一律。

这一时期，胡耀邦总是利用各种机会为青年鼓劲，要把青年们“大跃进”以来屡遭挫伤的积极性调动起来。他倡导大宣传（宣传形势、奋斗目标和党的政策）、大表扬（表扬青年中的好人好事）、大竞赛。他竭力调整团干部的思想情绪和工作作风，纠正团的工作中那些不适合青年需要的做法，对广大青年群众提出新任务新要求。

在4月间举行的团中央书记处会议上，胡耀邦尖锐地指出：“大跃进”以来，形势发展迅速，一部分同志被胜利冲昏头脑，因而产生了主观蛮干，无根据地瞎吹，当发现行不通的时候，又不转弯，忘记了群众路线、凡事同群众商量和“一切经过实验”，以致发展到弄虚作假。这种情况继续发展下去，我们的思想就会变质，许多已获得的成绩将会化为乌有。他提出要“继续反对虚夸和弄虚作假，提倡实事求是，讲真心话”。他还指出，这些年来团的工作中的形式主义毛病有所滋长，往往用简单的鼓动和先进事例去代替更深入、更细致的思想教育，往往用先进的生产组织和积极分子代替团的基层组织和团员的核心作用，往往用一般号召代替深入细致的群众工作，在文风上也有缺少认真的分析和说理而只是概念加例子的不良表现。他倡导把敢想、敢说、敢干的风格同刻苦钻研、切实实验结合起来，“我们要想尽一切办法，把广大团的干部、青年的革命热情和求实精神结合起来”。

对于学生，胡耀邦则针对“大跃进”以来学生无心读书、不敢读书或不能静下心来读书的现象，一再论证读书的重要性，要求“继承人类全部文化遗产，用一切有用的知识武装起来”，同时做到读书、劳动、思想三丰收。

面对青年工人，他希望大家用尽一切办法，按时、按量、按质地完成生产任务，“成为实现今年大跃进的一支突出力量”。他特别倡导都要成为技术熟练的工人。他说，一个技术熟练的工人，至少需要具备四个条件：能够很熟练地操作一门技术，不出或少出废品；懂得与自己有关的机器设备的构造和性能；对普通的机器和工具能够做简单的修理；一专多能，精一兼数。他要求青年工人“投入到增产节约运动中去，把多出一分力，多流一滴汗，多省一分材料，多创造一分财富，看做是为整体利益服务的崇高义务”。

7 月 13 日至 18 日，胡耀邦在青岛主持召开了团的三届五中全会，讨论加强团的基层组织建设，更好地提高团的战斗力的问题。这次会议作出了《关于加强农村团的基层组织在青年中的核心作用的决议》。全会提出，农村团组织要根据青年特点因地制宜地大搞生产活动，加强对农村青年的形势教育和党的政策教育，农村六十万个团支部要建设成为先进的、密切联系群众的、有战斗力的基层团组织。

至此，他把工、农、学几条战线的任务，都作了安排。

团的三届五中全会之后，胡耀邦去团中央委员、回乡知识青年典型徐建春的家乡山东省掖县西由公社住了六天，边参加劳动边调查研究。几天后，他接到中共中央办公厅通知：8月1日前赶到庐山，参加中共八届八中全会。29日，他同几个随行人员赶到莱阳机场，同其他几个中央委员一道，乘中央派来的飞机上了庐山。

此刻的庐山上已点燃了“反右倾”的烈火，政治局扩大会议对彭德怀的《意见书》展开了连续多日的猛烈批判，在7月23日毛泽东发表了严厉的讲话之后，已经将彭德怀以及持类似意见的黄克诚、张闻天、周小舟定为“有计划、有组织、有目的的、矛头指向党中央、毛主席和总路线”的反党集团，是右倾机会主义分子。现在，把中央委员叫来开全会，是要统一一下认识，履行一下程序，通过一个决议。

8月2日，党的八届八中全会开幕。事先毫不知情的胡耀邦，面对这样突如其来的重大事件，既激动又惶惑不安。事情太严重太复杂了，他一时难以理解。当时在会上负责简报和小型会议记录的冯征（曾是抗大四期一大队学员）私下里对他说，许多高级将领对这样批判彭德怀都想不通。胡耀邦沉痛地说，彭老总怎么会反党反毛主席呢？毛主席他老人家听不进不同意见了。你作为会议工作人员，可以多听听，多想想，将来事实总会搞清楚的。

随他一同上山的秘书高勇后来记述说：“在庐山会议上，他没有跟着瞎起哄，没有揭发批判彭德怀。整个会议期间，他只在会议小组会上作了一次简短的表态性的发言，主要内容是表示‘拥护主席讲话’，‘拥护总路线、大跃进、人民公社三面红旗’之类。”① 8月16日，八中全会闭幕，会议通过了《关于以彭德怀同志为首的反党集团的错误的决议》。

高勇写道：“胡耀邦在庐山会议上的表现，当然逃不过‘洞察一切’的毛泽东的眼睛。毛泽东通过每天听汇报、看简报，对每个人的表现了解得一清二楚。他除了看到胡耀邦一个简短表态外，再听不到他的声音，自然对他不会满意。几年后，耀邦也觉察到了毛泽东对他的不满，曾说：‘庐山会议之后，主席有一两年不太理我，给我坐了冷板凳哩！’”②

庐山会议之后，紧接着从上到下开展了一场声势浩大的“反右倾”斗争，一大批对“大跃进”有怀疑的干部、党员受到批判，有的被戴上“右倾机会主义分子”帽子，社会政治空气更加紧张，经济上更加蛮干，结果危机四伏。“反右倾”也使青年团工作再一次面临困境。“在团的专职干部大量减少、团的领导骨干十分缺乏的问题未能很好解决的情况下，1959年，中共中央又在全国发动了“反右倾”斗争。共青团中央按照中共中央的部署，再次对团的干部队伍进行了整顿。据对九个省六千零二十三名专职干部的统计，在运动中受到重点批判的有二百五十八人，占总数的百分之四点三。团中央系统定右倾机会主义分子一人，重点批判十余人。团干部队伍又一次受到冲击。”③

四 “穷年忧黎元”

“反右倾”之后，在政治、经济、思想各个领域里，总路

① 高勇：《胡耀邦主政青年团》，第74—75页。
② 同上。
③ 共青团中央编写：《当代中国的青年和共青团》下册，第28页。

线、大跃进、人民公社“三面红旗”举得更高，对毛泽东个人崇拜的空气更浓。接踵而来的便是1960年开始的连续三年的国民经济的严重困难。在这种局势下，胡耀邦领导的青年团工作，也日益变得步履艰难。

在那种全社会都要学习毛泽东著作的浪潮中，作为“党以马克思列宁主义教育青年的学校”的青年团组织，自然要站在潮头。在1958年6月团的三届三中全会上，就曾作过《关于组织广大青年学习马克思列宁主义、学习毛泽东著作的决议》，从而展开了全国青年学习毛泽东著作的运动。1960年1月，团中央向中共中央报送了《关于开展毛泽东著作的学习运动的提法问题》的请示报告，中共中央转批了这个报告，使青年学习毛泽东著作运动引起了全党的重视。胡耀邦于2月间在全国学生第十七届代表大会上以《用毛泽东思想武装起来》为题发表的讲话，是这样论说学习毛泽东著作的意义的：“学习毛泽东思想，是关系到培养青年成为共产主义事业接班人的最根本的问题，它对于提高青年的政治思想觉悟，树立无产阶级世界观和一生的健全发展都将起着伟大的决定性的作用。”因此，要“掀起一个学习毛泽东著作的热潮，下决心用毛泽东思想武装自己”。在胡耀邦主导下，同年4月，团中央、全国总工会、全国妇联在黑龙江联合召开了“全国青年学习马克思列宁主义、学习毛泽东著作现场会议”，总结交流了学习经验。之后，团中央又组织学习观摩团，分赴二十五个省市区的八十七个城市，进行学习观摩交流。胡耀邦强调，学习毛泽东著作不能图快，不能搞竞赛，“对于那些现在还不了解学习毛泽东著作重要性的人，不要勉强他们参加”。

这一时期，面对着工农业生产不断滑坡的形势，胡耀邦着重提出了青年职工要参加技术革新和技术革命，农村青年要争取农业全面丰收的任务。1960 年 2 月，他主持召开了团的三届六中全会，根据国家形势安排全年工作。会议通过了《关于发动广大青年在全民的技术革命运动中发挥更大的突击作用的决议》，要求使这一运动成为全民的、全面的、持久的运动。对于农村青年，胡耀邦提出要“狠抓‘向空隙地进军’和‘变低产田为高产田’这两项活动”，并且在饲养员、炊事员、保育员、服务员、卫生员这“五大员”中大树标兵。

由于“大跃进”造成了严重的经济困难，1960 年下半年，中共中央采取了“调整、巩固、充实、提高”的方针，并且要求各个方面的工作都做得更加扎实细致。根据这个精神，1961 年 1 月 4 日胡耀邦主持召开了团中央常委扩大会议，认真回顾了过去一年的工作。对于工作中的不足，他说，这有四个方面：一、有些事情做得还有偏差，有时往往顾了这一头，丢了那一头，肯定了这一面，否定了那一面。有时往往主观地、简单地、绝对地看问题，而不是客观地、历史地、辩证地看问题。二、有些事情发觉得迟，抓得不紧。三、有些事情往往前紧后松，时冷时热。四、还有些事情粗心大意。

其后，邓小平在听取团的工作汇报时，指示团的工作要“深入细致，精雕细刻，点点滴滴，实事求是”。要求从团中央、团省市委做起，贯彻从群众中来到群众中去的群众路线，把工作直接做到基层。

为了把工作扎扎实实做到每个基层组织、做到每个青年身上，胡耀邦继提出开展“五好青年”（政治进步思想好，勤俭建国劳动好，勤学苦练学习好，体育卫生身体好，团结群众作风好）和“四好团支部”（思想政治工作好，“三好”［身体好，学习好，工作好］活动开展好，组织生活健全好，联系群众作风好）活动之后，又肯定了团陕西省委创造的各级领导机关办支部的经验，于1961年12月在南昌召开了北京、陕西、上海、江西等十二省市团委书记座谈会，提出了中央、省（市、自治区）、地（市）、县（区）、公社、大队团委都来办支部，即“六级办支部”。他说，为了使我们健全组织和开展活动心中有数，从明年起我们要六级办支部，书记带头，一年为期，每期办好一个。他说，“明年冬天如果真正办好了，全国加起来就有六万个好的团支部，我们的阵地就不是‘星星之火’，而是‘满天星’了。如果真正办好了，我们的感性知识就丰富了，说话也有根据了。”按“书记带头”的要求，胡耀邦自己也办了一个支部，这就是北京大学中文系59级一班团支部。其后他多次同这个支部的干部和团员谈话，直到一年后他去湖南湘潭工作的前一天，还给支部写了长信，向大家话别。

在那个特殊时期，胡耀邦更加关注团干部的思想作风和工作方法问题。事实上，胡耀邦从就任团中央书记时起，就把培养干部看做是有效地开展工作和向党输送合格接班人的第一要务。他循循告诫团干部要成为青年的表率，要有克服困难的勇气，要有打破常规勇于创造的精神。在五十年代初期的数年里，他推动各地办起了三十多所团校，不断地提倡团干部应当认真读书学习。他曾结合自己的实践和体会，向团干部提出了“干、看、读、想、写”的五字法。他说，干就是要努力工作，特别是要认真工作。看就是要经常到下面去，到青年中去，同青年谈话。青年分布在各个方面，不断地往下跑，看一看，问一问，跑得多，看得多，就增长了知识，增长了理解力。读就是要抓紧时间读书，有计划地读书，要读理论，读科学，读业务知识，学习文化。想就是要思考问题，做了工作，读了书，就要想，就会发现问题，就可以总结经验。写就是要随时把自己的经验教训，学习心得写下来，这样就能积累知识和经验，促使自己更快地进步。在他的影响之下，团中央机关形成了注重读书、相互尊重、十分融洽的气氛，各地也都涌现出一大批既有理论文化知识，又能密切联系群众的年轻干部。由于经济上的困难带来了干部思想上的不稳定，胡耀邦看到了“继续改进我们八万名脱产干部的作风”是当务之急。因此他经常去中央团校同学员们座谈，了解情况，讲授他们应有的思想作风和工作方法。在各种会议上，他反复强调要深入群众，要调查研究，要反映情况，要敢讲真话，而在这一切中，都要贯穿实事求是精神。他提醒大家说：实事求是地办一切事情，确实是不容易的，我们每天都会有比较实事求是和不实事求是的时候，每天都会有比较联系实际和脱离实际的时候。实事求是和联系实际有真相和假相之分，有本质和表面之分，有大和小之分。有这样的自觉认识，才能保持头脑清醒。针对当时的虚夸现象，他要求团的领导机关和领导干部要做到“三不三实”，即：不发无用的号召，不乱造声势，不搞空洞的议论；切切实实地搞调查研究，切切实实地总结经验，切切实实地编写教材和教育性论文。

当时团中央还有相当一批干部下放在各地，胡耀邦十分关心这些干部在困难形势下的境遇，总是找机会到下放地去看望他们。1959 年 5 月初，胡耀邦专程来到河北安国，看望下放到这里的中国青年出版社的一批干部。他了解到不少干部在公共食堂吃不饱，对带队人说，吃不饱是会损伤身体的，应该买点饼干之类，让大家晚上悄悄加点吃的。群众也不是完全靠食堂，晚上回到家里还不是要偷偷做一点吃。在安国的五天里，胡耀邦住在老乡家，白天参加大田劳动，晚上同村干部和青年们座谈。他同老乡一样吃发了霉的白薯干，甚至吃榆树叶，切身感受了农民的苦况。1961 年 3 月，他到湖南益阳看望了下放在那里的干部，嘱咐大家要有战胜困难的信心，要锤炼革命意志。

同年9月，他又到山东金乡去看望下放干部。因为这些干部中有许多是在反右派、反“右倾”斗争中挨整的，因此这一次他推心置腹地同大家作了一次深谈。

他说，这几年团中央一个反右斗争，一个审干，都有问题，有不少缺点。反右倾，现在看起来批判得宽了。团中央几个斗争都有缺点，我提醒过几次，说要搞稳一点。这些事情谁负责？我们书记处的同志要负责。我们没有对大家面对面斗争，但是领导的是我们。我乘此机会把历史说一下。几次运动，成绩是有的，但是问题不少。在座挨过批判的，我说基本上都不是事实，因此，账我主张不算了，大体上一笔勾销。没戴帽子的，将来填表就不写了。基本上都是好同志，缺点每个人都是有的。我代表书记处作自我批评，同志们的包袱可以卸下来。

胡耀邦一向喜欢到外地去，脚踏实地了解情况，考察工作。他每到一地，不单单是调查青年团的情况，也向当地党政干部详细了解经济、文化、教育等方方面面的情况，就一些方针政策性的问题同他们探讨。“大跃进”以后，他在实际考察中耳闻目睹大量浮夸风、“共产风”的实际表现和所造成的严重后果，感到深深的不安，忧国忧民的心绪难以排遣。1960年9月他出差到久违的川北，从广元到南充几百里路上，他看到群众衣不蔽体，面有菜色，不由得激动地说，还不如解放初期我在川北时吃得好，穿得好，难道这就是“大跃进”吗？在有的地方，人们告诉他不远的水库边，饿死的民工的尸体至今没有掩埋，他神色黯然，许久没有讲话。他曾忧虑地对人说：“有些地方自然灾害不是主要的、是‘共产风’把人的积极性刮走了，这是第一位的问题。”① 后来在团的报刊宣传工作座谈会上他甚至主

① 1960年11月23日胡耀邦同中央团校学员座谈时的讲话。

张把《三面红旗万万岁》的专栏取消，说“三面红旗就是不要讲那么多，讲多了让人反感。”

从1961年年初起，他到各地去更着重于对一些政策性很强的问题作更为深入的调查研究，希望能够找出克服一些困难局面的出路，向中央提出建议。1961年春，他从河南内黄调查归来，就曾反复考虑，要改变农村目前的困难状况，最主要的是调动起农民的生产积极性，而眼前这种集体出工派活、大集体统一分配的经营管理，不适合现在的生产力水平、农民的思想觉悟程度和基层干部的经营管理能力。他想给毛泽东、中共中央写一份调查报告提出自己的主张，即把耕地暂时借给农民，让一家一户去种，秋后除交公粮外，收多收少都归社员自己支配。但由于觉得想得不够成熟，放下了。

不久由中央统一组织，他率中央机关和辽宁省委调查组到辽宁海城调查。在相继向中央报送的几份调查报告中，5月5日的“调查材料之四”是《商业工作要活一点》。报告中说，人民公社化以后，农村商业由国营、供销社“两条腿”变成只有国营“一条腿”，从全民、集体两种所有制变成只有全民一种所有制，农村的商品交易就由包括集市贸易在内的三条渠道变成为一条渠道。从最近两年的情况可以看出，所有购销业务统统由国营商业独家包揽经营，是害多利少的。报告在分析了种种“害多利少”的表现后，提出了恢复供销社的原有性质、改变为集体所有制单位的意见。当时正在开中央工作会议的毛泽东看了这份报告后批示说：“印发工作会议各同志。我看了这个谈商业的文件，也觉得很好，可发到县社两级讨论。”后来中共中央发出的《关于改进商业工作的若干规定（试行草案）》中指出，国营商业、供销社合作商业和农村集市贸易，是现阶段商品流通的三条渠道。要把过去撤销或合并的农村供销合作社恢复起来，把过去拆散的合作商店、合作小组恢复起来，同时有领导地开放集市贸易。胡耀邦的调查报告，对农村商业体制的改革，显然起了重要作用。

同年秋，他去河北唐县调查。唐县当年一度曾是华北军区司令部的所在地，胡耀邦在这里工作过，当然会记得这老根据地的人民曾是怎样节省下自己的口粮去支援前线，是怎样期望着胜利后的富裕生活。然而现在竟是这样一片破败荒凉的景象，在老乡家里看到的只是空釜破缸，在集市上看到的只是饿牛瘦马。他感到对这里人民的一种负罪感。他根据《农村工作紧急指示》（十二条）的精神，指导和帮助唐县县委制定了一个《田间管理包产到户法》，在全县推广。他对县委干部说，农业要退够，要实事求是，不要惹事要办事，不能刮风要顶风。食堂要解散，要贯彻按劳分配多劳多得原则，要开放自由集市，并解决对山林、自留地、房屋的有关处理办法。这些富有创造性的政策、措施，使挣扎在饥饿线上的唐县人民获得一些生机，以至于多少年后，当地农民提起胡耀邦蹲点情况时还说，那个在咱们地方打过游击的胡政委是个好人，知道农民的苦。

就在去金乡的那一次，胡耀邦作了长时间长路程的察访。1961年9月4日，他带领三名工作人员，从山东德州下火车，换上吉普，一路风尘，经聊城进入鲁西南，在梁山、济宁、金乡停留。每到一地，都派工作人员入村入户调查。历史上本来就贫瘠的鲁西南，此时更是满目疮痍，有的地方老百姓甚至以霪雨之后大量孳生的蝼蛄为食。此情此景，使胡耀邦一直面色阴沉。然后经江苏丰县、徐州，进入安徽，到宿州、凤阳和阜阳停留。这些地方情况较好些，胡耀邦情绪也高些，同地、县委负责人深入探讨了人民公社体制等方面的问题。由此到河南漯河，乘火车到河北邯郸，又同两地负责人仔细交谈。在从邯郸回北京的火车上，胡耀邦就酝酿要给中央写报告，29 日回到北京，不久报告写成。由于这次黄河、淮河平原之行，除乘火车外，行程约三千六百里，所以报告取名为《二十五天三千六百里的农村察看》。

报告一共讲了十个问题，包括水灾和水利问题、五风问题、田间管理责任制问题、大牲口问题等等。特别是，在报告中他陈述了对改革农村状况的看法。他认为，“大队统一分配，在当前是保护队与队之间的平均主义的一个堡垒”。他赞成用分配大包干代替“三包一奖”，认为这是“解决生产在小队而分配在大队这个矛盾现象，真正调动小队积极性的一个大问题”。当时，在党内，对以生产队为基本核算单位的认识，并不一致，包括一些省委书记和相当数量的地委、县委书记在内。在高级干部中，像胡耀邦这样，以正式报告的形式，如此鲜明地表达对以生产队为基本核算单位的主张的肯定和支持，为数不多。当时毛泽东正在主持召开中央局第一书记会议，专门研究以生产队为基本核算单位问题，他看了这份报告十分高兴，当即写下批语：“此件写得很好，印发各同志，值得一看。”①

五 严格自警自律

困难时期，胡耀邦在个人生活方面，自我要求更加严格。他本来一向自奉俭朴，衣不厌旧，食不求精，从来不搞特殊化，此时就更加自觉地以身作则，处处遵守有关制度。1960 年末，他的家乡浏阳县文家市公社金星大队想买一台发电机，但当地

① 《毛泽东传（1949—1976）》（下），第 1180 页。

买不到。大队支部书记龚光繁就托胡耀邦的哥哥胡耀福和堂弟胡用简到北京，请胡耀邦帮忙。党支部让他们带上一点家乡的土产竹笋和芋头，以表达家乡人民的一点心意。

胡耀邦认为，大队为生产和生活买台发电机是好事，答应设法为他们购买。但对于胡耀福二人用公款作路费和带来土产，却很不满意。在胡用简返回时，他特地给党支部写了封长信，郑重地提出了批评，信中写道：

“不久前，我曾经给公社党委详细地写了一封信，请求公社和你们一定要坚决劝止我哥哥、姐姐和一切亲属来我这里。因为，第一，要妨碍生产和工作；第二，要浪费路费；第三，我也负担不起。但是，你们却没有帮我这么办。这件事我不高兴。我再次请求你们，今后一定不允许他们来。

“这次他们来的路费，听说又是大队出的，这更不对。中央三番五次要各地坚决纠正‘共产风’，坚决严格财政管理制度，坚决退赔一平二调来的社员的财物，我们怎么可以用公共积累给某些干部和社员出外做路费呢？这是违反中央的政策的啊！如果社员要追查这些事，你们是负不起这种责任的啊！请你们党支部认真议一议这件事，一切违反财政开支的事，万万做不得。做了，就是犯了政治错误。

“送来的冬笋和芋头，这又是社员用劳力生产出来的东西。特别是现在的困难时期，大家要拿来顶粮食，你们送给我也做得不对。但是已经送来了，退回去，又不方便，只好按你们那里的价格，退回二十四元，交用简带回，请偿还生产这些东西的社员。

“来信说，冬季生产很好，我很高兴。但听说，你们去年整年的生产很不好，减产极大。务请你们根据中央政策认真吸取教训，兢兢业业地领导社员把今年的生产搞好。你们的生产搞不好，不但社员生活不能扭转，连我们这些在外工作的干部，脸上也感到不光彩。为了搞好今年的生产，我希望你们今年分三次（一次可在四月，一次可在八月，一次可在十一月）把你们的实际情况写信告诉我一下。要写实在的情况，不许虚夸，有什么意见和不懂的东西，也可写，可以问，绝对不要隐瞒。来信说，我对家乡有无微不至的关怀，这不合乎事实。一切不合乎事实的东西，都叫虚夸，不要那么写。但我的确关心你们的工作和生产，所以请你们在可能的情况下，今年分三次把真实情况告诉我一下。”

隔几天，胡耀邦又把这之前文家市公社党委书记杨庆祥来京时带来的茶油、豆子等物，折价退回。

胡耀邦这种清正廉洁的作风，不是一时一事，而是保持了一生。

经过“大跃进”的挫折，中共中央领导人头脑逐渐冷静下来，开始总结工作教训。1962 年 1 月，召开了规模空前的扩大的中央工作会议，即七千人大会。胡耀邦参加了这次大会。刘少奇在工作报告中指出这几年的问题是“三分天灾，七分人祸”。他说，这些问题“是由于我们工作中和作风上的缺点所引起的”，“全国有一部分地区可以说缺点和错误是主要的，成绩不是主要的。”毛泽东也作了自我批评，并提出要加强民主集中制。这次会议体现出了比较实事求是的精神，使心情一直压抑的人民算是舒了一口气。

胡耀邦参加这个会，也是百感交集，别有一番滋味在心头。这几年政坛的翻覆，社会的震荡，经济的挫折，经过这次会议，也许会有些转机。结合着这几年的风云变幻，他也自然地联想到自己。

大会以后，他立即向团中央中层以上干部传达了大会精神并谈了自己的体会。这也是他历来的做法。每次参加了中央的会议，回来后他总是及时传达。他不像有些高级干部那样讳莫如深，只讲原则和概念，他的传达总是具体而生动的，某月某日毛泽东说了什么，某件事情来龙去脉如何，他都一一讲给大家。同时，也总是结合着自己的认识和体会。听他的传达，令人有身临其境的感觉。

这次传达扩大的中央工作会议，他作了长篇讲话，除了介绍会议内容和他归纳出的一些认识以外，值得注意的是他对自己的检讨。

他说：最近四年来，我也是犯了错误的。我不是“正确派”，更不是“一直正确派”。第一，大部分错事情，我都是真正赞成的。第二，有些重要的错误，我想的、讲的、做的更过火，纠正得更慢。第三，在个别具体问题上，我确实有过怀疑。但是也有两条缺点，一是并没有想清楚，二是没有及时地提出意见。

显然，他是以严格要求的精神总结自己。他肯于向下属干部“交心”。他的这种推心置腹式的传达和自省，使大家受到深深的感染。

到1962年，胡耀邦从事团中央工作整整十年。这十年尽管有一半以上的时间，由于客观环境的变化，青年团工作未能正常开展，但从总体上来说，这个时期却是青年团历史上最辉煌的时期之一，说青年工作是一副气壮山河的姿态，大概不算过分。而胡耀邦，就是青年团的象征。尽管胡耀邦后来承担了党和国家的领导大任，但是他任团中央书记的这段历史，在他毕生事业中无疑是耀眼的一页。

第十章 下放湘潭

一 请缨赴湘潭

七千人大会以后，中共中央倡导大兴调查研究之风，并且开展了全国规模的调整工农业生产的政策。5月间，中央书记处决定从中央直属机关和国家机关抽调一批领导干部，带职下放到主要产粮区，加强地、县和基层的领导，争取尽快恢复和发展农业生产，改善人民生活。

一直关注着农村形势发展的胡耀邦主动请缨，报名到一个地区去兼职办“点”，以深入了解实际，休察民情，总结经验，改变一个地区的面貌。

他的要求得到中央的批准，他被任命为中共湖南省委书记处书记，兼湘潭地委书记，工作重点放在湘潭。

1962年7月18日，刘少奇对所有下放干部讲话。他交代的任务是：一、加强地委、县委和基层的领导；二、贯彻执行中央政策；三、如实反映情况；四、改变地方党组织中的不正确作风；五、巩固集体经济，发展农业生产。

但胡耀邦没有立即动身，他留下来参加中央工作会议和八届十中全会。

7月25日，中央工作会议在北戴河召开。按原定计划，会议主要讨论农业、粮食、商业和国家支援农业等问题。会议开了一个星期以后，毛泽东认为不能这样只是讨论具体问题，离开阶级斗争就什么也说明不了。随后，他正式在大会上作了关于阶级、形势、矛盾的讲话，强调社会主义国家依然存在阶级、阶级斗争。既然阶级存在，就要出反革命，而他们总是想复辟的。所以阶级斗争一万年也要搞。在阶级斗争思想指导下，会议将邓子恢主张的“包产到户”批判为“单干风”，将彭德怀上书申诉[①]和习仲勋审看过的小说《刘志丹》批判为“翻案风”。猛烈的批判斗争进行了一个月，又经过近一个月的预备会议，八届十中全会在9月24日开幕。毛泽东在会上再次强调阶级斗争问题，号召全党“千万不要忘记阶级斗争”，“我们必须从现在就讲起，年年讲，月月讲，开一次中央全会就讲，使全党提高警惕，使我们有一条清醒的马克思列宁主义的路线。”

从此，阶级斗争的狂风又呼啸起来，由调整经济政策和对受批判、处分干部的甄别平反带来的社会缓和气氛又趋紧张，刚刚进行不久的对扭转困难局面极为重要的纠“左”又变成了反右。

9月27日，八届十中全会闭幕当天，胡耀邦又接受中央交给的任务，率领中国阿尔巴尼亚友好代表团赴阿尔巴尼亚访问，直到10月18日才回国。经过匆匆的准备，他在11月10日前往

① 即八万言书。

湖南走马上任。

湘潭是毛泽东的家乡，历来是人们瞩目的地方。胡耀邦当然明白，中央派他去湘潭，不会是一个随意的举动，而是重托，是信赖。这使他感到重担在肩。他虽然在川北已取得丰富的地方工作经验，但毕竟离开地方工作已经十年了，这十年里实际工作的繁复变化又是那样巨大，这次重返地方工作岗位，无疑是面临一个新的挑战。

但胡耀邦充满着自信。他一如既往，有对重担应战的胆识和魄力。他喜欢驾驭复杂的形势，喜欢从事开创性的工作。

在省里拜会了省委书记张平化等主要领导人，听取了情况介绍，阅读了许多有关文件以后，11月16日，他来到湘潭。

同他一起下放到湘潭地委的还有团中央书记处书记梁步庭，任浏阳县委书记；团中央办公厅主任鲁钊，任湘潭县委副书记。

在他到来之前，湘潭地委书记由省委副书记华国锋兼任，他到来之后，华国锋改任第二书记。

胡耀邦同华国锋这是初次相识。高大憨实的华国锋具有北方汉子的质朴和鲠直。他熟悉农村情况，平易近人，有吃苦的精神。在以后的合作中，他们互相尊重，互有好感。

华国锋和地委领导人王治国、高臣唐、樊茂生、赵处琪等向胡耀邦汇报说，“大跃进”以来，农业生产力遭到破坏，湘潭这个本是鱼米之乡的地区粮食减产到解放初期水平。近几年虽然逐渐好转，但是困难还没过去，一些地方农民家中无粮，生产积极性低落。“大跃进”和人民公社化运动中，不少基层干部犯了“五风”[①]错误，反“五风”的整风整社当中，这些干部挨了整，一些地县负责人也未能幸免，“不听上面的犯错误，听

① “五风”，指“共产风”、浮夸风、命令风、干部特殊风和对生产瞎指挥风。

上面的也犯错误”的说法在干部中流传，因而弥漫着泄气、怨气、悲观等消极情绪。七千人大会以后，已经向被整的干部道了歉，但没有完全解决。全地区有百分之六十的农户明明暗暗搞了包产到户，干部强行扭单干，又造成干群之间的矛盾。总之困难不少，矛盾不少。

在这众多问题里，胡耀邦最为重视的是，干部的思想情绪、精神状态问题。干部不振奋起来，没有好的工作作风，没有明确的政策观念，则一切问题的解决都无从说起。在同华国锋等商讨后，他提出了“解泄气、鼓干劲、搞生产、渡难关”的指导思想。

紧接着召开了地委会议，胡耀邦同地委委员见面。他传达了八届十中全会精神，向大家介绍了全国形势，引导大家放开眼光看大局。他充分肯定了湘潭地区的工作，指出对前几年工作中的问题不要背包袱，上级已经承担了责任，大家要振奋精神，大胆负责。他说，他下放到湘潭，就是要同大家共命运，同湘潭地区广大人民共命运，鼓起干劲来改变湘潭面貌。“这是我们共产党人的天职，也是大局所在，大家一定要顾全大局。”地委委员们都久闻胡耀邦的大名，现在他来到他们中间，又有威望甚高的华国锋作他的副手，大家都为有“这么强的领导”而深受鼓舞。

胡耀邦没有待在地委机关里通过找各县领导汇报来了解各县情况，他在阅读了有关文件，参加了几个会议后，便在11月下旬亲自“往下跑”，深入到各县去调查研究，掌握第一手材料。

当时湘潭地区下辖十个县，通常讲北五县，即洞庭湖滨的临湘、湘阴、岳阳以及平江、湘潭；南五县，即浏阳、醴陵以及罗霄山脉西侧的攸县、茶陵、酃县，从湖区到山区，这是一个数百公里的狭长地区。胡耀邦由华国锋陪同，只带少数工作人员，由北而南，进行了一个半月的广泛的考察。

他们风尘仆仆，一个县一个县，甚至是一个公社一个公社、一个大队一个大队地跑。每到一地，胡耀邦都要把当地各方面情况了解得充分而具体，包括人口多少，田土多少，稻插几季，亩产若干，猪牛饲养，鱼塘，果树，家庭副业，几许收入，有无自留地，群众情绪等等，也常常涉及学校教育、医疗卫生诸多方面。在听取汇报时，他不时提出问题，特别是群众生活安排，干部作风、干群关系方面的问题。他边听边同华国锋讨论，不时提出一些解决问题的办法和思路。在听取汇报的同时，他把秘书和警卫员都“撒”下去，直接找老百姓交谈，掌握最切实的情况，回来再同当地干部的汇报相印证。他自己也利用各种机会直接同群众攀谈，有时还就某些问题请农民群众座谈，听取农民意见。交谈当中，他提出一个又一个题目，引发大家思考、争辩；他提出各种方案，要大家比较、选择。他风趣的谈吐常常逗得大家哈哈大笑，使得最老实的农民也消除了拘谨感，极自然地表达自己的思想意愿。有时路上见到有农民在田头休息，他会停下车来，同大家席地而坐，问这问那，有说有笑。无论同群众还是同干部谈话，他都扼要地作笔记。他有深思的习惯，坐在车上时常沉默不语，一支接一支地吸烟，沉浸在对各种问题的思考之中。有时候兴致上来，他把思考的问题和意见同身边工作人员讨论，甚至是争论。坐在车上，他也细心观察所到之处的庄稼长势，人们的衣着、脸色甚至神情，从中作出此地生产好差、群众贫富的大致判断。他在干部和群众中没有架子，却有一种特殊的精神抖擞、热情充盈的魄力，能够使人们受到强烈感染。他一路奔波，走到哪里就住到哪里。农村有些地方条件还很差，土壁纸窗，没有取暖设备，甚至没有电灯。但他对这些毫不在意，总是兴致勃勃地谈话或阅读材料直到深夜。如果住在县委，就要找来地方志夜读，认真记录当地历史沿革，山川形胜，风土人情。他常常说，毛主席要我们解剖麻雀，光开膛破肚不算解剖，一定要把五脏六腑都弄清楚才算解剖。

本着"解泄气、鼓干劲"的方针，所到之处，胡耀邦都把调动干部积极性放在首位，充分做各级干部的思想工作。湖区各县岳阳、湘阴、临湘的县委书记都是南下干部，经验丰富，这里工作基础都较好，集体经济比较巩固。胡耀邦看到这里的生产还有很大潜力，特别是听到近年在防汛抗洪斗争中干部和群众冒着狂风暴雨、奋不顾身、昼夜苦战、筑堤固坝的事迹，他既兴奋又感动。他鼓励大家把这种不畏艰难的干劲保持下去，打一个粮食翻身仗，同时把副业生产搞上去，争取群众生活有更大好转。

在到达醴陵时，正好县里召开扩大干部会议。县委书记李哲原是湖南省卫生厅厅长，此时下放为湘潭地委副书记兼醴陵县委书记。李哲邀请胡耀邦给大家作报告。胡耀邦听了情况汇报和看了会议简报之后，来到会上同三百多名干部见面。他说，我送给你们八句话："今年很有成绩，依靠大家努力；全国形势虽好，困难还有不少；继续乘胜前进，干劲加上钻劲；明年更好丰收，前途一片光明"。他动情地说，我们已经度过了三年困难时期，再继续奋斗几年，摆在我们面前的经济发展问题将逐步解决。在困难面前怎么办？有四种态度和办法：一是不干了，回家去。二是骂娘、发牢骚。三是当扒手，搞偷摸，这是法律所不容许的，要受到惩罚的。前面三条都是没有前途没有出路的。四是咬紧牙关，带领广大人民群众战胜困难，继续奋斗。革命就是和困难作斗争，胜利是从艰苦斗争中得来的。他举了长征过梦笔山时那个要好的战友拔枪自杀的例子说，爬这座山确实非常苦，但是走过山顶，最困难的阶段就过去了。咬着牙走下去，过了腊子口，就到了陕甘宁根据地。他说，他很为那位战友惋惜，一时的软弱，毁了一生的前途。他说，这件事对他震动很大，使他一直记得，困难是一种考验，也是磨炼，任何时候都要迎难而上，不要丧失革命的信心和勇气。他的话具有打动人心的力量，引导着在座的各级农村干部对工作前途作更深层次的思考。会后，大家还津津乐道地谈论着“四种态度”。

11月25日，他们一行来到浏阳。

胡耀邦离开这块他的生养之地，整整三十二年了。浏阳河还是缓缓地穿城而过，河边洗衣的妇女，河里拉船的纤夫，景色依旧。颇有文学情趣的胡耀邦不禁吟哦起“少小离家老大回”。但这一次太急促了，他无暇寻访少年时的陈迹。

浏阳也正在开公社党委书记以上干部会议。梁步庭向他汇报了情况。26日，他向参加会议的人员作了报告。在照例分析了正在好转的形势之后他说：你们过去做了不少工作，家乡面貌发生了变化，但是工作中也出现了一些错误，如刮“五风”等等，农民积极性受了挫伤。为了纠正这些错误，进行了整风整社，可是不少干部挨了批判，六十五个公社有四十一个同志挨了斗争，大部分斗错了。这些错误不应完全责怪下面的同志，应该由上面负责。为了解开思想疙瘩，不是华国锋同志曾经来给你们作了报告吗？（华国锋插话：我来作了检讨。）华书记已经作过检讨，大家气消了没有，应该消了吧！搞革命这是难免的。我们这些人，前世无冤，今世无仇，来自五湖四海，都为的是想把革命搞好。我们是坚持真理，修正错误，既然上面担了担子，大家就不要再有意见了。他接着说，回过头来还是要讲，各行各业成绩是主要的，广大干部艰苦努力是主要的，建议你们会议讲清这一条，使大家昂起头来，鼓起劲来，把工作做好。这次讲话同样取得很好的效果，会场上当时就有人响应："我们没有意见了。"

胡耀邦这回对南北十个县的考察，虽然行色匆匆，但他还是敏锐地了解了各县的重点、特色所在。

在岳阳，他乘机帆船从洞庭湖驶向城陵矶，看水势，勘地形，思考着抗洪抢险的长策。

在以生产瓷器闻名的醴陵，他认为这里的瓷器工业应该在促进经济发展上起更大作用。他还希望醴陵也像浏阳那样发展花炮业，使鞭炮和瓷器都争取多出口创汇。

在攸县，他发现茶花坪公社干部作风深入，吃苦耐劳，生产稳步上升，十分高兴，提示几个要点，要县委认真总结茶花坪经验。

在茶陵和酃县，他根据这里山区田土少，而林木资源丰富的特点，着力强调发展多种经营，发展木、竹等手工业制品和山区土特产。

一向对文史胜迹有浓厚兴趣的胡耀邦，在岳阳时，一天傍晚，登上了岳阳楼，望着烟波浩淼的洞庭湖，忘情地同秘书一起背诵起《岳阳楼记》。此时，"先天下之忧而忧，后天下之乐而乐"的名句，大概正像洞庭波涛一样，在他胸中荡漾吧。

在酃县，他从县志上读到炎帝陵在此地，兴奋地对县委书记郭步书说：我们中华民族的老祖宗炎帝神农氏葬在你们这里，这是酃县的荣耀啊。他关切地询问炎帝陵现在怎么样了，当听说1955年香客烧香引起火灾，主体建筑都烧毁了，以后再也没有修复，他提议立即去看看。他们一行到达时，看到的是一片断壁残垣，荒草丛生。胡耀邦绕陵园废墟走了一圈，连声说"太可惜"。他感叹地对华国锋和郭步书说，"根据县志，这里是宋初就建殿祭祀炎帝。前人对中华民族始祖有这份感情，有这种能力建造这样规模宏大的陵园，我们也应当有这份感情重修炎帝陵。”

时间跨过23年，1986年4月，重修炎帝陵，时任中共中央总书记的胡耀邦得讯，高兴地题写了陵碑。

对于胡耀邦来说，特别感到高兴的，还在于此行登了一回井冈山。

那是在茶陵，华国锋告诉胡耀邦，这里离井冈山已经很近了。胡耀邦说，1930年他参加革命的时候，中央根据地已转移到瑞金，所以他没有上过井冈山。华国锋提议说，从这里去很方便，何不去看看。胡耀邦经过考虑，决定就近一行。

12月初，他们登上井冈山。虽然已是隆冬季节，但山上依然林木葱郁。望着层峦叠嶂、云霭聚散、气象万千的井冈景象，胡耀邦十分感奋。在大井，他们参观了当年红军领导人的居室，都是那样狭窄、昏暗、潮湿，胡耀邦不住地说：“干革命就是吃苦啊！”在毛泽东旧居前，有一块平滑的大石头，他听说毛泽东军务之余，常常坐在这里读书，便也在这里坐下，拿来一本书作阅读的样子，拍了一张照片，表达着他对毛泽东的崇敬。他们又到黄洋界、茅坪、茨坪等处，一一寻访了当年红军战斗生活的遗迹。胡耀邦的精神始终处于亢奋之中，显露着一偿夙愿的满足。

次日下山，途经永新县，停了下来。这里是胡耀邦投身革命的第一站，该是存留着他无数色彩缤纷的记忆。他急切地寻访当年湘赣省儿童局的旧址，寻访任弼时的住处，然而沧海桑田，都已杳无可寻。他只能满怀激情地向随行人员讲述发生在这一带的“不费红军三分力，活捉江西两只羊（杨）”的故事，讲述他被怀疑为“AB团”的故事。在久久盘桓之后，他怀着无奈和感叹，踏上了归程。

二 少小离家老大回

经过一个半月的考察，并且随时同华国锋交换意见，胡耀邦对湘潭地区的主要情况和问题已经心中有谱。回到地委，召开地委会，明确并落实发展生产的大计。

胡耀邦提出，湖南是个“七山一水两分田”的农业大省，湘潭地区必须从田少山多的实际情况出发，进行综合经济开发、利用和管理。山区要以山养山，江湖区靠水吃水，有田的种田，能搞副业的搞副业，做到农林牧副渔全面发展。因此，明年的任务，总的要求是：鼓足干劲，集中力量，以粮为纲，全面安排，争取农业生产达到或接近1957年的水平。为实现这一目标，要有四个大抓：一、大抓粮食生产。粮食生产还是工作的第一位。湖南是全国的一个粮食基地，湘潭地区又是基地的基地，抓好粮食生产应当是长期方针。抓粮食生产应以提高单位面积产量为主，同时积极扩大耕地面积。二、大抓畜牧业，使牛、马、羊、鸡、犬（菜狗）、猪更快地发展起来。畜牧业中尤其要大抓养猪。养猪一举三有：有肥、有肉、有钱；又有三变：肥可以变粮，猪可以变油，又可以变富。三、大抓经济作物。争取扩大棉花、苎麻、辣椒等多种经济作物的种植面积，达到稳产高产，解决好农民的穿衣和零花钱等问题。四、大抓封山育林，有计划地开展一个群众性的荒山荒坡造林运动，解决农村烧柴、住房和用材问题。当然，这一切都要因时因地制宜。这四个“大抓”，胡耀邦在川北实行过，他知道这是会有收效的。

为了切实贯彻“以粮为纲，全面发展”的方针，让农民放心生产，胡耀邦提出了一条十分重要的政策，就是把粮食征购任务固定下来，三年不变，三年后再稳定五年不变。

作了这样的部署、统一了认识之后，胡耀邦便以浏阳为重点，全面开展了工作。

1963年1月26日，春节一过，胡耀邦便又来到浏阳。

出于“首先要让老百姓吃饱饭”的想法，他同梁步庭、张琴室、石维刚等县领导进一步研究了“大抓粮食生产”的问题。他说，这策那策，把粮食搞上去是最上策。但他没有停留在眼前，而是作了相当长远的设想。他说，浏阳一百一十万亩耕地，如果亩产五百五十斤，全县就是五点五亿斤。当然，不能要求每亩都达到五百五十斤。换一个算法，一百一十万亩中有三十万亩亩产八百斤，就是二点四亿斤。浏阳土地的潜力还很大，这种可能性不是没有。这是第一步。第二步是再搞三年，即到1965年把耕地面积扩大到一百三十万亩，每亩平均产六百斤，全县就是七点八亿斤，就超过了1957年。第三步，到1970年左右，平均每人搞到一千五百斤粮食，以八十万人口计算，就是十亿斤。这样，我们的日子就好过一些。同志们敢不敢这样想？有长远设想比没有好。他说，在调整了粮食征购政策以后，农民的种粮积极性肯定会上来，但是现行的传统的耕作方式，难以改变粮食产量不高的局面，因此要从农田基本建设入手，在科学种田上下功夫，根据实际情况，可将单季稻改双季稻，间作改连作，高秆改矮秆。他还提出，各地农村都有一些荒山荒坡，没有利用，十分可惜。可以把这些荒山荒坡包给农民种粮食，一两年不要农民上缴粮。一些土地较多的地方，也可以多分一点自留地给农民搞小自由，自种自收。

讨论当中，大家又提到了“单干”① 问题。当时全县一万四

① 当时的所谓单干，实际上是包产到户。

千一百三十二个生产队，采取各种形式分田单干的有七千二百九十八个，占百分之五十一点六，县委觉得对这个问题处于两难之中。一方面，这是“走资本主义道路”，不能允许；另一方面，从实际效果看，这确实提高了产量，农民生活得到了改善。因此，县委感到压力很大，进退失据。胡耀邦看到，那么多基层干部和社员群众要求把田地分到各家各户自己干，而且从实际情况来看，确实是精耕细作，丰收有望。这与此前在河南内黄调查中所看到的情况大同小异。从内心来说，他认为在一个特定时期内，分田单干，不失为一种权宜之计。但在这时他不能不明确表示，反“单干风”，是毛泽东在八届十中全会上提出来的，必须贯彻，所以还是要“坚决扭单干，认真办集体”。但是纠正单干的方法要讲究，步子要稳妥，不能强迫命令。他同时又着重指出，这也必须顾及实际情况，比如山区分散的单家独户，屋前屋后有几丘小块田，搞集体生产往返浪费人力，住户没有责任心，这种田就会减产甚至荒废。像这样的地方，实行包产到户是可以的。另外，有的生产队有那么几户经再三说服教育仍然坚持包产到户的，也应允许，不要霸蛮。集体办好了，他们会回来的。他开玩笑说：我们也来个赫鲁晓夫的办法，叫作“明智的妥协”不好吗？

大家赞成这种实事求是的做法。

据当时的湘潭地委副书记高臣唐回忆：“后来，大约有百分之三十的生产队坚持了包产到户，个别地方搞了‘明集体，暗单干’。实践证明，这种形式大大调动了农民的生产积极性。”①

在县里，胡耀邦会见了当年浏阳中学的老同学，并且回母校看了看（已改为浏阳县第一中学）。农历正月初四，他婉谢了

① 高臣唐：《耀邦同志永远活在我们心中》，《胡耀邦与家乡浏阳》，第46页。

县委领导的陪同，轻车简从，前往文家市。

文家市这时是区政府和公社所在地，仍然是乡镇面貌。少年时在这里读过三年高小的胡耀邦，对这里的一切都感到亲切。使他有些怅惘的是这里竟然这样寂寥，他离开家乡时这里的火暴情景已像烟云似地飘逝了。他抽空去了母校里仁学校，看到没有多大变化，只是更斑驳陈旧了。在那里，他向随行人员讲起1927年毛泽东在秋收起义后率部队来到文家市，就驻在里仁学校，他曾经趴在墙头上看毛泽东对部队讲话的情景。过后，又去文家市街侧的高升岭上的古庙，寻访他与舅舅当年在这里活动的陈迹。他还去看望了幼时同学陈世爱，得知陈世爱家庭生活困难，立即答应拿出一百元钱来资助他的儿子上大学。他打听到老战友胡耀甫的八十五岁的老母亲还健在，住在乡下，便派人用竹轿把老人接来区里问候。胡耀甫也是早年参加红军，长征快到陕北时在战斗中牺牲的，胡耀邦亲手料理了他的后事。现在老人已经失明，但是她还记得这个“邦伢子”，慈爱地摸抚着胡耀邦的头，两人间洋溢着亲子般的感情。他得知潘豹仍住在西乡，就同老战友邓洪一起驱车前往看望。1932年夏，胡耀邦去湘东做扩大红军的宣传工作，在醴陵白兔潭遭遇敌人，是当时任前卫连长的潘豹机智地打退敌人，才转危为安。他们见到潘豹，才知道他在湘江战役中腿部负了伤，只得留在湘赣边境上打游击，直到解放。由于腿瘸，享受荣誉军人待遇，后来没有再出来工作。胡耀邦想在县里为他安排一份工作，他说已习惯了同乡亲们在一起，不愿意出去了。三个老战友一直谈到傍晚，胡耀邦才恋恋不舍地离去。

胡耀邦的这些寻访和会晤，都是挤时间进行的。在那几天里，他马不停蹄地跑了文家市、中和、山枣公社，走访了十几个大队，几十个生产队，同大队、生产队干部座谈，上门串户或到田间地头同群众交谈，详细了解农村生产生活等各方面情况。他还走了八里羊肠小道去察看了有争议的清江水库，决定按照多数人的意见，不关闸不蓄水。到达山枣公社桥头园时，已是中午。他们一行在路边草地上坐下来，拿出带来的馒头和白开水，吃起了午餐。胡耀邦边吃边向四面观察，他看到路边有两丘绿肥田长得特别好，田坎上的草也铲得光光的，跟其他田不同。他向大家说，这几丘田可能是“单干”的，你们信不信？经过调查，果然这个生产队都在单干。

从几天来掌握的第一手情况里，胡耀邦明确意识到，“单干”问题不能再拖延了。其所以如此，倒不在“单干”有多少消极作用，事实上他也清楚地看到了“单干”确有一些积极作用；但由于上级没有拿出明确的主意，大队、生产队、社员便等待、观望，田没有犁，水利没有修，到现在还没有着手准备今年的春耕生产。他对区干部说：“我来后看到这种形势，很是担心。”但是胡耀邦没有第二种选择，中央是把“单干”看做阶级斗争一大表现，省里也把解决“单干”问题作为当务之急，因此他肯定地指出：“要改变这种形势，把生产搞上去，现在需要立即解决的问题就是：坚决扭‘单干’，认真搞集体。”在这样的前提下，再想方设法帮助基层干部学会办好集体经济，使农民从集体经济中多得到一些实惠。

胡耀邦把公社、大队干部都召集到区里来，2 月 5 日，向大家发表了一篇题为《团结起来，办好集体经济》的讲话。在讲话里，他提出了八条“办好集体生产”的办法，包括干部带头，实行定额管理，坚持按劳分配，一切财务公用，加强思想教育，打击破坏活动，贯彻民主办社，解决实际困难等等。他把各方面的问题都想得很细，比如重新回到集体，生产队干部不担担子怎么办？缺乏资金怎么办？缺少耕牛、农具怎么办？口粮不够怎么办等等，并一一提出了解决的具体办法。讲话中，他对干部们没有责备，仍然是鼓劲的。他说："1959 到 1961 年文家市集体经济没有搞好，固然与基层干部的某些缺点有关，但主要的不能由文家市区各级干部负责，而要由上级来负责，因为，有些主意是上级出的。现在基层有不少新干部，他们更不能对前几年的缺点、错误负责。这几年，大家吃了苦，受了累，工作很有成绩，党是了解你们的，群众也是会感谢你们的。"

到会干部们反映，胡书记这一番话使大家吃了"定心丸"。既然如此，那就干吧。——会后，很快兴起了春耕热潮。

这个讲话后来作为县委文件发到区和公社，作为在全县"扭单干"的依据。

在文家市期间，哥哥胡耀福和侄子胡德资曾到区里来看他，见他太忙，就匆匆回去了。在处理完一些重要事情之后，胡耀邦决定回到离开三十二年的老家去看看。2 月 6 日，只由警卫人员陪同，带上馒头和开水，他们一行步行前往苍坊村。

还是那样的丘陵地形，还是那样的山冲曲径，山坡上的丛丛松杉、油茶，由竹林拱卫着的褐色的屋场，这一切，都该唤起胡耀邦对当年往返文家市上学路上的遐想吧。他向警卫人员指点着说，这里叫枞树坡，那边还有个杉树坡，我小时候常在这里劳动。

胡耀邦回来了，这自然轰动了小小山村。苍坊大队党支部书记、大队长、生产队长出面接待，也不时有乡亲们前来看他。他向他们详细询问了村里的生产和生活情况。傍晚，他来到哥哥家，也就是他的旧居。

他从群众那里了解到胡耀福有一些占集体小便宜的行为，便直率地批评了哥哥，让他把东西退回去。在家里住了一夜，第二天，为哥嫂留下几十块钱，告别了刻满童年印记的老屋，离开了苍坊村。

后来他对人说起，我三十多年没回家，在家里睡了一晚，很不舒畅。我们小时候在家大家都有事做，有的做鞭炮，有的绣花，有的打鞋底。现在大家都不寻事做，一些小孩子不但不做事，还吸烟，这样，一是家庭收入减少，二是把风气搞坏了。小孩子搞点家庭副业，培养他们从小热爱劳动，怎么不好！

他们一行又到中和公社停了一天，2 月 8 日，农历正月十五，返回文家市。这天寒风裹着春雨，时落时停。他们登上中和与文家市交界处的山冈，来到一个叫作甘露亭的小亭歇脚。胡耀邦看到，一个十来岁的小女孩正向亭边茶店老板娘啼哭。女孩赤着脚，穿着单薄的破衣，满脸泪水。这引起了胡耀邦的注意。经询问老板娘，这个女孩叫王光梅，无父无母，她要带两个幼小的弟弟，还有一个八十岁的祖母需要扶持，生活凄惨。胡耀邦听罢，立即说“走，下山去看看”。他要小女孩引路，不顾山陡路滑，拄着拐棍，沿着泥泞的小路快步走下去。进了王光梅家破烂的草棚，只见屋漏锅破，老人和孩子在冷风中瑟缩，苦不堪言。胡耀邦大为动容，派人找来大队支书，严厉批评他不关心群众，限他三天把棚子和锅灶修好，对生活作好安排，三天后派人来检查。他和随行人员都给王光梅捐了一些钱。回到文家市以后，他要民政部门立即拿棉衣、棉被和几件单衣并几十块钱给王光梅家送去。同时指示区委迅速摸清全区还有多少这样的困难户，发放救济粮款，安排好群众生活，限期办好这件事，并向他汇报。这件事后来在当地广为传颂，人们称之为“甘露亭访贫”。

其后数天里，继续是白天下去调查，晚间研究情况，整理材料。在文家市的半个月里，不少亲朋故旧来探访胡耀邦，他也想看望许多人，但由于接连下乡，只见到了少数人。在离去之前，2 月 13 日，他自费安排请来五十位乡亲故旧吃顿便饭。他满面笑容地对大家说：乡亲们，戚友们，今天请来各位吃餐冒菜饭（没有用酒），君子之交，清茶一杯，以茶代酒，不成敬意。今后希望各位多支持区上和公社的工作，把家乡文家市地区建设好。他挨桌同大家交谈，一一问候。几十年的亲情友情，融化在一片欢声笑语之中。

离开文家市后，他又到了大瑶、大围山、张坊、官渡、古港等区，2 月下旬，才回到湘潭。

三 四个“大抓”

在部署大抓粮食生产之后，胡耀邦又把重点放在多种经营，特别是林业生产上。在前一年考察湖区各县时，他就曾同华国锋来到岳阳毛田。毛田区委书记许志龙领导群众在荒山植树造林、抗旱夺丰收的事迹，在当地传为佳话。这里 1962 年的粮食总产量，比产量最高的 1958 年还增产百分之二十八。从 1958 年开始栽种梨树，已栽了十万多株。胡耀邦和华国锋在精壮的许志龙引导下，登上一个山坡，只见郁郁葱葱，一眼望不尽的森林。他们两人高兴万分，大加赞赏。后来胡耀邦特地写了《可贵的革命干劲》的调查报告，介绍毛田经验。

从浏阳回来不久，胡耀邦又去醴陵调查了解林业生产情况，研究恢复发展林业生产的政策。县委向他汇报了醴陵发展林业生产的五年规划，详细谈了醴陵人多田少，有二十多万亩荒山荒坡，还有十几万亩残林等实际情况，计划大抓发展木本粮食——板栗。因为这种树经济价值高，五年结果，可当粮食，木质可做国防用材。规划三年育苗，五年造林，绿化所有荒山荒坡。胡耀邦听后高兴地赞扬说：你们抓住醴陵人多田少的特点，发展木本粮食，抓得对，抓得好，是百年大计，人民会感谢你们。

随后，由县委书记李哲、副书记李满元陪同，到军楚公社看了板栗育苗基地，到新屋湾生产队看了造栗林绿化荒山的现场。胡耀邦一路上兴致勃勃，同他们设想着栗树发展的前景。接着来到尹家冲大队。走进山冲不远，看到一片老残茶园，一些人正在干活。胡耀邦走上山坡，席地而坐，同几个茶农交谈起来。正在这里进行技术指导的技术员告诉他：这片茶园有三百多亩，已有几十年了，茶树老化，缺蔸很多，产量很低，再不改造，几年后就没收益了。现在是按新式茶园的要求，砍去老枝，栽种新苗，合理密植。这样，三四年后就可见收益，每亩产值可达五六百元。胡耀邦听后很满意，他说：开发山区经济林大有作为。山上发展经济作物，同样可以致富。有了钱可以支援粮食生产，有了粮又可以支援山区开发，互相促进，这就是靠山吃山嘛。这一席话说得几个农民大为开心，有人说：首长您放心，我们一定加劲干，把茶园搞好。现在我们带红薯上山干活，三四年后我们可以带白米饭和腊肉进茶园劳动了，说得大家哈哈大笑。

从这里又去官庄林区。这个区有四个公社，是醴陵木材主要产区。胡耀邦一行下车后继续向山上攀登，走进阴森森的深山老林。这里多半是松树和杉树，山腰下有些混合树。胡耀邦不顾疲劳，边走边看，看完整个山头才下山。到大林公社后，又同官庄区委书记桑海、县委农林部长吴彦凡和大林公社书记及几个干部座谈。桑海汇报时说到，官庄区人多田少山多，粮食不够吃，还得吃国家返销粮。胡耀邦说，你们田少是劣势，山多却是优势，要发挥优势，靠山吃山嘛。桑海忧虑地说，从长远讲靠山吃山是对的，可眼前买粮没钱，等砍了树卖了钱再买回口粮，解决不了燃眉之急。把大树砍了，再造用材林，短期内见不了效益，群众的积极性难以调动。胡耀邦从这些述说里发现官庄干部畏难情绪不小，于是他提出了一连串问题让大家讨论思考：你们是不是想困难多了些，同群众一起商量想办法少了些？是不是克服困难的措施不够得力？等等。他说：我是出了些题目，文章靠你们做。这一下打破了低沉的空气，大家议论开来。有的说，拿出解放军打仗的劲头什么困难都可以克服。至于“短期见效快的作物”，大家一凑，果真不少：板栗、茶叶、黄花菜、竹子、平菇、梨子、桃子、李子、柑橘等等。副业方面可以发展造纸、竹编、小椅凳等小木家具。还有的提出，山上草多，可以养牛、养羊，大大发展饲养业。胡耀邦认为大家的想法很好，他归纳为四句话：“以短养长，长短结合，靠山吃山，以山养山”。后来，湘潭地区就把这四句话作为发展林业生产的指导方针在全区贯彻。

为了全面掌握林区情况，有的放矢地指导林业生产，胡耀邦几乎跑遍了山区县的林区，先后到过酃县的十都公社和水口公社的原始林区、茶陵县的东乡林区、攸县的酒埠江林区、平江县的林区、湘潭县的青山、石固林区等。通过贯彻发展林业生产的方针和推广毛田经验，湘潭地区的林业生产有了显著发展，全区绿化面积扩大，林木产品增加。醴陵、酃县、湘潭、临湘、平江等县50年代是不产柑橘的，群众绿化造林的积极性调动起来之后，纷纷种起了柑橘。攸县的广柑、浏阳的金钱橘也扩大了种植面积。湘潭县的小林场、小园艺发展很快，改变了丘陵、山区的面貌。到60年代末，湘潭地区的经济林、用材林都有较大发展，经济上获得显著效益。①

① 李哲：《心系人民群众》，《胡耀邦与家乡浏阳》，第38页。

四　立足在“帮”

在胡耀邦全神贯注进行“四个大抓”的时候，有新的情况出现了。

1962年冬到1963年春，毛泽东到许多地方视察，他说所到之处，只有湖南省和河北省的两位省委书记向他侃侃而谈阶级斗争，别的省都没有谈。他认为阶级斗争问题还没有引起全党的重视，因此在1963年2月召开的中央工作会议上，重点讨论了农村社会主义教育和城市五反问题。毛泽东在会上说：“要把社会主义教育好好抓一下。社会主义教育，干部教育，群众教育，一抓就灵。”

胡耀邦虽然参加了八届十中全会，听了毛泽东关于阶级斗争的讲话，但是来到湘潭以后，他的注意力没有放在阶级斗争上，到各县调查时，很少询问这方面的情况。即使是“扭单干”，他也没有强调阶级斗争，而只是着眼于对生产不利。现在湖南省的领导人在毛泽东面前讲阶级斗争，受到毛泽东的表扬，这意味着湖南全省抓阶级斗争的运动，将全面铺开。他作为湖南省一个重要地区同时也是湖南省的一个领导人，需要重新思考和安排一下工作步调了。

事实上在到浏阳作全面调查的时候，已经听到群众反映有农村干部多吃多占，形象说法是“仓里老鼠太多，油篓子漏油”；生产队和大队的账目混乱，干部乘机贪污挪用。这种干部不算多，但影响不好。住在文家市那几天，他就曾考虑在适当的时机，集中开展一次对农村干部的教育活动。现在，他决定把这个“时机”往前提。

胡耀邦把这种想法同华国锋等地委领导人商量，大家认为有这种必要。但胡耀邦还是担心，基层干部的消极情绪经过好一番工作才有了好转，这次不要又造成反复，因此政策必须适当。他说，基层干部都是农民，他们有朴实勤劳的特点，当然也有自私贪便宜的特点。他们不拿国家工资，工作十分辛苦，绝大多数是好的，所以对他们要爱护，这是前提。有些人有多吃多占、贪污盗窃行为，还有的养成老爷习气，欺负老百姓，严重影响了干群关系，这都是错误的，必须批评。进行社会主义教育，相信他们中间的多数人能够接受教育转变过来。他提出在查清问题上要严格，但既然叫"教育"，方法上就要稳妥，立足于教育帮助，真真正正地是在"帮"。

因此，他提出了要"四查四帮"：

一、查贫农、下中农发动情况，帮助大队、生产队把阶级队伍组织好；

二、查干部放包袱情况，帮助基层干部密切同群众的关系；

三、查生活安排情况，帮助基层把对困难队、困难户的粮食供销安排落实；

四、查生产情况，帮助下面搞规划，抓管理，解决当前生产上急需解决的几个问题。

胡耀邦关照，对一些提法也要注意，比如，不要叫"贪污分子"，说"有问题的干部"也就可以了；不必叫"交代问题"，可以叫"放下包袱"、"洗手洗脸"、"洗温水澡"；也不必提"批判、斗争"，可以说是"搬梯子帮他们下楼"。总之，是要与人为善，团结教育，以期唤起干部的自觉，幡然悔悟，在他们放下包袱后，能够建立新的干群关系，把工作搞好。

关于退赔等政策，胡耀邦的意见是：贪污多占的东西原则上一定要退，要使干部从中得到一个深刻的印象：贪污多占是不义之财，一定要退出来。但是退多退少，要经过群众的讨论，做到合情合理，既不能太宽，太宽了群众通不过；也不能太紧，太紧了干部生活过不去。凡是认真检讨，合理退赔、坚决改正、群众通过了的，不管包袱多大，一律不以贪污论处；反之，凡是拒绝检讨，阳奉阴违，口是心非，民愤很大的，一定要严肃处理。在组织上，可处分可不处分的，尽量不处分；可撤职可不撤职的，尽量不撤职。

华国锋等地委领导人原则上同意这些意见，于是决定仍以浏阳为试点，分期分批地进行下去。

浏阳县委根据地委的决定精神，采取了大动作。县委从县、区、社各级机关抽调了一千多名干部，又抽调了一千一百多个支部书记，组成工作队，在全县各区、社，由点到面铺开了“四查四帮”运动。

胡耀邦要求，运动一开始，就向基层干部交代清楚要放五个方面的包袱：一、阶级立场站得稳不稳，阶级观念模糊不模糊？二、执行政策坚决不坚决？三、经济手续清不清，有无多吃多占、贪污挪用？四、革命意志是否坚强，有没有消极退坡思想，有没有腐化堕落行为？五、工作作风怎么样，走不走群众路线，是否遵守民主集中制？同时也把验收标准向干部交底：一、错误事实交代清楚了没有？二、同群众见面了没有？三、退赔了没有？四、错误改正了没有？五、觉悟提高了没有？

由于这“四查四帮”的着重点是在“帮”字上，整个要求都是很温和的，目标是要全面改善基层的干群关系以及生产和生活，又有工作队严格把握政策，所以绝大多数基层干部没有抵触情绪，运动的开展较为顺当。

胡耀邦也亲自下到沿溪公社蹲点。他在实地观察基层干部经过教育以后的反应、动态和变化。几天过后，联盟大队的大队长张启流引起了他的注意。

群众反映，张启流把大队的东西几乎当成自己的家产。一次，一个贫农有困难，求他做点好事，帮帮忙，只当吃点斋。他说，我吃什么斋？我有的是渔网，天天吃鱼斋。这个贫农又说，你上半夜想自己，下半夜也想想人家。他说，我想什么呀，我一觉睡到大天亮。一个贫农老太太为了借两元钱给儿子看病，在他面前下跪，他竟全不理睬。这个老太太说：旧社会的保长，也不过如此。

胡耀邦对有的基层干部蜕化变质到这个程度感到痛心。但他没有采取斗争的做法，而是把张启流找来，亲自做他的工作。他以张启流从一个穷孩子成长为大队干部的经历以及贫苦农民的生活现状反复启发开导他，使他终于觉悟到自己背离了党的“为人民服务”的宗旨和辜负了乡亲们的期望，正在走着一条危险的路。他主动做了退赔，放下了包袱，大有转变，工作上表现不错。这使胡耀邦进一步看到，只要方针政策对头，即使问题严重的干部，大多数也是可以转变的；既做好转化工作，又不伤害干部，是可能的。他把张启流这个事例，向全县作了介绍。

浏阳的“四查四帮”到5月中旬基本结束，只有少数大队没有搞完。运动中查出了一些有贪污盗窃、多吃多占行为的干部，还有一些被超支挪用的钱、粮、物。放下包袱的基层干部大部分比较轻松愉快，农民群众也比较满意。“四查四帮”由工作队掌握，没有发生粗暴斗争，没有发生打人骂人现象，始终体现着对基层干部的关爱与帮助，同时又使他们以真诚的检讨获得群众的谅解。船舱公社溪沅大队一个老太太说得很生动：这个“四查四帮”真好，不知是哪一位干部想出来的，如果他来了，我要留他吃餐饭，不收他的粮票。①

五 “杭州会议”之后

1963年4月底，胡耀邦以共青团中央第一书记的身份陪同阿尔巴尼亚劳动青年代表团去杭州谒见毛泽东。毛泽东于5月2日在杭州召开有部分政治局常委和大区书记出席的小型会议，进一步研究农村社会主义教育问题。胡耀邦随后列席了这次会议。毛泽东在会上发表了四次讲话，继续强调阶级斗争。他说，中国社会中出现了严重的阶级斗争，有些地方公社、大队、生产队的领导权实际上已落到地主富农手里，其他机关的有些环节也有他们的代理人，而“阶级斗争，一抓就灵”。他警告说，要防止出修正主义，如果不搞阶级斗争、生产斗争、科学实验，马列主义的党就一定会变成修正主义的党，整个中国就要改变颜色；要充分发动群众，依靠贫下中农，建立贫下中农阶级组织和革命队伍；要开展清政治、清思想、清组织、清经济的“四清”运动，解决干群之间的矛盾；干部要参加劳动等等。会议根据毛泽东的指示精神，起草了《中共中央关于目前农村工作中若干问题的决议（草案)》，决议共十条，即后来所说的“前十条”。

12日闭会后，胡耀邦到武汉参加了由陶铸主持的中南局会议，讨论关于贯彻杭州会议精神问题。

回到长沙以后，湖南省委召开全省三级干部大会，请胡耀邦传达杭州会议精神，研究“四清”问题。

① 当时干部在群众家里吃“派饭”，要交粮票。

胡耀邦作了极为认真的准备，在 19 日、20 日两天的会上，详尽传达了杭州会议精神。他归纳为四个问题：形势问题、认识问题、要点问题、方法问题，以毛泽东讲话为主，同时也介绍了文件起草和修改中的种种斟酌。在传达这个阶级斗争色彩很浓的会议的精神时，胡耀邦联系自己的体会，说了一段检讨性的话。他说："到湘潭地委后，开始一个半月，没有记住主席在十中全会上所作的关于阶级、阶级斗争的指示，因而一个半月中就没有查这方面的问题，只是到十个县走了一遍，这是进行示威的性质。正如主席形容过的，是大踏步走路，根本看不到蚂蚁子。延春同志在零陵看到了这个问题，抓住了这个问题。……我记得他问过我，因为我没有认真调查，没有说出什么意见。"他说，"为了做好工作，我想不但要好好地学习和体会中央的指示，还要向平化、延春同志和其他同志学习，向下面的同志学习，并且要认真地学习主席提出的用马克思主义的科学方法进行调查研究。"最后，他还谈了他对阶级斗争的理解，他说："据我的认识，阶级斗争不是个简单杀人问题，而是主席所指出的，要把资本主义势力和封建势力中间的绝大多数人改造为新人的伟大运动。"

本着这样的思路，回到湘潭以后，按照中央部署，又开展了"四清"运动。胡耀邦把浏阳的"扭单干"叫第一阶段，"四查四帮"叫第二阶段，现在搞"四清"，是第三阶段，都属于社会主义教育范畴。

回顾起前一阶段的"四查四帮"，从湘潭地委到浏阳县委，都认为同中央"前十条"的精神是一致的，因此"四清"也就是"四查四帮"的延伸。由于"四查四帮"着重是在大队一级进行的，所以这一次对大队干部主要是要求参加集体生产劳动、改进干群关系，包袱放得不彻底的继续放。"四清"则着重是在生产队一级开展。

胡耀邦指示，首先要在全地区广泛宣传中央的“十条”决定，让决定同基层干部和群众直接见面，以作深入发动群众的准备。于是，全地区抽调了三千六百多名报告员和五万七千多名宣传员，以公社分片或以大队为单位召开大会，宣讲“十条”。报告员和宣传员们都以最快的速度，集中学习，然后分别下到基层。

地委决定“四清”仍然先从浏阳然后醴陵向全地区铺开。胡耀邦在部署完全区工作之后，又来到浏阳。

6月10日，胡耀邦在浏阳县公社党委书记会上作了动员。他对“经济上清什么?”的问题是这样说的：“根据中央的指示，考虑浏阳的实际情况，我认为大家提出的内容是合适的，这就是：一、要好好清粮食账；二、要好好清现金账；三、要好好清工分账；四、要好好清理实物。总起来，叫粮、钱、工、物。”

他说：群众最关心的是粮食，因为粮食名目繁多，搞得最乱，干部在这个方面的贪污多占也最严重。凡属征购粮、统销粮、上缴大队粮、种子粮、饲料粮、生产队干部补贴粮、国家奖励粮、生产队出售粮、调拨粮、机动粮，一共十项，都要清理。

群众关心的第二个问题是现金收支。这是干部贪污多占的第二大漏洞处。凡属国家贷款、国家投资款、救济款、灾情减免款、社会减免款、罚没款、公积金、公益金、平调退赔款、管理费用款、粮油统购款、生产队农副产品出售款、副业收入款、社员投资款，一共十四项，都要清理。

他对工分账和需要清理的集体财物，也都一一作了详细的开列。

他强调"早自清"，有经济问题的干部要及早、自动地清理。"对于那些彻底检讨，坚决退赔，认真改正的，无论错误多大，一律不给处分。"

由于这回要深入到生产队，一些事情会牵涉到社员群众，所以胡耀邦帮助浏阳县委制订了《关于"四清"工作的决定》，规定：

——不允许把"四清"范围扩大到社员中去；

——凡属群众性的集体隐瞒私分，一律不作清理；

——社员拿了集体工具、农具的，只许通过维护集体财产的教育，号召公物还家，不搞坦白检举。

在具体做法上，教育干部放下包袱，发动群众向干部提意见，首先是"背靠背"地进行，在双方都有了充分思想准备后，再由干部在会上作检讨，并提出退赔方案，由贫下中农和社员群众审查评议，避免顶牛现象和简单粗暴的做法。

这些安排，是在"四查四帮"基础上，更加周密，更加稳妥，更加体现出政策特色。

县委还指定了五六十名县委和区委主要干部，分头深入基层，将"四清"的目的、要求、做法和政策界限，直接向所有基层干部和人民群众作讲解，务使干部群众都有正确认识。

在做了这样安排之后，胡耀邦觉得对浏阳这个"点"上的情况，已经心里有数，他要转向"面"上的工作。他先是到醴陵作了动员报告，然后来到平江。

在他的指导下，平江县的"四清"运动采取了两个引人瞩目的举措。

其一，当时平江县各区正在开会，安排运动。这里前一时期以大队干部为对象的"四查四帮"刚刚开始，现在就一并纳入"四清"运动。胡耀邦提议，各区把大队主要干部都召集到区上来，开一个大队干部放包袱、“早自清”的大会。会上，主要是采取批评、鼓励、商量三结合的办法，就是批评错误的思想行为，鼓励有包袱的干部放下包袱，同放了包袱的干部商量如何退赔，充分运用典型对比回忆对比的形式，进行自我教育。这样集中到区上来“放包袱”，比起在一个个大队里单独进行，由于人数较多，可以收以典型带全面之效，时间也更快些。从6月18日开始，到22日共五天时间里，大部分干部清理了自己政治、经济方面的问题。会上没有采取简单粗暴的方法，没有处分一个人。有的干部在放下包袱之后，写了打油诗：“来时手脚不干净，思想包袱重千斤；会上洗了温水澡，污秽擦去一身轻；回去再向群众交，不义之财退干净；轻装上阵带头干，党的任务好完成。”

其二，也是在这几天里，地、县委工作组在长寿街的桂桥公社黄雀大队“解剖麻雀”，创造了四天“揭开大队阶级斗争盖子”的典型：第一天，两手发动。一手发动贫下中农，一手发动大队、生产队干部。第二天，基本揭开。经过阶级教育、政策教育，有的干部交代了问题；拒不交代的受到孤立。群众也发动起来，纷纷揭发检举或提供线索，并且选出了清算委员。第三天，扩大战果。这一天把运动引向生产队，根据各队实际情况，有的由群众自己清，有的工作组去帮助清。第四天，全面落实。查漏洞，划清政策界限，口头交代与书面交代核对，经济包袱与账目核对，没有账的与检举材料或有关当事人核对，简称“一查一划三核对”。经过这样的过程，“四天的确变了一个样”。

胡耀邦对这两个经验都很重视，还在黄雀大队的总结材料上加了很长的批语，上报省委。

6月下旬，胡耀邦召集临湘、岳阳、湘阴、湘潭四县县委书记碰头会。对这几个“四清”运动开展未久的县，胡耀邦又从指导思想上作了进一步动员。他着重强调了“运动中要自始至终抓紧干部教育”，做到三个结合。第一是把发动群众同教育干部结合起来。他说，发动群众本身就是对干部的教育，可以使干部看到，群众一旦发动起来，具有多么巨大的威力，从而增强遇事同群众商量，认真依靠群众，彻底走群众路线的观念。要知道，我们有不少干部不是贫下中农出身，群众观念是不深的，不牢固的。我们应当使他们在这次群众运动的大风暴中受到教育，克服那些非劳动人民的意识和轻视基本群众的观点。第二，把政策教育、阶级教育、前途教育结合起来。他说，要针对干部的思想状况，反复地交代政策，并且通过一些具体事例来体现政策。在交代政策的过程中，要不断地启发干部的阶级觉悟，引导他们回忆过去的阶级苦，并且组织由于受排挤压制而现在仍很困苦的贫下中农现身说法，启发他们的阶级情感。与此同时，又要引导他们向前看，看到国家的远大前途和个人的远大前途，懂得“包袱”和自己的光荣革命历史是不能“和平共处”的，总得放掉一个。只要坚决改正错误，积极工作，仍然是党的好干部。他说，第三，是把普遍教育和个别教育结合起来。对于那些思想不通、态度不好的干部，要注意进行个别教育。要深入发现他们的思想障碍所在，有的放矢地同他们个别谈话；或者组织小型座谈，由转变较好的干部介绍自己的体会去影响感染他们。

根据已有的经验，他还指出，在运动当中，要陆续把每一阶段的具体目的、要求和政策界限拿到基层干部和群众中去讨论，放手发动他们提意见，出主张。凡是这样做的地方，群众议论问题之热烈，是近年所没有的。这就形成了这样一个循环：党的政策不断地启发和鼓舞着群众的政治积极性，群众的政治积极性又不断地补充和丰富着我们的领导经验。

会后他在平江又跑了一些区、社，于7月5日回到浏阳，立即给高臣唐等几位地委副书记写了“电话通讯”，介绍了“四清”工作进入生产队时的一些做法，并提出整个“四清”应在“双抢”前完成。

到7月下旬，全区的“四清”除三个县还有一部分社队没有结束外，绝大多数地区都已告一段落。8月初，胡耀邦召开县委书记会议，决定从下旬开始，对少数走了过场的地区进行复查。

运动整体来说是平稳的，胡耀邦心里比较踏实。他想抓紧时间把运动总结一下，给省委写一个报告。

天已经热起来，他由于过分操劳，痔疮发作。省委得知后，建议他到南岳衡山去休息一个时期，他谢绝了。后来又建议他到韶山滴水洞休息。他考虑到那里属湘潭县辖区，便同意了。

滴水洞在韶山背后一条山冲里。这里遍山竹林，满目青翠，是休养的好地方。但胡耀邦也未得清闲，他亲自动手，用了几天时间，将“四清”工作的经验写成总结，报送省委。

此时好多地区旱情严重，一份份旱情报告送来，他再无心住在这清幽的环境里，8月12日，他离开了滴水洞，急急赶回地委。

然而时隔不久，就有了反应：中央某主管农村工作的负责人批评了平江经验，大意是说几天就搞完一个大队，是把阶级斗争看得太简单了，这样急急忙忙，不是走过场吗？其后，省委几位主要负责人也找胡耀邦谈话，提出了同样的批评。

这些批评似乎没有能够打动胡耀邦。因为就工作思想来说，快与慢，急与缓，他从来主见在胸。从最初部署“四清”运动时他就说过“有些同志往往把时间上的长短同思想上的粗糙、工作上的拖拉混为一谈。说时间短一点，就不把政策问题、做法问题搞细一点，急急忙忙搞一通，以致搞出乱子来。说时间长一点，就慢慢吞吞老牛拉破车，催一下，动一下，拖拖拉拉，养成一种很不好的作风。正确的做法应当是，仔细衡量一个运动的必要时间，先把运动的目的、要求、做法、政策界限都思考清楚，然后组织力量，雷厉风行，势如破竹地进行工作。就是说，我们对待每件事、每个运动，都要把思想政策的稳妥性、细致性同工作作风的紧张性、迅速性结合起来"。① 在总结黄雀大队经验时他说："彻底不等于透底，如果在大致可以结束时仍恋战不舍，其结果，一是领导上可能产生急躁情绪，二是可能产生"顶牛"现象，僵持不下。所以我们主张速战速决，但又并不要求这一次就把全部问题都解决得一干二净。"②

虽然如此，胡耀邦还是觉得心情非常不舒畅。他仔细思考了那些批评意见，仍然觉得难以接受。他认为分歧就发生在对现实的社会矛盾怎样理解上，这有实践问题，也有理论问题。他很想找时间好好读读经典著作，冷静下来作些思考。但繁重的工作任务，毕竟不能允许他这样从容地读书。他稳定一下情绪，又踏上了下乡之路。

薄一波在《若干重大决策与事件的回顾》中有这样一段叙述："从（杭州会议以后）这一段的运动和试点情况来看，多数单位是搞得比较好的，但有些地方也发生了一些问题。早在1963年1月14日，《中央关于在社会主义教育运动中严禁打人的通知》就指出：'根据许多地区的材料反映，在农村社会主义教育运动中，有些地方发生打人和乱搞斗争等违法乱纪现象。'

① 《浏阳县社会主义教育运动第三阶段的要求和做法》。

② 以中共平江县委名义撰写的：《我们怎样从实践中体会精神变物质的》。

该通知所附的材料说，在湖南常德地区，发生了乱搞斗争、打人、乱'搜查'、重点'集训'、乱扣帽子、乱立'罚规'等现象；……同年3月15日，帅孟奇同志在《关于湖南农村社会主义教育运动情况和存在的问题的报告》中，也说湖南的运动虽然比历来的运动都较正常、健康，成绩也显著，但也有些地方发生了自杀、逃跑事件以及打、跪、罚站等违法乱纪的现象。到二月底，全省已死了七十六人（王延春同志在报告中说九十七人），另外，经济退赔面偏宽和要求偏严的现象相当普遍，有的甚至采用了'鸡下蛋，蛋孵鸡'的计算方法。"①

如果说这是一个重要的衡量标准的话，那么，湘潭地区的"四清"运动没有发生这一方面的偏差。胡耀邦总是让运动中的气氛和缓、平常，而不是恐怖、紧张；他总是强调教育、自觉，而不是惩罚、强制；对放包袱好的干部，他在公社乃至全县大会上热情表扬，使广大干部都感受到放下包袱并不受到歧视。因此，当8月间中共中央发出《关于农村社会主义教育运动中的一些具体政策的规定（草案）》（即通常说的"后十条"），强调对基层干部总的精神是以教育为主，在具体做法上要划清政策界限，做好教育工作、经济退赔和组织处理工作，对该处分的干部要坚持实事求是，处分的面要严格控制等等之时，这里已无须再翻过来"补课"，而只是一些扫尾的工作了。

六 胼手胝足下乡忙

1963年夏，一场持续数月的特大干旱扑向湘潭。

① 薄一波：《若干重大决策与事件的回顾》下卷，第1111页。

5月末，南部各县已露旱象，鄠县首先告急，向地委报告说，在一百多天中只下过三场小雨，全县受旱面积已达百分之三十三。胡耀邦当时正在部署“四清”，忙碌万分。但6月12日，他还是率人火速赶赴鄠县。他意识到旱灾的威胁更为紧迫，今年粮食如果减产，明年的一切工作都将被动。当时鄠县县委干部都下去蹲点抗旱去了，只有一个人在机关值班。胡耀邦就让他引路，到受灾严重的地方去，一边察看灾情，一边听取汇报，一边研究抗灾办法。从汇报里他发现，有些地方群众悲观情绪大，抗旱不积极，说“抗什么旱，抗了也白抗”。他明白，这是由于一些干部多吃多占，伤了老百姓的心。县委领导闻讯赶来见他，他恳切地说，我们一方面要教育基层干部放下包袱，认识错误，一方面也要教育群众，看到大部分干部还是好的，抗灾得到的好处归根到底还是大家的。他又说，社会主义教育运动暴露了干群关系的问题。要改善干群关系，关键是要干部参加集体劳动，积极投入抗旱第一线，同群众一道车水、筑坝、挖井，与群众同呼吸共命运。这样，群众就会把干部看成自己中间的一员，长期坚持下去，大家就有了共同语言，共同感情。县委迅速向区、社和基层传达贯彻了这些指示，动员各级干部都要深入抗旱第一线，同群众一起劳动。经过全县干部群众的不懈努力，旱灾造成的损失减到了最低限度，当年仍获得较好的收成。

8月，溽暑中的湘潭酷热难当，早晨天不亮人就在满头大汗中热醒，直到深夜蒸腾的热气仍不稍减。经常失眠的胡耀邦这时候更是彻夜难寐。旱情还在持续。虽然已经布置了紧急动员抗旱，但进展并不平衡，他还是不放心。他的注意力又集中到浏阳，他决定再去看一看。

浏阳已经两个多月没下透雨了，溪河断流，农田龟裂，灼热的阳光像一盆烈火，烤得树叶卷成一团。这是几十年不遇的大旱。胡耀邦忧心如焚，冒着酷暑，忍着痔疮的痛楚，每天下去察看。当他得知官渡区沿溪公社有五千多亩水稻插不下去时，他带上地委农村部长陈军等人，再次直奔沿溪。

到了公社，正碰上帮助组织动员农民播种玉米、抢种高粱的区委书记王英文回来。胡耀邦满头大汗，不停地用草帽扇风，顾不得休息，就关切地问：群众情绪怎么样，有什么反映？王英文告诉他，群众说多年来都是插两季稻，今年改种一次旱土作物，一定会长出好芽。胡耀邦说，水旱轮作是会长出好作物。王英文接着又说，已栽好的晚稻都已中耕追肥，劳动力能集中抢种玉米、高粱，现在男女老少已有两千多人起早摸黑忙着搞，估计还有两天可以完全种好。胡耀邦非常高兴地对陈军说，在上面老是听些消极的东西，听不到这些积极东西，赶快打电话回去，一定要组织群众抗灾夺丰收。

然而胡耀邦略一思忖，又发问：你说几千人上阵，怎么我一路看来并不像你说的那样？王英文问他是从哪里来的。他说，我是从县城来的，就在离这两三里的地方，也看不到很多人搞抢种抢插呀。王英文说，胡书记看到的地方是古港区临近沿溪公社的三口公社，我讲的是沿溪公社的情况，我可陪胡书记去检查。胡耀邦说，那你打电话要古港区和三口公社的书记到这里来一下。然后他们一行又到附近去实地检查去了。

古港区委书记何寒光和三口公社书记李挥武赶来已是晚上，正好在沿溪桥上遇到胡耀邦一行归来。胡耀邦迎头就问李挥武：我刚才从黄岗大队路过，看见还有一些田怎么没有插上晚稻？李挥武解释说，我们公社的田全靠宝盖水库灌溉，现在水库断流了，黄岗离水库二十多里，是水库尽头，有点水，也很难放到这里来。胡耀邦说，要想办法，千方百计种上作物，高粱、玉米、秋杂都行。即便现在种不上，也要作好种子准备，只要一下雨就抓紧播种，总之不要荒田。他们边说边来到沿溪公社。胡耀邦只穿了汗背心，坐在灯下，说，天老爷同我们作对，我们就得针锋相对，寸土不让与它斗，人定胜天嘛。要发动干部群众想办法，找水源，开源节流，能救活一蔸算一蔸，能救活一亩算一亩，尽量做到不减产或少减产，那就胜利了，就对得住父老乡亲，争得了工作的主动权。

谈完已经是深夜了。胡耀邦与李挥武到三口公社去过夜，让车子把何寒光送回到区里。①

大瑶山区在文家市区下游，缺水抗旱，他们要求文家市区通知清江水库放水，当得知水库没有蓄水、无水可放时，意见很大。胡耀邦得悉后，想到了2月份去察看清江水库时所作的"不关闸，不蓄水"的决定是错了，感到心里很沉重。8月下旬，他经由大瑶山又来到文家市。区长孙怀勇见他非常疲倦，说，胡书记，你太辛苦了，休息一下吧。胡耀邦说，老孙，我犯了一个错误啊！清江水库还是不能不关闸，不蓄水。孙怀勇说，这事不能怪你，我们区委都同意了。我们从这件事吸取教训，一定继续修好清江水库，发挥它抗洪防旱养鱼发电综合利用的作用。胡耀邦仍是感到歉疚不已。

旱情到9月仍不见缓解，一直在为抗旱操劳的胡耀邦还在不停地奔走。9月上旬的一天，他从浏阳城浮桥码头上了一条小船，去沿河的枨冲、普迹、金江、镇头等公社察看。他头戴草帽，手里拄着一根竹竿作手杖，坐在船头，笑呵呵地给船工递烟，说道：在世界闻名的浏阳河乘船下乡去检查工作，真是机

---

① 参见何寒光：《精神永在，浩气长存》；李挥武：《三口夜谈》；王英文：《艰苦深入的楷模》（这三篇文章互有异同），《胡耀邦与家乡浏阳》，第50、87、113页。

会难得哩！就是天公不作美，老不下雨。火辣辣的太阳照在河上，热气和金色涟漪令人头晕目眩。胡耀邦却仍是那样精神勃勃，不断地让船靠岸，上去走进生产队去，同群众谈论，了解抗旱情况；有时召集基层干部开会，督促他们再接再厉，渡过难关。他反复强调，要千方百计寻找水源，要多种秋玉米，秋高粱等杂粮作物，实行生产自救。对抗旱组织不力的地方，“河里有水，岸上无人，田里开拆，禾叶卷筒”的现象令他十分恼火，他对社、队干部进行了严厉批评。

9月15日，胡耀邦一行在镇头区公所前面停船上岸。在区公所略略一坐，就要到对岸镇头公社去。大家劝他休息一下，他说，时间很紧，明天还要到沙市区去，争取多了解点情况。他们一行来到杨林大队的杨柳、万家等生产队。胡耀邦看到这里晚稻由于无水至今插不下去，非常着急，叮嘱社、队干部务必引水浇田，尽量扩大晚稻面积，确保粮食丰收。来到段坡生产队时，看到部分油茶山里有些空坪隙地，他当即提出，你们要把这些地开垦出来，种些黄豆等粮食作物。他说，这样既能增产粮食，又能增加群众收入，多搞粮食间作，是利国利民的好事。

后来，这个大队遵照胡耀邦的指示，组织群众大力开垦空坪隙地和吃茶园地，积极发展黄豆生产。在群众得到实惠之后，黄豆种植面积迅速扩大到四百余亩，成为全县粮林间作的典型。数十年过去了，这里的农民仍然保持着种植黄豆的习惯。

这一次，他们水陆兼程，走了一百多公里。

到9月下旬，全县粮食生产的形势已见了眉目。经过广大干部群众的苦干，严重减产的生产队大约有百分之七，而绝大多数生产队可获增产，至少是平产，全县粮食总产量预计可比前一年增加百分之五。

9月24日，胡耀邦喜气洋洋地在浏阳县三级干部会上发表了一篇总结抗旱工作的讲话，讲话的题目就是动员的口号："一切为了明年大丰收。"讲话中，他及时提出了努力完成国家征购任务，使核减的征购任务落实到真正受了灾的生产队里去，作好晚季粮食的分配工作，大力宣传勤俭建国勤俭持家，提倡节约用粮和计划用粮，切实抓好冬种，发动群众大修水利等十项任务。这是一篇把夺取大丰收的各方面工作都设想得非常详尽的讲话。最后他说："应该说，闹丰收我们许多同志已经有了许多成功经验，也有过一些失败的教训。但是真正夺取大丰收，我们的经验还是不足。比如，如何真正取得明年春季作物大丰收的任务就摆在我们面前了。究竟如何才能保证不落空，现在谁都不能打包票。应当怎么办呢？这就要求我们到基层去，到群众中去，从检查工作中去发现问题，从深入生产中去领导生产。因此，我们要强调深入基层，深入群众。"

对于这一时期湘潭全地区的生产局面，后来湘潭地委副书记高臣唐有这样的评价：由于胡耀邦"在全地区开展了鼓干劲、搞好生产的热潮，扭转了在困难面前怨气、泄气，消极悲观的局面"，"全区粮食总产发展很快，达到解放后最高年产量水平，国家征购任务完成了，农民肚子吃饱了，水肿病没有了，外流的回来了，社会稳定，人民安居乐业。耀邦同志团结地委一班人，创造性地贯彻党中央的方针，善于抓住典型，调动群众积极性的工作办法，他那满怀革命豪情、贵在鼓劲、朝气蓬勃的工作作风，鼓舞着全区的干部群众，成为湘潭人民建设社会主义农村的动力。"①

① 高臣唐：《耀邦同志永远活在我们心中》，《胡耀邦与家乡浏阳》，第44页。

七 不能忘情青少年

1963年11月，团中央同胡耀邦联系，明年准备召开团的第九次全国代表大会，团中央书记处已经起草了一份在大会上的工作报告，要送交他审查修改。

胡耀邦在地委的工作虽然异常繁忙，但他还是经常关心青少年工作。他同团省委、团地委一直保持联系，经常给他们以工作上的指导。

他刚到湖南时，团省委书记姜保胜去看望他并汇报工作。当谈到对青年进行阶级教育时，他说，阶级教育的内容不要仅限于讲阶级压迫和诉苦，可以宽一些，比如革命的坚定性、革命的雄心壮志、无产阶级的组织纪律性、又红又专、群众路线和群众观点、优良的风尚和习惯，等等，都是阶级教育的内容。他特别提到，搞批判要特别谨慎。他说，现在有个情况，有些人对任何问题都提到阶级斗争上来看，比如有些大学生不服从分配，也说是阶级斗争问题。不能这样简单地看问题，要具体分析。对青年要循循善诱，要鼓励他们前进。

1963年3月5日，毛泽东发出“向雷锋同志学习”的号召，胡耀邦敏锐地意识到这一号召具有重大意义，青年团必须迅速响应。他一面领导“四查四帮”运动，一面组织撰写长篇文章：《把青年的无产阶级觉悟提到新的高度——谈广泛开展学习雷锋的深远意义》，于4月30日同时在《人民日报》和《中国青年报》发表。文章说：“雷锋是在中国青年的光荣的革命传统的基础上成长起来的。雷锋的革命精神，就是过去千百万优秀青年的革命精神的继续和发展。”

"四清"、抗旱、秋收等各项大事都忙过去了，已经相对有些空闲。11月6日，胡耀邦陪同前来考察工作的国家计委副主任程子华、农垦部长王震去平江、浏阳、醴陵转了一圈，中旬才回来。11月17日他去了湘潭县中路铺。这里离地委较近，来去方便。他把这里作为一个"点"，住了下来，一边读书，一边劳动，一边作调查。12月11日一早，他同县、区、公社干部一起开了一块二十八亩半的荒坡，种上了一千七百多窝油茶。随后，他们来到中路铺完全小学看望学校师生。面对天真烂漫的孩子们，他用通俗的语言，启发的方式，同孩子们展开了一场有问有答的有趣对话。胡耀邦着重讲了少年儿童们要有改造世界的志气。他说："要这么来看改造世界：这是一项极其伟大极其艰巨的事情，又是一项非常具体非常实在的事情；是人类世世代代的革命者做不完的事情，又是每个有志气的革命的少年都可以参加的事情。"他说，多做一些有益于公众、有益于社会的事，就是"改造世界"的实际表现。他把管理刚刚种下的油茶的任务交给了学生，说明这也就是"改造世界"的实际行动。这篇讲话后来在《中国少年报》上发表，题目是《同完小同学谈改造世界》。

12月初，团中央从北京派来一个起草团代会报告的写作班子，带着报告草稿来到湘潭。班子里包括钟沛璋，他刚摘掉"右派"帽子不多久。胡耀邦见他也来了，十分高兴。他对带来的稿子不满意，指出应该站得高，看得远，根据毛泽东思想，很好地总结几年来共青团工作的基本经验，从当前国内外形势来分析共青团工作的地位、作用和任务，中心思想是要促进中国青年革命化。

在以后的一个多月里，胡耀邦带领起草小组住在湘潭钢厂的招待所里，反复讨论，起草、推敲、修改，一共写了八稿，他才通过。胡耀邦又亲自主持，召开了几次各界青年座谈会征求意见。直到他觉得完全满意了，才由起草小组带回北京，提交团中央书记处讨论。这时已到了1964年2月。

5月，胡耀邦回到北京，确定召开团代会的各项实际工作。

6月5日至8日，胡耀邦主持召开共青团三届九中全会，讨论并通过团代会上的工作报告（草稿），团章修改草案和关于修改团章的报告（草稿）等等。

6月11日，共青团第九次全国代表大会①在北京举行。同前几届一样，毛泽东、刘少奇、周恩来、朱德等党和国家领导人都来出席。大会气氛热烈而隆重。邓小平代表中共中央向大会致词，号召全国青年在阶级斗争、生产斗争和科学实验中作革命派。

胡耀邦的题为《为我国青年革命化而斗争》的工作报告，根据当时毛泽东提出的反对和平演变、反对现代修正主义的思想，阐述了在青年工作中马克思列宁主义同现代修正主义路线的斗争。在报告中他还着重讲了团的作风问题。他说："党经常教导我们共青团一定要树立一种好的作风，要把广大青年的风气带好。作风是一种无声的号召，无形的精神力量。团的作风好坏，对青年的革命化有着直接的影响。"他把团干部应有的作风概括为"朝气蓬勃，实事求是"八个字。他发挥说，朝气蓬勃就是要有勇于跟困难作斗争的革命干劲；就是开动脑筋，敢于和善于提出问题，有负责精神和创造精神；就是一种努力学习、永不自满的精神；就是防止脱离实际、脱离群众和沾染官

---

① 按建国后团代会的届数，本届是第四届。但自1922年第一次团代会以后到建国之前，也曾开过五次团代会。为了同共青团的历史相衔接，团的"三大"决议将本届改为第九届。

僚主义习气。他告诫团干部，要永远保持艰苦朴素、联系群众的优良传统，奢侈浪费是思想上的腐蚀剂，追求个人的物质享受，就会丧失革命志气。他继而指出，朝气勃勃是必然建立在踏踏实实了解情况的基础上的，因而朝气勃勃又必然要与实事求是的精神结合起来。而所谓实事求是，就是做老实人、说老实话、办老实事，就是工作上扎扎实实，具有革命的坚定性，讲求工作实效。他说，团干部要有远大理想，但必须脚踏实地。

在胡耀邦倡导下，“朝气勃勃，实事求是”成为了青年团作风的规范，成为了广大团干部的座右铭。

7月2日，共青团九届一中全会选出了新一届团中央书记处：第一书记胡耀邦，书记胡克实、王伟、杨海波、张超、王照华、路金栋、王道义、惠庶昌，候补书记张德华、李淑铮、徐惟诚、胡启立。

这是胡耀邦主持召开的最后一次团代会。以后直到“文化大革命”初期团中央“改组”，胡耀邦虽然仍任团中央第一书记，但他实际上已去做地方工作，对团的工作已经参与不多了。

团代会后，他正准备重返湘潭，却接到新的任命，派他去主持陕西省的工作。这样，他就再没有回到湘潭。

胡耀邦在湘潭总共工作一年半时间。他对人民群众的赤诚关怀，他的善良，他对干部的由衷爱护，他的深入作风和吃苦精神，都已镌刻在湘潭地区历史上，镌刻在湘潭老百姓和干部心中。

第十一章 主陕纠“左”

一 陕情堪忧

1964年11月，胡耀邦接到中共中央的任命：任中共中央西北局第三书记兼陕西省委代理第一书记，同时保留共青团中央第一书记原职。①

从湘潭回来虽然已经四五个月，但在召开团的“九大”大忙特忙过后，稍一沉静下来，就会不期而然地想起在湘潭的种种经历。在湘潭的工作没有做完，这一点常常使他觉得遗憾。比较起来，他更神往于全局性的实际工作，神往于在第一线上的火热的斗争生活。现在，又要到一个新的地方去开创工作了，他一定是带着一偿夙愿的喜悦，久久沉浸在联翩的遐想和澎湃

① 1965年6月25日西北局通知：中共中央同意胡耀邦任中共陕西省委第一书记、西北局第二书记。

的激情之中了。

他很快地将团的工作向团中央书记处作了交代和安排，就带了两名秘书登程赴任。11月30日晚，他四十九岁生日后的十天，他们一行来到古城西安。

12月1日，胡耀邦去西北局报到。西北局下辖陕西、甘肃、新疆、宁夏、青海五省（区），机关设在西安市里。西北局第一书记刘澜涛在五十年代八大以后任中共中央书记处候补书记时，曾经联系和指导过团中央工作，是胡耀邦的老上级了。胡耀邦向刘澜涛表示，他的主要工作是在陕西，以后要把绝大部分精力放在省里，西北局的工作，除重要会议之外，基本不参与。刘澜涛表示同意。

为了充分而准确地掌握陕西的情况，胡耀邦仍然从深入的调查研究入手。12月3日，他第一次主持省委常委会议，同省委主要领导人见了面，接着又参加了四天西北局社教工作汇报会，之后就以整整十天的时间，分别同赵守一、李启明、省委常务副书记冯基平等交谈，听取省各部委厅局负责人的汇报，还找了四个地委书记交谈。同时，还派了两个秘书去临潼县两个生产大队作实地调查。通过一系列的调查了解，他对陕西的情况有了总体上的估量。

他看到，陕西省在“大跃进”中“浮夸风”、“共产风”不像其他地方那样严重，生产受到的破坏比较小，但是农田基本建设也上得不快；在三年调整时期，工业下马过头，特别是基础工业和为农业服务的工业下马过头，以致经济恢复的物质基础不如先进省份。全省粮食耕地共六千多万亩，粮食总产量在1956年曾达到一百零八亿斤，而这几年总产量都停留在八十多亿斤的水平上，单产是全国最低的一个省，比西藏还低。总产要恢复到1956年的最高年产量，还有百分之二十三的距离，也是全国差距最大的一个省。棉花这两年停留在一百六十万担的水平，单产只有四十斤。社员的口粮三分之一到二分之一靠自留地，八百里秦川富庶之地的农民，比河北、山西农民的生活水平还低。胡耀邦还特别关注陕北的情况。他在陕北吃小米饭，喝延河水长达十年，对陕北怀着特殊的感情。1956 年他到延安召开五省区造林大会时，看到陕北人民住着破窑洞，吃着谷子糜子，仍然那样贫困，不禁黯然神伤。又是七八年过去了，现在如何呢？他了解到，现在粮食产量仍然低得惊人，平均亩产只有五十五斤。没有什么工业。文盲还占总人口的百分之四十三。克山病、大骨节病和布鲁氏菌病等地方病没有根本扭转，农民中的封建迷信还很盛行。

如果说，生产的恢复使胡耀邦感到焦急，以“四清”为主要内容的“社会主义教育运动”的态势，则使胡耀邦吃惊和压抑。

他了解到，陕西这里十分强调“彭、高、习反党集团流毒很深”，“土地改革和镇压反革命很不彻底”，因而说这里阶级斗争格外激烈。所谓“彭、高、习”，就是彭德怀、高岗、习仲勋。曾任中华人民共和国中央人民政府副主席的高岗，1954 年就因高饶事件而倒台了。1962 年 9 月北戴河会议上，有人揭发小说《刘志丹》为高岗翻案，而后台是习仲勋。这时又正值彭德怀递交“八万言书”，为自己申辩。于是，会上就把他们拽到一起，定为“彭、高、习反党集团”。因为他们都长期在陕西工作和作战，高岗、习仲勋又都是陕西人，陕西就被看作他们的“反党老巢”，所以“流毒”在陕西就“很深”了。在他们领导和影响下进行的土地改革和镇压反革命，自然也就“很不彻底”了。在这种思想指导下，在社教运动当中，大批干部和群众被当作敌对分子或有这样那样政治经济等问题而遭抓捕或被惩办，这在省委的社教试点县长安、延安、西乡三县更甚。据政法部门和组织部门的汇报，1964 年逮捕了六千四百余人，拘留五千余人，平均每天捕三十人以上。受到开除公职和开除党籍处分（即所谓“双开”）的脱产干部六百六十多人，受其中一种处分的干部，加上教师和不脱产的党员，就达四千五百多人。长安县正副区委书记和区长受处分的占百分之四十五，生产大队党支部书记被撤换的占百分之七十六。长安、延安、西乡共清查出应退赔现金八百一十三万元，平均每个农村基层干部应退赔一百八十三元，比陕西省当年人均收入的一百二十元还多六十元。三县在批判斗争中共发生自杀事件四百三十起，死亡三百六十四人。非试点的面上也发生浮动乱斗现象：西安市一度打击了九千五百多“投机倒把分子”；在陕南凤县，连上山砍柴、到集市卖鸡蛋、进城当保姆的收入也被当做剥削收入，都要退赔。在党政机关，由于西北局作出党政干部要清查阶级成分和阶级立场的规定，政治空气也十分紧张，半数左右的省属部、委、厅和各地地委、行署、县委、县政府领导班子被看作是烂了和有严重问题；一批未作结论的厅、局、处长被关押起来“隔离审查”。在文艺界，由于“反党小说《刘志丹》”一案的株连，一大批文艺作品被批判为“大毒草”，许多知名作家、艺术家遭到残酷迫害，不少人含恨而死。

面对这样复杂严峻的形势，胡耀邦不能不忧心忡忡，思虑百端。但他坚定地认为，不管三七二十一，首先把农业生产搞上去，使城乡人民生活得到改善，是第一要务。他在不同场合反复强调，陕西必须急起直追，这是要付出艰巨劳动的，总的方针应该是：纵览全局，抓住要领，埋头苦干。在同省委、省政府领导们仔细研究后，他提出了发展农业的四项要求：大力搞肥料；继续搞水利和水土保持；大力引进良种；从基本建设着手为多种经营打基础。他一改历来把“水”放在第一位的观念，提出要把“肥”放在第一位。他提出，陕西松土壤多，涵养水分能力强，又多属旱土作物，肥比水更重要，这就必须因地制宜。由于现在有机肥和无机肥都严重不足，因此要大修厕所，大种绿肥，同时争取中央支持，提早兴办小氮肥厂和自办磷肥厂。对于当时粮食征购负担过重的问题，他提出在适当时机要让中央知道，向中央呼吁。他还特别强调要解决陕北落后面貌问题，提出了多办工厂、兴办大学、引进干部、组织知识青年进去等办法。他还提议省、地、县三级要抽调大批干部到农村基层，去参加生产、领导生产。

关于社教运动，胡耀邦出语谨慎。他没有对运动的全局部署发表评价性意见，但他认为对干部伤害过多，处理过重，必将带来严重的后遗症。因此他说，看来捕人多了点，“双开”多了一些，面上夺权斗争打击面宽了一些，因此他委婉地提议：

> 捕人暂停；
> “双开”暂停，留待运动后期处理；
> 面上夺权暂停，待重新部署后再行动。

根据他的提议，省委、省政府作出了“三个暂停”的决定。

二　走马到职报陕情

两个星期以后，1964 年 12 月 14 日，胡耀邦又返回北京，出席于 12 月 15 日中共中央政治局召开的中央工作会议和 20 日召开的第三届全国人民代表大会第一次会议。

人大会议听取了周恩来总理的《政府工作报告》，宣布调整国民经济的任务已经完成，整个国民经济进入一个新的发展时期。

会上，胡耀邦继续当选第三届全国人民代表大会常务委员会委员。

会议期间，中共中央请参加会议的各地党的领导人讨论社会主义教育运动等问题，胡耀邦也被邀请出席。

工作会议一开始就讨论社教所要解决的主要矛盾。毛泽东对听到的一些意见都不满意，他要求大家“冲口而出”地讲话，希望能听到一些新鲜见解。

胡耀邦在会上找了一些老朋友交谈，打听了别的省的一些情况，觉得对陕西工作的思路更加明确。听了毛泽东“冲口而出”的号召，他打定主意，要把自己对一些问题的认识和意见以及对陕西工作的思考，作一个汇报。他连续写了几个晚上，最后在12月24日完成了《向西北局和中央、主席的报告：〈走马到职报陕情〉》。

在这份九千多字的报告里，胡耀邦一方面按照会议的主题，阐述了他对社教运动的基本理论和政策的观点，这些观点当然都离不开毛泽东不断强调的阶级斗争的总体框架，但在联系到陕西的运动情况时，他就鲜明地表述了自己的看法。在“陕西社教要特别注意什么”这部分中，他说：“全省已经清洗了（即‘双开’）六百六十多个脱产干部。性急了一点。性急了就难免出差错”。他说，“如果否认他们（干部）中的大多数能够在群众充分发动的条件下，在启发他们的阶级觉悟的条件下，可以进步，可能变好，因而不采取思想从严，处理从宽，而采取大批处分和清洗的办法，看起来似乎是彻底革命的办法，实际上同样是一种消极的错误政策。”对于补划漏划地主富农成分的问题，他说："土改时确系地富成分，但几经沧桑，现在剩下孤老残疾，生活相当穷困的，和虽有劳动力但生活和家底已经一般，本人表现老实的，补划不补划？前一种属于可以不划的，后一种属于可划可不划的，我主张不划。"

除此之外，他还以不小的篇幅谈到"怎样把生产搞上去"和"一个特殊问题——陕北问题。"他说，"从去西安第一天起到现在，脑子几乎每天都在盘算生产搞上去的问题。""这几年陕西省的农业相当落后了。第一，整个生产力上升很慢。第二，集体经济很脆弱。"他说："生产为什么掉队了？有些同志认为这是因为陕西两条道路斗争特别严重。但是有的同志认为这不是唯一的原因，原因还在于我们的同志对组织和领导集体生产有保守思想。……在生产斗争上是小手小脚，慢慢腾腾。……我赞成这种看法。"他特别提出了"肥料问题"，对"多年来陕西有个争论，是水第一呢，还是肥第一？"讲了自己的看法。对于"陕北问题"，他说，"要把这样一个极端落后的黄土高原根本改造过来，当然是不容易的。但是，许多同志认为，如果若干年前，树起雄图，抓住要领，拿出措施，埋头苦干，则可断定情况已经大不相同。因此，大家认为再不能蹉跎岁月，务必急起直追。"

会议期间，胡耀邦还当面向周恩来、副总理兼财政部长李先念陈述了陕西的困难，希望中央能够减轻明年的粮食征购任务，同时希望中央能够拨款在陕西建几个化肥厂，因为陕西当时连一个小化肥厂都没有。周恩来、李先念十分同情和支持，周恩来对胡耀邦说："你们受灾了嘛！征购任务减下来！"还说，陕西这样困难，我们过去不甚了解，这次才听说，你们写个报告吧。胡耀邦立即与同来参加会议的省长李启明商量，在征得陕西省委常委们的同意后，起草了一个《中共陕西省委关于粮食问题的请示》，向中央提出：1965 年陕西粮食征购任务，请求由十七亿斤减为十四亿斤。这是暂时减退一年，最多两年，让农民缓过气来，过几年赶上去，会给国家更大贡献。周恩来看了报告，不仅同意这些要求，还批示："今春必须在关中返销粮两亿斤左右，才能使农民积极性大增，有利于春季生产、夏季麦收、秋季粮棉两丰收。"周恩来还督促国务院有关部门在 1965 年给陕西增拨三万吨化肥，并拨款在陕西建化肥厂，第一批要建起年产七万五千吨的几个厂子，加大农业投入，以促进陕西的粮食生产。

后来胡耀邦回到陕西，将减少三亿斤征购粮的指标，层层分配落实到各地、县、区、社、大队，一直到生产队，并且斩钉截铁地说："一次定下来，今年不变了。有的人还不相信，问秋天加不加？丰收加不加？我说，同志们，丰收不加，大丰收也不加，特大丰收也不加，天上再掉下些粮食来也不加。"减少征购粮，增加化肥量，这对贫苦无依的农民群众来说，真可谓雪中送炭。再加上"三个暂停"和派出两万多名干部下乡，基层干部和农民群众称之为"四喜临门"，感到一种多年未有的欢畅。

在这次会上，毛泽东和刘少奇围绕着当时的主要矛盾和社会主义教育运动的性质以及运动的做法等问题，形成尖锐分歧。

在 12 月 20 日的中央政治局常委扩大会议上，刘少奇提出当时的主要矛盾和社教运动的性质，是"四清"和"四不清"的矛盾，或是人民内部矛盾和敌我矛盾交织在一起。而毛泽东则认为，中国已经形成了一个"官僚主义者阶级"，这个阶级"已经变成或正在变成吸工人血的资产阶级分子"①，因此社教运动

① 1964 年 12 月 12 日毛泽东在"陈正人在洛阳拖拉机厂蹲点报告"上的批语。

就是要发动群众整我们这个党，整“当权派”。他说：“地富反坏是后台老板，四不清干部是当权派。”“农村的中心问题是这一批干部，主要是大队和生产队的干部，骑在农民头上”，“地主富农已经搞臭过一次了，……至于这些当权派，从来没有搞臭过”，“漏划地富变成中农，变成贫农，有的当了共产党，因为他漏划了。那也是一种当权派”。他还引用杜甫的诗句“挽弓当挽强，用箭当用长，射人先射马，擒贼先擒王”，说明就是要搞大的。群众就怕搞不了大的。刘少奇仍然坚持，“四清”与“四不清”的矛盾是主要的，运动的性质就是人民内部矛盾和敌我矛盾交织在一起。毛泽东反问：什么性质？反社会主义就行了，还有什么性质？

关于运动的搞法，刘少奇赞同王光美在河北抚宁蹲点创造的“桃园经验”，强调秘密扎根串联，实行大兵团作战，对干部开始不能依靠等等。毛泽东对此也很不同意，他强调“要搞大的”，要“把那些几十块钱、一百块钱、一百几十块钱的大多数四不清干部先解放。”他还说，有的人进城后做官当老爷，不会做群众工作了。

由于也有的人附和刘少奇的观点，所以这次争论使毛泽东十分不快，以后他又多次谈这件事。他说：从七届二中全会以来，一直讲国内主要矛盾是资产阶级同无产阶级、资本主义同社会主义的矛盾，从杭州会议以来整个运动是搞社会主义教育，怎么来了个“四清”与“四不清”的矛盾，敌我矛盾与人民内部矛盾的交叉？哪有那么多交叉？什么内外交叉？这是一种形式，性质是反社会主义嘛！

根据毛泽东的意见，中央工作会议在制订的文件《农村社会主义教育运动中目前提出的一些问题》（共十七条）中明确指出：关于运动的几种提法，即“四清”和“四不清”的矛盾，党内外矛盾的交叉或者是敌我矛盾和人民内部矛盾的交叉，社会主义和资本主义的矛盾，“后一种提法较适当，概括了问题的性质，重点是整党内走资本主义道路的当权派。”

12月26日，毛泽东生日那天，一些人提议在小范围内为他祝寿。那天晚上在人民大会堂举行了便宴，邀请了中央常委、部分政治局委员、各大区主要负责人和少数部长、劳模、科学家出席，胡耀邦也在座。毛泽东开始讲话，没说几句，就转到社教运动上。他说，什么“四清”“四不清”、党内外矛盾交叉？这是非马克思主义的。他批评中央有的机关搞“独立王国”，党内有产生修正主义的危险。他严厉警告：不要翘尾巴！席间一时鸦雀无声。

《十七条》于12月28日以中共中央名义正式发出，中央工作会议也就结束了。然而三天以后，毛泽东突然指示，通知各地《十七条》停止下发，自行销毁。中央工作会议在1965年元旦以后继续召开。

1月3日、5日，毛泽东在一个小型会议上连续不点名地批评了刘少奇。他说，“四清”工作队集中大批人员，是搞“人海战术”；学习文件四十天不进村，是搞“烦琐哲学”；反人家右倾，实际“自己右倾”。“现在，有些人好像马克思主义都是对别人的，对自己就一点马克思主义都没有了。”

此后继续修改《十七条》，毛泽东在其中又加了一些话：“不说什么社会里四清四不清矛盾，也不说是什么党的内外矛盾交叉。从字面上看来，所谓四清四不清，过去历史上什么社会也能用；所谓党内外矛盾交叉，什么党派也能用，都没有说明今天矛盾的性质，因此不是马克思列宁主义的。”关于“走资本主义道路的当权派”，修改为“这些当权派有在幕前的、有在幕后的”，“在幕后的，有在下面的，有在上面的”，“在下面的，有已经划了的地主、富农、反革命分子和其他坏分子，也有漏划了的地主、富农、反革命分子和其他坏分子”。

经过反复修改，扩充到二十三条，1 月 14 日文件才正式发下去，即后来简称的《二十三条》。

毛泽东后来在“文化大革命”中说，是在制定《二十三条》的时候，引起了他对刘少奇的警惕，明显感觉到必须把刘少奇从政治上搞掉。①

胡耀邦看出了毛泽东那些尖利的批评是指向刘少奇的。在他看来，毛泽东虽然那么不客气，但还属于工作批评。刘少奇倡导的“桃园经验”那一套做法，他并不赞成，他觉得那确实是神秘而烦琐。他更多的注意力，还是集中在新出台的《二十三条》上，因为这直接关系着他回陕西后如何开展社教运动。《二十三条》对 1964 年下半年以来社教运动中某些“左”的偏向作了纠正，肯定干部的多数是好的和比较好的，要尽早解放一批干部，退赔可以减缓免；四清要落实到建设上；有左反左，有右反右，有什么反什么；好话、坏话、正确的话、错误的话都要听，要让人家把想说的话说完；要有政治、军事、生产、经济四大民主；不许用任何借口，去反社员群众；等等。这些，都使胡耀邦对《二十三条》满怀期望，心里觉得踏实，对回去以后的工作部署，心里更有了底数。

三 纠偏带来转机

会议一散，胡耀邦就马不停蹄，于 1 月 17 日回到西安。

① 薄一波：《若干重大决策与事件的回顾》（下），第 1134 页。

按照他的安排，次日，1月18日，就在丈八沟招待所召开了陕西省委工作会议，传达、学习、贯彻《二十三条》。1月22日，胡耀邦在会上发表了长篇讲话。讲话中，他一方面宣讲了《二十三条》，传达了毛泽东在中央工作会议上的指示，另一方面以力挽狂澜的决心和气概，鲜明地指出了陕西社教运动中的“左”的表现，提出了一系列旨在纠偏的政策思想。

他说，由于社教运动中的问题，实际工作已经蒙受了损失。这些问题，一是“双开”急了，有六百六十多名干部受到开除党籍、开除公职处理，多了，重了。二是抓人太多，有些是可抓可不抓的，特别是三百名职工、一百六十多名干部、教员，不该抓。三是斗争面、打击面偏严、偏大，有些地方有些乱。比如“现在地主富农出身的学生很孤立，‘小地主’、‘小富农’也叫起来了。”四是对贫下中农代表的要求很不适当，伤了广大群众的感情。比如对贫下中农代表要查“三代”、“五夫”（指姐夫、妹夫、姨父、姑父、舅父），有的地方把贫下中农积极分子放到群众中去揭发批斗，揭发不出问题，又经得起批斗的考验，才能成为可以依靠的“根子”。五是政策交代得不好，死了一些人，因被批斗等各种原因致死的，全省共三百多人。“三百，多了，两百也多了，一百也多了”。

他说，这种实际工作上的偏差来自于思想上的偏差，即认为大多数干部都不好，都要斗；大多数工人和贫下中农都不能依靠。“这种想法，是很危险的想法。继续发展下去，就可能出现一个比较大的偏差，就可能产生冒险政策，使大好形势受到严重的挫折。”因此，他又重申了“三个暂停”：抓人上，除现行反革命和民愤极大者外，暂停一下；夺权暂停一下；“双开”停下来。他说，“不管怎么样，我看几个暂停还是对的。”他提出，对“集中训练”即变相关押的人员不要虐待。把《二十三条》给他们看，让他们讨论，不要搞成监视，不要把他们当犯人看。春节临近了，要让他们回家过年，跟老婆孩子团聚。这怕什么？不是他一个人的问题，也不是他老婆孩子的问题嘛。不让他回家过年，谁对我们都不同情，人民不同情，连娃娃也不同情。他激愤地说：我们到处搞隔离，搞得冷冷清清，凄凄惨惨，还有什么大好形势？

他进一步说：这一场斗争是重新教育人的斗争。我们共产党的本事在哪里呢，就在于改造世界，改造人，发展生产力。处分人、惩办人不是我们的目的，我们的目的是改造人、改造社会。他说，我们省社教中为什么有这么多的问题，就是坚决有余，清醒不足。我们不但要有坚决的革命精神，还要有清醒的头脑，就是要有科学分析。下面的干部早就有人对社教的做法提出批评，结果受了处分。我主张减轻他们的处分，以奖励讲反面意见的人，要树立这样敢在风头上讲不同意见的榜样、敢进行批评的标兵。他说，对任何事情都要坚持具体分析，避免形而上学，因此不能用静止的办法观察与解决问题。一条最好的办法就是领导大家向前看，立足现在，面向未来。过去的事情，有些弄不清楚，我的意见现在停下来，不要争了。比如某地土改是否彻底，争不清楚。留下来，待历史去解决，恐怕更稳妥。

他这一番讲话，无疑会把参加会议的省、地、县领导干部的头脑搅动得翻腾起来。以前认为是革命的做法，他否定了；一些人长期认为只能如此的观念，他推翻了；似乎已经习以为常的是非标准，他颠倒过来了。他的观点同陕西干部过去一直听惯了的观点大不一样，但大多数人能够接受，当然，也有一些人不能接受。

胡耀邦一面参加省委工作会议，一面又直接到基层去，到群众中去，到各界人士中去，亲自宣讲《二十三条》。从1月18日到1月30日，连续十二天，他分别向工厂的干部和科技人员，向省市党员干部、军队党员干部、高等学校师生代表、中等学校干部和教师、新闻工作者、文艺工作者、统战干部和民主人士作报告，逐条地讲解《二十三条》。他针对带有普遍性的"左"的表现、特别是发生在群众中的十分具体却影响很大的问题，不厌其详地分析、讲解、纠正、解疑释惑。

每到一处，他都要着力强调，这场运动所要解决的是大是大非问题，而不是小是小非问题。什么是大是大非问题？这就是锋芒要对准党内那些走资本主义道路的当权派。什么是走资派？就是那些大贪污分子，大投机倒把分子，做官当老爷、蜕化变质分子。他说，不能用那些枝节问题、无原则问题去冲淡、转移、干扰大是大非问题。但是，"有些地方搞了一些细枝末节、鸡毛蒜皮。比如说，有些地方整社员、整工人、整学生"，这就走偏了方向。他说，社员、工人、学生也许有这样那样的缺点，但缺点与道路是不同的，不要把缺点当做道路问题。大题小做不对，小题大做也不对。

针对着滥揪历史问题和阶级出身的现象，他反复讲，历史问题看现在，家庭出身看本人，重在表现。他说，出身是无法自己选择的，但道路是可以自己选择的。在对西安市文艺工作者讲话时他动情地说：剥削阶级子女有无前途？我们说，一切走社会主义道路的青年，都有前途。我们党的中央委员几十年前许多都是地主、资本家子女。我国有五百万知识分子，我看至少有百分之七十出身于剥削阶级家庭，就是说有三百五十万，都抵得上一个小国家了。如果都不要，那怎么行呢。一切问题要作阶级分析，但不是唯成分论。唯成分论不是马列主义的。

他还每次都要提到打人的问题。他说，一些地方在运动中打人，连文化单位也开打。打人要严格制止，现在不行，将来也不行。一个革命者，任何时候都不许打人、骂人。打人骂人，无非是逼供信，这样做，怎么能不出冤案？

当时一些人特别热衷于整生活作风、生活细节，特别是“男女关系”问题，使不少人为一般的“男女关系”问题受到很重的处理。胡耀邦说，查什么男女关系？男女就是有关系嘛。青年正常恋爱，整人家干什么？那么封建，那么庸俗，那么低级趣味呀。我们反对的只是道德败坏，但事实没搞清楚的不要主观臆断。他说：我讲一个原则，领导干部道德败坏的，影响党的威信，要检查，批评，甚至处理。社员、工人中的男女关系问题，一般不查，主要是教育问题。他还提到，有些地方批判女孩子梳长辫子是资本主义，留短发才是社会主义。他说，不晓得是哪里刮来的这股妖风！这是形而上学的东西。陕西的同志爱吃面，南方人爱吃大米，吃面就是走社会主义，吃米就是走资本主义？

眼看春节来临，在极左思潮弥漫的社会气氛中，群众吃好点喝好点，给亲友拜年，农村里办社火、闹花灯，都会被批为资产阶级思想行为。胡耀邦说，“过革命化春节”，不错。什么叫革命化，不是吃棒子面才算革命化。我们主张不要大吃大喝，但还有中吃中喝，小吃小喝嘛。群众有点积蓄，过节的时候多买些肉，娶了媳妇多买一些东西，有什么不可以？大家忙了一年，节日看看朋友也可以，走亲戚送点礼也不算错，只要不拿国家的就对了。

他这些讲话，像强劲的春风，扫荡着笼罩人们心头的乌云。这些讲话贯穿着解放思想、解放人的精神。它砸开一个个思想枷锁，还人们以人格、尊严、生活常态。

1月28日省委工作会议以后，胡耀邦就决定停止正在进行的文艺批判和学术批判。他主张文艺、新闻、科学、教育部门的社教运动着重正面教育和学术讨论。他在对文艺工作者讲话时说，文艺界社教重点是端正文艺方向问题，提高文艺思想水平问题，改进作风，深入工农兵。他说，光有批判不行，要繁荣创作，社会主义的根本目的是发展生产力。他号召大家勇敢地创作，创作出好作品来，演出好节目来。他说，认识世界不是我们的目的，改造世界才是我们的目的。繁荣社会主义的文艺，就是我们文艺界改造世界的光荣任务。

这一时期，胡耀邦还极其关注所谓"投机倒把"的问题。他在向群众作报告时就多次说，工人、农民卖辆自行车，卖点南瓜子，卖几个鸡蛋，就叫投机倒把？这是整群众嘛。1 月 19 日，他在内部材料《陕情简报》上，看到一篇《西安市放手发动群众，整顿市场打击投机倒把活动获显著成绩》的汇报，其中说西安市已抓了近万名投机倒把分子，读后觉得其中问题很多，立即把这份材料批给了赵守一、冯基平等省委有关领导人。他在批语中说，西安市打击投机倒把活动，"是否都打得很准？有些老实的劳动人民因为家计困难，作了一点小额的贩运活动是否也算作了投机倒把分子？退赔了没有？对这种人因为退赔和斗争，是否出了问题？对吊销了营业证的一些确系家计困难的贫民，是否有妥善的安置？……这些问题都要仔细研究。"他提出，"为了总结经验，可否考虑把群众性的打击投机倒把运动暂停一下？"

1965 年的春天，陕西人民感到了多年未有的心情轻松甚至舒畅。由于"四喜临门"，春节开禁，生活又有了些指望和乐趣。人们巴望着渐有好转的局面巩固下来并且继续发展，而不要再有反复。

四 安康布政

春节一过，胡耀邦就动身前往陕南安康地区，到各县去深入考察。

在这之前，他在省委书记处会议上提出，现在干部思想不解放，缩手缩脚，顾虑重重，这种精神状态怎么能把生产搞上去？我建议春节以后，除了常务书记留在机关主持日常工作以外，书记处其他同志都下去，分别到各地、县参加多级干部会议，直接宣讲和落实《二十三条》。大家表示赞同。于是省委作了分工，胡耀邦和省委第二书记赵守一、省长李启明及严克明分别去陕南、关中，舒同、章泽继续在点上抓社教，萧纯抓城市社教，冯基平留在机关主持日常工作。

2月5日，大年初二，胡耀邦带着三个人，坐一辆吉普车就登程了。他们翻越雄伟的秦岭，直奔安康。

安康地区在陕西省南端，汉水中游，与湖北、四川接壤。

从2月5日到12日八天时间里，他们跑了安康地区十个县里的宁陕、石泉、汉阴、旬阳、平利、白河、安康等七个县。一路上，像往常一样，胡耀邦坐在汽车前面，吸着纸烟，一面观察陕南山川形胜，沿途田土状况，路上行人衣着，一面思考着向各县了解些什么，布置些什么。有时候路过生产大队，他停下车来，去找干部聊上一阵。去陕鄂边界上的白河时，他还越界到湖北竹溪境内，找了两个生产大队长了解那里的口粮情况，以同陕西比较。安康地区各县正在召开县、区、社“三干会”或加上大队的“四干会”（或统称“多干会”）。他每到一县，不但听县委汇报，还要去同区、社、队干部见面，宣讲《二十三条》，并且开门见山地提出问题，同大家商量，一个问题一个问题地排队，一件事情一件事情地处理。晚间，还要同随他一同调查的地委书记韦明海交换意见。一天的事情都处理完了，他就在灯下看县志，直到深夜。第二天一大早他就起来，又匆匆上路。就这样，他风尘仆仆，不顾疲劳，日夜加班，迅速将交代政策、讨论生产的要求贯彻下去。

在各县，情况最为复杂的，要同大家反复讨论、商量、说服、甚至辩论的还是对干部的处理问题。当时每县都有相当一批干部被“双开”，甚至被逮捕判刑，其中包括县委副书记、县长、县检察长、公社党委书记等领导成员。受处理的原因则有“包庇坏人”、“翻案”、“大搞封建迷信”、“挪用公款”、“乱搞男女关系、生活特殊化”、“闹不团结”等等。这些问题，经过深入查问和分析，明显看出相当一部分是定性偏重，有的则是强加的罪名。比如所谓“翻案”，是指根据实际情况核减了基层干部的经济退赔；所谓“大搞封建迷信”，是指盖房子上梁贴了红纸。对于过重的处分，胡耀邦态度很明确，必须降下来；在方法上，他坚持同大家充分商量。在汉阴，在白河，在平利，他都从汇报中拣出一两个“典型”，对大家说，这些干部错误是有的，应当给以必要的适当的处分，现在把他们抓起来，双开除，处分过重了。他的意见是，这些干部都工作十几年几十年了，有的还是从外省到这里来的，都做出过贡献。现在有了错误，对他们要实事求是，要给出路。凡“双开”的不要“双开”，可以降级降职，将功补过。抓起来的尽量放出来，判了刑的要减刑。他说，把这些“典型”讨论清楚了，其余就可“照此办理”了。还有，鉴于犯“男女关系”错误的干部很多，而对这个问题缺少必要的界限，一般都处理得很重，胡耀邦提出，三种情况要从严：一、利用职权搞腐化，影响很坏的；二、强奸、或者一贯道德败坏的；三、破坏军婚、奸污幼女的。不属于这个范围的，不可轻易“双开”或法办。

对于一些早已习惯于“左”的思维和既定的事实的干部来说，这样一些改变，他们觉得简直不可思议。在胡耀邦的平等商量的态度面前，他们没有顾忌，带着很大情绪，表示了不同意见。有人说，解放以来就是过去从宽，今后从严，结果这么多人出问题；现在再宽，以后他们还会重犯，到底啥时候严？也有的站起来直接同胡耀邦顶撞。胡耀邦大度地微笑着说，你们“左”，我有点右是不是？他还表扬顶撞他的人说：这位同志不赞成我的意见，他同我公开争论，这很好，我们大家商量讨论嘛！经过反复讨论，绝大多数人都能够接受。最后胡耀邦请地监委逐一研究，拿出意见。

对于有一般性的，例如多吃多占等问题的干部，胡耀邦主张只要好好洗澡，就既往不咎。洗手洗澡也要启发他们自觉，“不要按着脖子强洗”。在白河的县委扩大会上，基层干部们说，两三年来洗了四次了，刚刚过了年，又要洗。胡耀邦提出，有六种情况，只要已经洗过，可以不再洗了：一、公私不分；二、多吃多占；三、官僚主义；四、强迫命令；五、一般的轻微的男女关系；六、家庭或帮助家庭小量、小额的贩卖。他说：已经洗干净了，就不再洗了，行不行？

在同基层干部接触当中，胡耀邦发现他们程度不同但是较为普遍地心里揣着一个“怕”字，怕犯错误。因此不敢放手工作，不敢接近犯错误的人，不敢负责；开会不敢大胆讲话，这不敢那不敢。因此所到之处，他都鼓励大家一定要丢弃这种精神状态，泼泼辣辣地工作。他说，讲过来讲过去，就是要大家往前奔。提心吊胆，胆战心惊，总向后看，那怎么行？要朝气蓬勃、干劲十足，不要缩手缩脚。他还向大家提出了当年在解放军十八兵团提过的“光荣到底”的口号，要大家再接再厉，创造成绩，不要对不起老百姓。

当时春耕大忙在即，胡耀邦感到最紧迫的、也是他最焦急的，是得赶紧把生产搞上去。他之所以急于要解放干部，也是要使大批干部不再纠缠于过去，卸下思想包袱，全身心地投入生产建设。每到一个县，他都要用极鲜明的语言强调生产的重要性，都要用极大的精力去部署生产。他说，生产搞不好，有什么大好形势；生产不好谈不上为人民服务。“同志们哪，明确不明确？一切都要围绕把生产搞好，争取大丰收!”他说：“天大的事情，就是把生产搞好，这是前提、根本嘛！根本就是生产上升，其他都要为这个根本服务。”他说，“社会主义教育的目的是什么？就是要落实到生产上去。”“我们革命是为了什么？革命就是为了发展生产。”“全党最重要的任务是搞好生产。”

对于生产，他提出了“两手抓，双丰收”的思路，即一手抓粮食，一手抓多种经营。他在所到的七个县里，无一例外地、兴致勃勃地同众多参加“三干会”、“四干会”的干部谋划生产大计。那真是让人不能不兴奋的热闹场面。他介绍全国的经济形势、邻省的形势，说明陕西是大大落后了，让大家有个宏观概念。他请那些生产搞得好的公社书记、大队支书到台上来，让他们讲粮食是怎样增产的。然后就以他们为例子，号召大家来一个竞赛，增了产的可以奖耕牛、奖农具、奖化肥。他向台下问问这个，问问那个，问他们那个社、队有多少人口，去年产多少，今年估计产多少，有没有增产的决心和信心？他帮助他们算账，一笔笔数字他记得十分清楚，心算也极快。有哪个人回答得使他满意，他就叫那人到台上来，面向大家讲想法。这样边问答边算账，引导着干部们都转动了脑筋，全场情绪都被搅动起来。他的那些新鲜的提议，常常引起全场的应和。事隔近四十年，今天我们读当年那些会议的记录，还感到如见其人，如闻其声，令人感奋不已。

根据安康地区土特产丰富的特点，他对“抓多种经营”这“一手”，主要是强调发展山货土特产，因地制宜地发展中药材、蚕茧、木耳、核桃、柿子等等。他同时也十分强调发展林业。

为了使农民有点现钱收入，胡耀邦提出要把农村“赶场”组织起来，把集市贸易恢复起来并且搞活。当时农民把自留地产的红薯、黄豆等等拿到集市去卖，通通被当做投机倒把打击。胡耀邦在省委一月工作会议上曾经提过这个问题。现在到下面发现，阻力比原来想像的大得多。他再三强调，不要把投机倒把和农民的互通有无混同起来，真正的投机倒把要打击，集市贸易要保护。他说，不能卡得太死。卡得太死，一来增加困难，二来不能互通有无，三来不能刺激生产，对人民不利，对生产不利。至于农民的短途运输，当时被说成是“中间剥削”。胡耀邦说，短途运输是一项辛苦的体力劳动，这是靠人和牲畜的劳动力赚钱，而牲畜又是由驾驭者喂养，谁剥削谁呢？他还说，商品的本性就是自由，就要不断流动，所以经济工作要搞活，不能卡死。

八天的安康各县之行，一边实地考察，一边讨论纷纷，一边不断思索，最后回到安康地委时，胡耀邦已形成了改变现有局面的系统的意见。1965年2月12日，他在安康地区干部会议上发表讲话，对这些意见作了全面阐述。这就是：一、要在政治思想方面放大一些，而不要抠得太碎；二、要在领导生产方面放得更宽一些，而不要过窄；三、要在经济政策方面搞得更活一些，而不要过死。

什么叫“政治思想方面放大一些”？他指出：一、不要着重历史问题，而要着重现在的表现，“重在表现”。二、不要着重已经“洗手洗澡”交代的问题，而是着重今后的工作表现问题，着重“将功补过”。三、不是着重枝节问题，而是着重注意大的关键问题，注意对党的方针政策的执行。“去年以来处理的一些人，都应根据以上精神加以清理，没什么可犹豫的。”

什么叫“领导生产方面放宽一些”？就是不仅要抓农业，而且要抓副业、抓山货生产；不仅要搞好今年，还要为以后的发展积极创造条件；不仅要注意现有的经验，还要创造新的经验，包括现代科学技术；不仅要注意增加生产，还要注意为生产服务的商业问题、财政问题、交通运输问题；不仅要有技术性措施，而且要有广泛的、持久的、扎扎实实的群众运动，充分发挥人的主观能动性。也就是说，不是一手抓，而是两手抓；不是争取单丰收，而是争取双丰收；不是短期打算，而是长期打算；不仅要继承，而且要发展。领导生产必须想得远一点、深一点，但是不要着急，不要慌乱。工作要积极，头脑要清醒，一步一个脚印。

什么叫“掌握经济政策方面搞活一些”？他指出五点：一、国营商业、供销合作社，应该加强调查研究，倾听群众意见，经常注意改进自己的工作，为生产服务，为群众服务。二、活跃集市贸易。国营商业、合作社商业不可能代替农民之间互通有无的集市贸易，几十年以后也不能代替。农民不可能生产他所需要的全部生活资料和生产资料，国营商业、合作社商业也不可能全部购回农民多余的农副产品。因此，在社会主义社会里，集市贸易是合法的，是社会主义经济的重要补充。农民为买而卖，这叫简单交换，它可能导向投机倒把，但它本身不是投机倒把。只是为卖而买，产生利润，这叫资本流通，才产生剥削。这是个实际问题，也是个理论问题，这两方面问题都必须解决，而且宜早不宜迟。集市贸易组织好了，可以一举三得，生产可以增长，税收可以增加，真正的投机倒把分子也容易被发现。所有的集镇都要赶集，要向有关部门讲清，防止乱没收。三、很好地组织短途运输。人力、畜力短途运输不是什么剥削，山区修路就是为便于山区运输。人力、畜力运输一百年也取消不了，飞机、轮船、汽车不可能解决全部的运输问题。短途运输是一种繁重的体力劳动，必须有合理的报酬。不组织短途运输，农民对修公路、修架子车路，就会没有兴趣。短途运输也是生产队一种副业。发展短途运输，就是为了互通有无，促进生产，发展副业。四、必须有计划地解决城市就业问题。城市就业，最大的出路是发展手工业，加工农副产品，生产农村需要的生产资料。然后在手工业的基础上，慢慢变成地方工业。手工业所需原料，要很好地加以解决。五、三级财政。要学会节省钱，也要学会花钱。不当花的钱花了，当花的钱不花，都是违背总路线精神的。要使人们看到，不管城市或农村，每年都要有点变化。

这篇思虑深远，贯穿实事求是、体恤民艰、逆当时“左”的潮流而上的讲话，带给人们的豁然开朗的感觉是强烈的。他实际上是在大声疾呼思想的解放，呼唤体制的改革。他所讲的小城镇要在手工业基础上发展地方工业，事实上正是十余年后发展起来的乡镇企业的先声。他的关于长远打算的思想，也正是同后来所说的“可持续发展”一脉相承。至于集市贸易，十余年后终成现实。可惜他的这些主张，当时都化作了泡影。

此时，胡耀邦思绪万千，激情难抑。他感到对运动和生产的主要问题都酝酿得比较成熟，近日省里各县正在开多级干部会，有必要把这些意见整理成一个完整的方针政策性的东西，向省委通通气，以指导全省工作。2 月 13 日晚，他亲笔起草了一篇《电话通讯》，至 14 日凌晨二时写毕，以急电向省委办公厅发出。在省委主持日常工作的常务书记冯基平，当即分别征得省委书记处各书记的同意，签发省委办公厅以电话会议的方式转告到各地、市、县（区）委。这篇《电话通讯》提出了八个方面的方针政策性的问题，包括学习和讨论《二十三条》要抓住精神实质，不要咬文嚼字，不要搞烦琐哲学，学习和讨论到一定时候就要停下来，转到讨论今年的生产问题上去；要明确告诉大家，中央减轻了我省今年粮食征购任务，是为了我省农民有充裕的口粮，有充沛的干劲从事生产，并且使多种经营更好地发展起来；今年农业增产的方针应该是“两手抓，双丰收”：关中地区主要是一手抓粮食、一手抓棉花，陕南地区主要是一手抓粮食、一手抓山货土特产，陕北地区主要是一手抓粮食、一手抓造林和畜牧业；要把多级干部会开活，主要办法就是选择一批增了产的典型公社和大队在大会上介绍增产经验以及要发展集市贸易，政治思想方面放得大一些，领导生产上想得宽一些，等等。八个方面的第二点，提出了解放干部的四条政策：

（二）为了正确地贯彻执行《二十三条》中关于干部问题的政策，应该向到会同志明确宣布：(1) 凡属社教以来被处分过重的干部，一律实事求是地减轻下来。最好选择几个典型，经过大家讨论，重新作出决定，并在大会上宣布。(2) 凡属停止和撤销工作，但尚未处理的干部一律先到工作岗位上去，待问题完全查清或经过一个时期的考验后再作结论。(3) 凡属去年以前犯有某些错误但已经交代过的在职干部（包括脱产和不脱产干部），不再在这次会议上“洗手洗澡”。只要做好工作，搞好生产，将功补过，就一律不咎既往。(4) 凡属这次县的多级干部会议后，继续干坏事的人，不管职务高低，一律从严处理。只要我们掌握了这四条，我们就不会犯什么“左”的错误，也不会犯什么右的错误。

不料三天以后，这四条就惹出了祸。

五 “四条”闯祸

2月17日，胡耀邦来到汉中地委，在这里，他接到西北局打来的电话说：《电话通讯》提出的四条干部政策不妥，可能引起翻案风。这批评使胡耀邦着实吃了一惊。他想，这四条是根据《二十三条》精神提出的，有什么错？

第二天上午，胡耀邦本着组织上服从的原则，立即给安康地委打电话，传达了西北局的电话内容，请他们注意“翻案风”问题。他在后来经过的几个地县，不再讲在安康所讲的那些内容，而是打招呼要防止“翻案风”。2月25日，胡耀邦经过整整20天风尘劳碌的调查考察，回到西安。他随即同赵守一、冯基平、章泽、李启明等交谈，征询他们对“干部四条”的意见，后来又听了一些下去的干部的汇报。他总的感觉是，只要注意掌握，不会造成多大问题。

然而领导上仍然认为干部四条是有片面性的，肯定会引起翻案风。2月28日下午，胡耀邦主持省委书记处会议，他为顾全大局作了检讨，承认“干部四条”缺乏分析，有片面性。会上决定向地、县发一个通知，要求“正确执行干部四条”。

会后，胡耀邦给西北局写信，检讨了“干部四条”的“片面性”。回信说：工作中出一点纰漏不要紧，只要认识了错误，就会成为推动工作前进的动力。

3月3日，省委发出《关于执行耀邦同志二月十四日〈电话通讯〉第二个问题的前两条应注意的几个问题的通知》，要求“确实处分错了的，改正过来；处分过重的，减轻下来；但处分正确的，不能随意减免处分。对于有些人的处分问题，如果大家认识不一致，或者一时弄不清楚的，就不要匆忙地改变处分”。

3月7日，西北局发出通知，从3月10日起，召开西北局书记处扩大会议，讨论陕西省委1965年1月以来也就是胡耀邦主政以来的工作，邀请陕西省委书记处全体成员和西北局各部、委、办主要负责人列席。

会上，胡耀邦汇报了省委一月会议以来的工作。他说，在指导思想上主要是考虑到我省生产落后了，而春耕大忙在即，必须以《二十三条》为武器，调动一切积极因素，迅速投入到组织农业生产高潮的斗争中去。因此，有必要把面上的“四清”、夺权斗争放一下，集中力量把生产抓起来。他说，在对各县的多干会的指导上，突出地抓了两点，一是以《二十三条》为标准，统一大家对社会主义教育运动的认识，在肯定成绩、肯定必须把革命进行到底的前提下，消除在一部分干部中由于不了解政策而产生的不安情绪，以便团结绝大多数的干部搞好当前生产。另一个是在大讲大好形势鼓舞干部和群众的同时，适当地摆出了我省和先进省以及我省各县之间的差距，比较深刻地触动了在相当多的干部中存在着的右倾保守、固步自封的思想情绪。他说，在这两个问题上，收效是显著的。

在全省“多干会”期间，释放了逮捕的脱产干部43人，收回“双开”的76人，减轻处分的102人，停职又放到工作岗位上去的478人。胡耀邦在汇报中列举了这些数字，认为这都是必须肯定的成绩。

同时，他也作了检讨。他说：一、由于看到陕西生产落后太大，因此在这方面想得多，特别是下去以后，看到一些同志对生产很不熟悉，更加着急，这样就对生产强调得很突出，对革命对阶级斗争说得很不充分。二、由于当时急于纠正实际工作中的缺点，调动干部和群众的积极性，这样就又出了一个片面性，在讲到前段社教中的成绩缺点时，比较起来对成绩说得不够充分（特别是对点上），而对可能发生的新问题估计不足。三、由于想把生产搞上去，总想多出一些点子，而对情况的复杂性估计不足，分析不够，这样，又产生了更严重的片面性，这就是《电话通讯》对干部处理的四条办法。四条中用了好几个"一律"，这是没有分析的说法。如果大家完全照此做下去，一定要产生混乱和翻案风。四、对上述一些重大问题，特别是关于干部处理问题的四条，我没有提到省委会议讨论，更没有向西北局请示，是错误的。

在接下来几天的会议里，胡耀邦受到了"上纲上线"的批判。

一连数日，胡耀邦受着批判，刺激和压力使他身心俱疲。他每夜失眠，头痛得难以支撑。3月17日，极度虚弱的他病倒了。专家医生们经过两次会诊，发现他大脑神经过度紧张和超常疲劳，听力和视力严重衰退，肺部出现气肿，属于突发大脑蜘蛛网膜炎，需要立即停止工作，住院治疗，否则十分危险。

3月18日夜里，他忧思难遣，难以入睡。第二天就要住院了，他觉得这件事情应该有个了结。整整翻腾一个月了。再这样翻腾下去，工作上损失太大。他决定顾全大局，再写一封信，再作一次更全面些的检讨，但不涉及西北局会上那些批判言词，而只是检讨自己到陕西以来，特别是围绕着“干部四条”自己思想上和组织上的一些缺点。这种检讨，也算是对自己几个月来工作的一个总结。已经是19日凌晨两点钟了，他披衣起来，扶病奋笔。这封信断续写了四天，直到22日才完成。

在这封四千多字的信里，胡耀邦对指责他对前段社教成绩肯定不够、“干部四条”会引起翻案风等等都承认了下来，并且诚恳地检查了自己自以为是，主观片面，不够谨慎，讲话容易走火等等缺点。在信的最后，他表示了对未来工作的信心：“在西北局的督促和帮助下，我现在决心以一个革命者应有的高姿态去改正错误，我相信只要抓得准，抓得紧，还是能够赶上去的。”

胡耀邦住院以后，中央办公厅以及西北局、陕西省委的领导们陆续来看望他。把信送出以后，他的心情一时倒也平静下来。后来，赵守一、冯基平来看他，告诉他关中等地小麦长势很好，夏粮可望丰收，干部、群众在春耕大忙中劲头很大，特别是被解放的干部十分积极，使他感到兴奋，思绪又转向考虑未来工作上来。

住院整整两个月，5月19日胡耀邦出院，但病状没有完全消除，医生告诫要继续休养一个时期。此时省委正根据西北局指示，忙着准备召开省委工作会议。

5月31日，省委工作会议开幕，胡耀邦一改以往作报告时那种尽情发挥、谈笑自若的状态，一上来就声明：由于身体不好，今天除了对报告的第三部分，即当前几项主要工作的安排作一些解释之外，其他都是照念。作完报告之后，胡耀邦就有意回避，在十几天内再没有进过会场，也不找人谈话，以便让大家敞开讲话。会上绝大多数干部说，胡耀邦来陕西，虽然只几个月，却成绩很大，开创了新局面，缺点、错误是局部的、一时的，检讨是诚恳的、深刻的。也有人认为检讨得过了头，胡耀邦有功无过。但也有人认为错误严重，检讨得很不够。

6月11日，胡耀邦在一一六次常委会上作了一篇包括八个主要问题的发言。他在肯定已经作过的检讨的前提下，举出大量事实，说明“三个暂停”等在当时条件下只能如此，必须如此；说明他虽然对社教成绩肯定不够，但是没有夸大缺点；说明他不同意说光抓生产没抓革命，也不同意说没有抓阶级斗争，宣传贯彻《二十三条》，就是在抓阶级斗争，巩固集体经济、号召干部领导生产等等，就是“抓革命、促生产”；说明他不同意少征购一些、向中央要点化肥就是“物质刺激”。他反驳了那些“上纲上线”的“批判”，同时也阐明了自己的正面主张。最后，他针锋相对地指出：“似乎有那么一种观点，只要在工作中出了毛病，发生了某种片面性，就一定是总的指导思想上‘左’了或者右了，就要往‘纲’上提。这是一种绝对化的、形而上学的观点。”“不能把局部的、一时的因而也是容易纠正的片面性，同顺着这种片面性滑下去以至形成某种倾向的错误混为一谈；不宜把工作中的一般错误都提到‘纲’上来。”“乱贴‘左’倾或右倾标签，这是有害的。”

胡耀邦发言之后，省委通过了一个以安排工作为主，对争论问题不作结论的会议纪要，省委六月工作会议于18日结束。

在省委六月工作会议期间，叶剑英元帅偕同张爱萍、张宗逊将军等来西安考察军事工作。在西北局、陕西省委和省政府为叶帅等洗尘的饭桌上，张爱萍望着面色憔悴的胡耀邦深有用意地说：“我们一进潼关就看到陕西的麦子长势喜人，看来又是一个大丰收。耀邦瘦了，陕西肥了，耀邦对陕西是有功的啊。”饭后，叶剑英把胡耀邦单独留下，关切地询问事情的经过，并建议耀邦同志随他回京。

省委六月会议一散，胡耀邦就向西北局请假，回北京治病。6月20日，胡耀邦同叶剑英一行，乘飞机返回了北京。

胡耀邦主政陕西总共两百多天，在处理社教问题上受到错误的批判，这不仅是胡耀邦个人的命运多舛，也是一出历史的悲剧。

胡耀邦回到北京养病，西北局和陕西省委对他的批判却没有停止。一批支持胡耀邦的干部，都遭受了长期的批斗和折磨。

第十二章 “文革”磨难

一 飞来横祸

胡耀邦在1965年6月回到北京养病以后，生活是平静的，然而思想却极不平静。主政陕西两百多天的种种重大是非问题，无时不在头脑里翻滚。离开陕西以后，那里还在批判他，而且调子越来越高，这消息他早已知道了。从那里拉开的架势看，他很清楚事情不仅不会就此结束，而且还会发展。他要向中央申诉。他把当时的文件，包括他自己的历次讲话细细看过，经过一再的重新估量，仍然认为自己在这两百多天里的言论和举措，是经得起检验的。他着手准备一篇长篇发言，阐明自己那些政策主张的依据，驳斥对他的那些荒谬的批判，以便在适当的机会，当面向中央领导同志陈述。

10月初，胡耀邦得到中央通知：西北局书记处和陕西省委书记处的部分成员正在北京参加讨论第三个五年计划的中央工作会议，10 月 6 日，由中央书记处主持，请他们来谈双方的争论，请胡耀邦出席。

10 月 6 日，胡耀邦带着厚厚一摞材料来到中南海，走进会议室，他看到只有邓小平一个人坐在那里。尤其使他大感意外的是，邓小平告诉他："你们的争论摆下，不要谈了。你不要回陕西去了，休息一段时间，另外分配工作。"邓小平还告诉他，中央已派浙江省委书记霍士廉去接替他的工作。胡耀邦提出："中央是否给我做个结论？"邓小平说："没有必要。"胡耀邦说："他们写的《省委一百二十八次常委（扩大）会议纪要》已经发下去了，还要在十七级以上党员干部中肃清我的'流毒'呢。"邓小平说："他们说的不算，中央没有给你作结论。"胡耀邦又提出："是否把总书记今天讲的这几点形成一个文件发下去？"邓小平又说："没有必要。"

不久，就有比个人际遇更重大的社会动向引起他的注意。11 月间，报纸上发表了姚文元的长篇文章《评新编历史剧〈海瑞罢官〉》。这篇文章点名批判了《海瑞罢官》的作者吴晗，说这个剧本是"用地主资产阶级的国家观代替了马克思主义的国家观，用阶级调和论代替了阶级斗争论"，剧中写的"退田"、"平冤狱"就是鼓吹"单干风"、"翻案风"。吴晗是北京市副市长，著名历史学家，声望卓著的民主人士。现在竟然被这样点名批判，而且文章杀气腾腾，显然有极不寻常的背景。胡耀邦知道，学习海瑞，正是毛泽东提出来的。1959 年 4 月 5 日，在上海召开的党的八届七中全会上，毛泽东提出要敢于讲真话，敢于批判他的缺点，要向明朝那个敢于痛骂嘉靖皇帝的海瑞学习。吴晗正是按照毛泽东倡导的精神，撰写文章，编写剧本的。如今，海瑞又成了"影射现实"的典型。看来，历史又将有一场反复。

回想起这一年来思想领域里一场又一场的批判，都给人以“山雨欲来风满楼”的感觉。1963年12月12日，毛泽东在中宣部编印的《文艺情况汇报》上批道：“各种文艺形式——戏剧、曲艺、音乐、美术、舞蹈、电影、诗和文学等等，问题不少，人数甚多，社会主义改造在许多部门中，至今收效甚微。许多部门至今还是死人统治着……”又说：“许多共产党人热心提倡封建主义和资本主义的艺术，却不热心提倡社会主义的艺术，岂非咄咄怪事。”1964年6月27日，毛泽东在中宣部《关于全国文联和各协会整风情况的报告》上又批道：“这些协会和他们掌握的刊物的大多数（据说有少数几个好的），十五年来，基本上（不是一切人）不执行党的政策，做官当老爷，不去接近工农兵，不去反映社会主义的革命和建设。最近几年，竟然跌到了修正主义的边缘。如不认真改造，势必在将来的某一天，要变成像匈牙利裴多菲俱乐部那样的团体。”继这连续两次尖锐批判以后，康生就大肆施展罗织罪名的手段，在文艺界掀起了批判“老头子”、“祖师爷”的狂潮，接连不断地批判了夏衍、田汉、阳翰笙、邵荃麟、齐燕铭这些文化界、文艺界的代表人物，与此同时，又批判了《早春二月》、《谢瑶环》等一大批文艺作品。以后，很快又扩展到其他领域，哲学界批判杨献珍的“合二而一”论，经济学界批判孙冶方的生产价格论和企业利润观，史学界批判翦伯赞的“历史主义”，以及农民战争史研究中的“让步政策”等等。这些所谓“批判”，都不是着眼于学术观点或艺术观点，而是用强加的政治罪名，要一举置人于死地。这种社会气候，使胡耀邦产生一种压抑感，这种感觉比他自己遭受批判时似乎更为强烈。

而这时更令胡耀邦吃惊的是，他敬重的好友罗瑞卿突然被定为机会主义分子而隔离审查。

在延安抗大期间，胡耀邦在罗瑞卿直接领导下工作，两人结下了友谊。以后在晋察冀野战军两人又在同一部队，相知甚深。建国以后，罗瑞卿被授予大将军衔，在党、政府、军队里都担任要职，具有卓著的声望。胡耀邦同他虽各有所忙，但还是时有过从，遇有大事每每向“罗大将”请教，罗瑞卿闲暇时也到胡耀邦家里来打打麻将、聊聊天。在林彪提出“突出政治”等那一套口号之后，性格鲠直刚烈的罗瑞卿表示了疑问和不同意见，1965 年 11 月，林彪亲笔写信向毛泽东诬告罗瑞卿反对“突出政治”，要夺取军权。毛泽东当即批示：“那些不相信政治，对于突出政治阳奉阴违，而自己另外散布一套折衷主义（即机会主义）的人们，大家应当有所警惕。”这样一来，罗瑞卿就受到不容置辩的揭发，随即被隔离审查。当胡耀邦读到中共中央批转的审查材料，看到其中列举的罗瑞卿“极端敌视毛泽东思想”等罪名时，真是百思莫解。他无法相信，像罗瑞卿这样身经百战，出生入死，对党、对人民、对毛泽东赤胆忠心、功勋赫赫的大将军，居然会反党、反毛泽东思想，而这一切，又都是缘于对林彪那一套有不同意见。这种不正常的现象，使胡耀邦感到深深的忧虑。

进入 1966 年，一切一切都预示着，那场疾风引来的暴雨，就要出现了。先是由批判吴晗演变到批判“三家村”，毛泽东又借此严厉批评了彭真领导起草的《二月提纲》，接着就将彭（真）、罗（瑞卿）、陆（定一）、杨（尚昆）生拉硬扯地连在一起，定为“反党集团”加以揪斗。演变到后来，就是中共中央于 5 月 16 日发出了《中国共产党中央委员会通知》即“五一六通知”，其中一些话令人毛骨悚然：“混进党里、政府里、军队里和各种文化界的资产阶级代表人物，是一批反革命的修正主义分子，一旦时机成熟，他们就会要夺取政权，由无产阶级专政变为资产阶级专政。”“例如赫鲁晓夫那样的人物，他们现正睡在我们的身旁，各级党委必须充分注意这一点。”在这同时，成立了陈伯达任组长，康生任顾问，江青、张春桥任副组长的“中央文化革命小组”（简称“中央文革小组”）。一场所谓的“文化大革命”就此发动起来。于是，人们很快体验到，这场山雨不是和风细雨，而是苦风凄雨、邪风恶雨、腥风血雨。

最早起来响应的是北京的大中学生。5月下旬，北京大学聂元梓等七人贴出了攻击北京大学党委和北京市委的大字报，即后来所谓的“全国第一张马列主义的大字报”，毛泽东从情况简报上看到后，兴奋异常，说是“北京大学这个反动堡垒，从此可以开始打破。”6月1日，他下令公开发表这份大字报，要使之成为一个突破口，以大大发动群众，打破原有秩序。果然，局面立即被搅动起来，学生们纷纷起来“造修正主义的反”，铺天盖地、乱加罪名的大字报把矛头指向学校党和行政领导人以及教师，甚至施行体罚和种种污辱，党的组织很快陷于瘫痪，学校已难以进行正常的教学和各项工作。

这时毛泽东出外巡视。在北京主持中央日常工作的刘少奇、邓小平认为这种混乱局面必须制止。6月3日，他们召开中央政治局常委扩大会议，决定向北京市各大中学校派出工作组领导“文化革命”。会上决定北京市中学的“文化大革命”归团中央负责，立即派工作组进驻。

团中央由此惹上了滔天大祸。

团中央书记处常务书记胡克实列席了这次会议，回来立即召开书记处会议汇报。胡耀邦面有难色，觉得事情复杂，深浅莫测，但既然是中央的决定，那就要执行。胡克实主持召开了书记处紧急会议，传达中央的决定，立即成立领导小组和“北京市中学文化革命工作团”，团长、副团长分别由胡克实和团中央书记处书记惠庶昌担任。随后，抽调了团中央机关六十多名干部，同中共北京市委干部一起，组成十六个工作组，进驻“文化大革命”运动已经掀起、局面混乱不堪的北师大女附中、清华大学附中、北京四中等十六所中学。其后又从北京和全国各地抽调一千八百多名团的干部，组成三百多个工作组，陆续向北京市八个区的中学派出，并在各区成立了工作队，队长由团中央书记、常委、部长担任，工作队具体领导各工作组。

但工作组不曾料到，与此同时，“中央文革小组”的陈伯达、康生、江青以及关锋、戚本禹之流，却在暗中煽动学生反对工作组，因此工作组一进校，就遭到围攻。6月17日，北京师大女附中贴出反对工作组的大字报，紧接着清华附中红卫兵同工作组发生了冲突，他们向中共中央、毛泽东写信，控告工作组进校后压制造反派，搞折衷主义，只讲团结、不讲斗争，火药味不浓等等，表示公开反对。

毛泽东7月18日由武汉回到北京，听了陈伯达、康生、江青等人的汇报，对派工作组很不满意。

7月26日，中央政治局召开扩大会议，根据毛泽东的意见，决定撤销工作组，“文化革命”由群众自己来主持，让群众自己教育自己，自己解放自己。7月28日，改组后的中共北京市委作出《关于撤销各大专院校工作组的决定》，并说明这一决定“也适用于中等学校”。从此，陈伯达、康生、江青一伙更是气焰万丈地四处煽风点火，制造一起又一起学生同工作组严重对立的事件。7月27、28日，江青派人出席了海淀区、西城区中学师生代表大会，以“中央文革小组”的名义，宣布工作队要求学生复课是压制红卫兵，撤了这两个工作队队长周杰、胡启立的职务，并且对他们进行了批斗。这样，就在北京掀起了一股各校学生驱赶殴打工作组的武斗邪风。

一直居家养病的胡耀邦没有参与工作团的工作，但学生们的所谓“造反”行动使他深感不安。他支持工作组进驻学校去稳定秩序，当听说两个工作队队长挨了批斗，工作组被赶出学校时，他气愤地说：“派工作组是中央政治局决定的。中央文革小组的做法很不正常。”他要胡克实把这些情况向邓小平反映。

胡耀邦还不知道，邓小平的处境也很困难。7月29日，北京市委在人民大会堂召开全市大专院校和中等学校师生“文化革命”积极分子万人大会，宣读关于撤销工作组的决定。刘少奇、周恩来、邓小平在会上讲话，对派工作组承担了责任，并说这是“老革命遇到了新问题”。

当天晚上，北京石油学院附中等八所学校的红卫兵涌到团中央机关“造反”。他们刷标语，喊口号，声讨派工作组的“罪行”，四处寻找工作组成员批斗。

第二天，“中央文革小组”的张春桥偕同关锋、戚本禹等来到团中央，表示支持石油学院附中等八校“革命小将的革命行动”。他们咄咄逼人地指责胡耀邦、胡克实等“害怕革命、害怕青年、害怕群众”。

从此，一部分红卫兵就踞守团中央不走，天天“造反”。他们找到了团中央候补书记、西城区工作队队长胡启立，立即在传达室将他团团围住，不容分说地把盛满污水的痰盂扣在他头上。经过撕扯、推搡、责骂的痛快淋漓的“批斗”之后，才开心而去。

几天来的突然变化，使得团中央内一片惶恐。胡耀邦和胡克实心情复杂，他们一方面想不通，不服气，一方面也疑虑百端，惴惴不安，不知道事情会发展到哪一步。

8月1日，中共八届十一中全会召开。这次全会是毛泽东发现广大干部包括高级干部对“文化大革命”都“很不理解，很不认真，很不得力”，认为有必要通过一个在全国范围开展“文化大革命”的正式决议而决定召开的。会议只经过短时间准备，开得仓促而草率。会议一开幕，毛泽东就又提出派工作组问题，说这是“想把那些朝气勃勃的学生都打下去”，并且说：“这是镇压，是恐怖，这个恐怖来自中央”。

胡耀邦出席了这次全会。眼看工作组问题越闹越大，他心情不能不紧张。虽然派工作组的事他没有具体参与，但他仍然是团中央第一书记，他准备承担责任。

就在十一中全会开幕当天的下午，陈伯达、康生、江青把胡耀邦和胡克实找去“谈话”。这一番蛮横的“谈话”，给团中央和胡耀邦、胡克实定了“性”。

康生说，团中央在中学“文化大革命”中犯了方向错误、路线错误。你们已经严重脱离了青年，害怕青年，是青年官了。

江青说，你们为什么那么害怕群众运动？你胡耀邦从红小鬼变成了胆小鬼。

陈伯达说，你们头脑腐败！你们的思想要彻底破产，要彻底站到群众一边来，不彻底破产是不行的！又说，你们老气横秋，青年团成了老年团了。

康生马上接上去：我今年七十岁了，你们好像一百五十岁了。[1]

这些，自然都引起了胡耀邦思想上的震动。只是他无法理解，派工作组并不是团中央的发明，团中央只不过是执行政治局的决定，而且工作组工作的时间很短，完全谈不上“镇压”，对此康生等人是完全清楚的，为什么现在连这个基本事实也不顾了？

① 高勇：《胡耀邦主政青年团》，第89页。

但随后几天十一中全会的发展，使胡耀邦明白了这还只是个开始，更严重的事情即将到来。

在8月4日政治局扩大会议上，毛泽东说，“中央下令停课半年，专门搞文化大革命，大家起来了，又来镇压。”

8月5日，毛泽东写下了《炮打司令部——我的一张大字报》，其中写道：“可是在五十多天里，从中央到地方的某些领导同志，却反其道而行之，站在反动的资产阶级立场上，实行资产阶级专政，将无产阶级轰轰烈烈的文化大革命运动打下去，颠倒是非，混淆黑白，围剿革命派，压制不同意见，实行白色恐怖，自以为得意，长资产阶级的威风，灭无产阶级的志气，又何其毒也。”在这一天的会上，毛泽东还严厉批评团中央，说“团中央应该站在学生运动这边，可是它站在学生运动那边。”并且说，胡耀邦、胡克实、胡启立“三胡”不是糊糊涂涂犯错误，而是明明白白犯错误。

8月6日，北京的一些中学生在天桥剧场举行辩论会，辩论一副宣扬血统论的无聊对联：“老子英雄儿好汉，老子反动儿混蛋”。康生、江青等特地跑去参加，表示支持。他们都发表了长篇讲话，指责“共青团有严重错误”，“团中央某些人不是站在无产阶级文化大革命方面，而是站在资产阶级镇压革命这一方面。”在他们的煽动之下，“辩论会”成了声讨团中央的大会。他们还表示，学生们提出的“改组共青团这一要求是很正确的”，“红卫兵、红旗战斗小组应该成为改造共青团的主要骨干。”

这样，团中央就成了“文化大革命”发动以来，受到冲击的第一个单位。

二 改组之后

八届十一中全会在把林彪排在政治局常委第二的位置以代替刘少奇，并作出《关于无产阶级文化大革命的决定》之后，于8月12日闭幕。《决定》一开头就说："当前开展的无产阶级文化大革命，是一场触及人们灵魂的大革命……"

十一中全会闭幕的次日，8月13日晚，"中央文革小组"操纵的北京市中学红卫兵在工人体育场举行万人群众大会，批判团中央在工作组问题上的"错误"。会上，以胡耀邦为首的团中央书记处被宣布所犯的"严重错误"是：

一、没有高举毛泽东思想的旗帜，违背了毛主席的指示；

二、没有站稳无产阶级立场，而是坚持资产阶级立场；

三、口头上坚持群众路线，实际上猖狂攻击群众路线；

四、应对挑动学生斗学生，压制学生运动的"中学工作组"所犯的错误负责。

随后，宣布了中共中央关于改组团中央书记处的决定。

散会之后，高度亢奋的红卫兵如同潮水般地涌向团中央。一伙红卫兵跑到富强胡同，将胡耀邦、胡克实从家里揪到团中央。团中央大院里，办公楼各楼层上，顿时人声鼎沸，呼着口号的红卫兵到处追寻团中央其他书记和部门负责人。他们高呼"打倒胡家店"的口号，对胡耀邦、胡克实进行批斗。第二天，大批红卫兵又来"造反"。他们向被揪出的领导干部提出一个又一个的"质问"：

——你们的《团章》里为什么不写毛泽东思想？

——你们发展团员为什么不优先发展工人、贫下中农？

——你们会议室里为什么不贴毛主席语录，你们对伟大领袖是什么态度？

一切的说明、解释、甚至检讨，都无济于事，不管怎么样，总是“态度恶劣”。在这无休止的纠缠当中，团中央陷入一片混乱。

8月15日，团中央进行改组，由两名工农出身的书记组成团中央临时书记处，其他书记停职反省。

从此，团中央机关和直属单位的工作完全瘫痪。团中央工作人员从被改组的惊愕和疑虑中缓过神来，也成立了造反组织。在红卫兵浪潮的巨大压力下，大多是出于“紧跟毛主席革命路线”的真诚愿望，也赶紧行动起来，对书记处特别是胡耀邦用大字报展开了声讨批判。那些大字报都用了危言耸听的字眼：“打倒团内最大走资派胡耀邦”、“彻底揭发批判胡耀邦的修正主义黑货”等等。而大字报的所有揭发出来的材料，哪怕是最微不足道的，也都要加上“反党”、“反动透顶”之类骇人听闻的罪名。数日之内显得益发憔悴和苍老的胡耀邦，每天都被“勒令”出来看这些牵强附会的大字报。晚上，他还不时被揪去参加机关里的批判会，去听那些同大字报如出一辙的“批判”。

通常，他只是沉默，在沉默中沉思……

此时，红卫兵运动正如火如荼。7月下旬，清华大学附中红卫兵把他们的两张论“无产阶级革命造反精神万岁”的大字报寄给毛泽东。8月1日，在八届十一中全会开幕当日，毛泽东给他们回信，赞扬他们的“革命造反精神”，说这些大字报“说明对剥削压迫工人、农民、革命知识分子和革命党派的地主阶级、资产阶级、帝国主义、修正主义和他们的走狗，表示愤怒和申讨，说明对反动派造反有理……”从此，大中学校中打着“革命造反”旗号的红卫兵组织，在全国迅速发展起来。8月18日在天安门举行“文化大革命”的百万群众庆祝大会，参加者主要是北京和来自全国各地的青年学生。毛泽东身着军装，戴着“红卫兵”袖章，同林彪一道站在天安门城楼上检阅百万红卫兵。林彪在讲话中煽动红卫兵“要打倒走资本主义道路的当权派，要打倒资产阶级反动权威，要打倒一切资产阶级保皇派，要反对形形色色的压制革命的行动，要打倒一切牛鬼蛇神”，“要打破一切剥削阶级的旧思想、旧文化、旧风俗、旧习惯……要扫除一切害人虫，搬掉一切绊脚石！”

从此，红卫兵开始冲出校园，喊着“革命无罪、造反有理”的口号走上社会。他们以“破四旧”为名“横扫一切”，对文化遗产、知名人士、领导干部以至出身、历史“不好”的无辜群众进行了残酷的、毁灭性的破坏和摧残。

在团中央首当其冲的胡耀邦，此后遭遇了有生以来最为惨重的伤痛与凌辱。

每天，偌大的团中央大院挤满了串联来京的红卫兵，他们横冲直撞，要团中央干部交出胡耀邦、胡克实等人由他们批斗。一天数次的批斗，长时间的反扭双臂、弯腰低头、当面的唾骂以及时不时的拳打脚踢，都使病中的胡耀邦不堪忍受。后来红卫兵越涌越多，情绪越来越激烈，为防止意外，团中央造反组织采取了远距离“示众”的办法，每当红卫兵叫喊“揪出胡耀邦”、“揪出走资派”的时候，就让胡耀邦等人从办公楼二楼会议室的窗户跨出，到朝着大院的一个平台去“认罪”。于是胡耀邦、胡克实、王伟、王照华、胡启立等团中央的书记、候补书记从一早就得默默地在会议室等候，只要外面一呼叫，就得被两个人押解着，吃力地迈出窗外，被反剪双手，有时还要跪下，低头自报家门，并且要他们承认是犯了“三反”① 的罪行。8月

① “三反”：反党、反社会主义、反毛泽东思想。

的太阳，炙烤得平台滚烫，他们的脸上汗水混合着尘土，身心俱疲。胡耀邦的痔疮、肠痉挛又时不时发作，经受着病痛和精神的双重折磨。但他仍然是那样坚定而倔强，从来只说自己是犯了“错误”，而不承认是“走资派”，不管越聚越多的红卫兵如何吼叫，他决不改口。串联的“小将”这一拨刚刚走开，下一拨又来，他们又要被押出来，把这一切再重复一遍。就这样一次又一次地出来“示众”，直到傍晚红卫兵渐渐散去。

进入10月，中共中央宣布取消由党委领导运动的规定。在“踢开党委闹革命”的口号下，新一轮的造反狂潮迅速扩展到工农业领域。在林彪、陈伯达的煽动下，声势浩大的批判“资产阶级反动路线”的风暴在全国掀起，社会上出现了“打倒刘少奇”的标语和攻击邓小平的大字报，形势更加恶化。康生、江青、戚本禹等在不同场合，继续攻击共青团是“全民团”、“生产团”、“娱乐团”，说“团中央修到家了”、“团中央书记处修透了”、“要彻底砸烂”，这样，胡耀邦遭到了更凶猛的揪斗。

先是被揪到各个学校去批斗，经常受到辱骂和殴打。一次，一群中学红卫兵涌进团中央，揪胡耀邦等在礼堂门前批斗。照例是跪下，低头，“交代罪行”，高音喇叭里震耳欲聋的口号，人群的不停的吼叫。由于胡耀邦不承认有“三反罪行”，一个红卫兵上来猛扯他的耳朵，见胡耀邦并不屈服，她抡起皮带，向胡耀邦劈头盖脸狠狠抽去，那竟然是个只有十六七岁的女孩。

在年轻工人也起来“造反”之后，胡耀邦和胡克实、王伟等人曾被由戚本禹操纵的长辛店机车车辆厂“造反派”揪去。他们被一些大汉像麻包一样扔到大卡车上，开车后被喝令跪着，不许扶着什么，接着就是一顿暴打，王伟头被打破。到了批斗场地，“造反派”凶狠万状地问：“你是不是走资派？”胡耀邦一字一句地说：“我忠于毛主席，我忠于社会主义”。“造反派”狂叫："你不读毛主席著作，反对毛泽东思想。"胡耀邦倔强地说："毛选四卷我读了好多遍。""造反派"一拥而上，拳脚相加，觉得这还不够革命，又抡起皮带用铜扣猛抽。胡耀邦被打倒在地上，上衣被抽烂，全身肌肉红肿，鲜血从抽伤处流出。他回去后多日不能走路，从此落下了颈椎、肩膀和腰部时常作痛的毛病。然而他当时既不呻吟，也不改口。

这就是胡耀邦，一个老红军战士的操守和气概。他不说违心的话，不向恶势力低头，就是这样响当当、硬邦邦，宁折不弯。他还悄悄地鼓励年轻的胡启立等人：要挺得住，要经得起考验。

胡耀邦一被打倒，他的家人也横遭厄运。这个光荣的革命家庭，一夜之间失去了全部光荣！他的夫人李昭当时任北京市纺织局局长，因株连而受到批斗。在北京大学读书的大儿子胡德平也受到很大影响。因为平时和同学关系还算融洽，总算侥幸平安生活到1968年春末，入夏则被关押批斗，部分不明真相、狂热造反的"造反派"强迫他交代他父亲的"罪行"和他们父子间有什么勾结。因为在"文化大革命"的"二月逆流"中，胡耀邦未认清自己所处的险恶环境，仍以一种实事求是的态度为己辩护，还在写《我的申诉》，写了之一，又写了之二。胡德平看到父亲的申诉，十分震惊，便不断悄悄地跟周围一些朋友说："我父亲不是走资派，他是代人受过，冤枉！"当时只有十四岁的小女儿满妹也未能幸免，在学校里也因为爸爸是"走资派"而被孤立和批斗。在那种令人窒息的日子里，李昭忍着悲愤总是一遍又一遍地对孩子们讲："你们的父亲母亲是清白无辜的。我们没有干过什么丢脸的事，不管发生什么事，你们千万不能干那些有愧于党或有愧于我们家的事。"在父母和哥哥都失去了自由的时候，懂事的三儿子德华和满妹便挑起了照顾他们的重担。他们忍受着屈辱，每天去给父亲送饭送药。后来他们还要骑着自行车，路远迢迢地去北京大学，给被关押的哥哥送衣服。这些衣物里总是夹着他们母亲李昭写的纸条，谆谆叮嘱："必须实事求是"。

到1967年"大串联"停止，揪斗恶浪渐退，造反派的兴趣转向了相互间武斗之后，胡耀邦才得稍稍喘过一口气来。虽然团中央机关干部为了"紧跟伟大领袖的战略部署"仍要时常批他，但在规模和酷烈程度上毕竟小得多，也轻得多了。在一段时间里，胡耀邦被"专案组"勒令写"检查"、"交代"，他在这时对许多往事作了细细的回忆，而想得最多的，是几十年来他同毛泽东的关系以及他对毛泽东思想的认识。思考这些问题，常常使他心情十分矛盾。一方面，他对毛泽东怀着深厚感情，这种感情不仅在于他正是由于毛泽东的关爱、培养、器重，才得以迅速成长，更在于毛泽东的伟大功业以及个人魅力使他由衷景仰。每次读毛泽东的书或者听毛泽东的讲话，他总是一字一句地去深深体味，觉得那里面有丰富的宝藏，自己要勤奋地学习，努力地身体力行，才能算毛泽东的好学生。可是从1957年以来，毛泽东所发动的反右派、"大跃进"、庐山会议上批判彭德怀，以及眼下的"无产阶级文化大革命"，那些有悖常理、甚至有悖毛泽东自己过去言论的事情，以及一次又一次所造成的重大恶果，又使他产生怀疑。他觉得毛泽东违背了由他本人亲自倡导的民主集中制、批评与自我批评的作风、实事求是的精神、谦虚谨慎的态度。这样想下去，以至于在一定程度上，他觉得对毛泽东的信仰也发生了动摇。于是，"吾爱吾师"与"吾尤爱真理"的矛盾在他心中严重撞击着。然而几十年养成的对党的赤诚和对领袖的热爱，使他警告自己首先要进行自我检查，因为对毛泽东和毛泽东思想的认识和态度，关系太重大了。

于是，他本着无情地解剖自己和对党老实坦白的精神，实实在在地检查了这些“动摇”。

1967年4月，胡耀邦的母亲，一向身体还算硬朗的刘明伦老人，在对儿子的强烈思念和担忧中去世了。胡德平到团中央去把这个消息告诉一直关在那里的胡耀邦。他们在“革命群众”的押解下赶去医院。

胡耀邦一见母亲的遗体，未及鞠躬致哀，突然用家乡话喊了一句：“娘老子，儿子送你来了！”接着“哇”地一声痛哭起来，泪如雨下，鞠躬之时，全身颤抖。在“革命群众”督促之下，不能久停，胡耀邦看了母亲最后一眼，只得凄然退出。走出医院，他无限感慨地念了句唐诗：“上穷碧落下黄泉，两处茫茫皆不见”，又被押回团中央。这时，李昭和德平仍然没有行动自由，不能为老人处理后事，年幼的德华便把二哥刘湖从清华大学叫回来，将奶奶的遗体送到东郊火葬场殡葬。事情办完，刘湖已经身无分文，只得徒步从东郊走回家里。

三 “牛棚”囚禁

进入1968年，毛泽东呼唤的“天下大乱”已经乱成一团：各地派仗愈演愈烈，武斗更是打得血肉横飞，机关工作和经济生产全面瘫痪。把派工作组定为“方向性错误”的毛泽东，也不得不决定派遣解放军实行“三支两军”①，派工人毛泽东思想宣传队进驻学校。团中央毫无疑问也在“军管”之列。1968年3月，一批解放军进驻了团中央机关和直属单位，人们把他们称

① “三支两军”：支左、支工、支农、军管、军训。

为“军代表”。军代表直接领导了对胡耀邦等的审查，搜集并研究胡耀邦“三反罪行”的材料。

5月，“中央文革小组”提出“清理阶级队伍”，就是要把地、富、反、坏、右、叛、特、走资派、资产阶级知识分子、反动权威统统从“阶级队伍”清除出去。一切听命于“林副统帅”和“中央文革小组”的军代表闻风而动，以迅雷不及掩耳的手段，一夜之间将团中央里那些莫须有的或捕风捉影的“叛徒”、“特务”、“反革命”、“走资派”等等“牛鬼蛇神”一网打尽，关押起来，其中包括绝大多数的书记处成员、中层干部以及所谓“历史可疑”的干部四十多人，胡耀邦自然是第一号人物。

他们被关押在团中央南院几间平房里，被一道围墙严密封锁着。这种关押“牛鬼蛇神”的所在，就叫做“牛棚”。军代表倒是不出面，一切由革命群众监管，叫做“群众专政”。被“专政”的这些干部完全失去了人身自由，《专政条例》规定：彼此不准交谈、不准外出、不准家人探视、上厕所必须得到批准……

胡耀邦同所有的人关押在一起。每天要早早起来，在门前列队，听监管人员训话；然后就在“革命群众”严厉目光监视下劳动，拿着大扫帚清扫大院，或者把大量的砖石从这里搬到那里。干完活，就整天写“检查”，没有桌子，就伏在一张木凳上写。由于不准交谈，人们整天不吭一声，每个人都怀着沉重的心事。胡耀邦要写的材料特别多，他沉默着，神色凝重地一张张写下去。写累了，摸摸口袋，才记起了不准吸烟，于是，只好呆呆地仰望窗外的云天。晚上，就人挨人地在地铺上就寝。

这里三五天就要有一次苦役性的劳动，最经常、最能体现惩罚意义的就是清扫厕所。他们被勒令直接把手伸进便器去拭洗污垢，用以检验是否有进行触及灵魂的改造的诚意。有时还要去清扫散布在机关外各处的员工宿舍的厕所。这时胡耀邦便要同“黑帮”们一道，排起队来，在多名“革命群众”押解下，扛着打扫工具，穿街过巷。街巷里一些小孩子常常会一面“黑帮”、“黑帮”地叫着，一面向他们投掷石块。在这些宿舍院落里，他们要掀开化粪池，把粪水一桶桶淘上来，再运出去。在团中央的西山农场林木结果之后，他们又被押解到西山去监督劳动。

由于时常干重活，胡耀邦的痔疮越来越重，经常脱肛便血。在“牛棚”里得不到治疗，他只好每天晚上在人们睡下之后，打一小盆水坐洗。一不小心弄得声音大了点，就会遭到负责看管的“革命群众”的呵斥。

除了军代表和“革命群众”不断传讯之外，找胡耀邦外调的人也特别多。他几十年革命生涯间，战友、同事、部属太多了，如今许多人都沦为被审查对象，都要他写证明材料。每有外调人员到来，他就要被押出去接受讯问。一些外调人员总是要他多说出一些被调查者的“严重罪行”来，或者坐实那些纯属诬陷的事情。胡耀邦却不肯配合，总是坚持他自己的客观评价或事情的本来面目。湘潭的造反派到北京来要他揭发地委副书记高臣唐的“罪行”，胡耀邦冷冷地说：“我在湘潭是第一书记，如果在工作中有什么偏差，我负完全责任，与高臣唐无关，更不知道他有什么罪行。”那时候调查最多的是关于邓小平，形形色色的造反组织纷至沓来。从1949年开始，无论在四川，在北京，他一直在邓小平直接领导下工作，经常往来。造反派认为可以从他这里获得大量“过硬”的材料，于是都严词逼问，要他深挖邓小平的“罪行”。胡耀邦却总是对邓小平大加称道，说“总书记原则性极强”、“总书记思路特别清楚”。这样“顶牛”的结果，就是外调人员气急败坏，拍案叫骂，然后再向负责监管的“革命群众”控告“胡耀邦态度极端恶劣，到现在还给邓小平评功摆好。”接着又是“革命群众”的训斥、批判。但胡耀邦处之泰然，写材料时仍然实事求是，决不因迎合而乱写。

“牛棚”的日子虽然那样漫长，但还是一天天熬过去了。不觉到了10月，秋风萧瑟，落叶满阶。一天下午，胡耀邦正在写材料，被军代表叫走了。晚间，又有人来取走了他的材料、书籍和被褥。在“牛棚”里关了五个多月的胡耀邦，此后没有再回来。

后来人们才知道，10月13日举行八届十二中全会。当时许多中央委员被打倒了，为了凑足法定人数，临时把胡耀邦找去出席。

这次全会的主要议题，一是准备召开中共第九次全国代表大会，再一个是解决刘少奇的问题。对刘少奇的审查，早在1966年12月就开始了。在江青、康生、谢富治等人直接控制和指挥下的“刘少奇专案组”，采取种种断章取义、牵强附会、伪造证据等等卑劣做法，编造出一份《罪行审查报告》，给刘少奇加上了“叛徒、内奸、工贼”的莫须有罪名，提交给全会。这次全会非中央委员的列席人员比中央委员还要多，还规定他们同样有表决权，有些人如王洪文之流还被指定为组长，去领导中央委员。讨论时，容不得对刘少奇的《审查报告》提出任何疑问，而对所谓“一贯右倾”的朱德、陈云、邓小平等人进行攻击和诬陷，对所谓“二月逆流”的参加者陈毅、叶剑英、李富春等人大加挞伐。胡耀邦坐在会场上，禁不住感到莫可名状的悲凉。

全会在通过对刘少奇的审查报告，最后确定了他的“叛徒、内奸、工贼”的罪名，并且“永远开除出党，撤销其党内外的一切职务”时，全体“一致通过”。仓促被弄到会上的胡耀邦，也跟着举了手。其实，当时并非“全体一致”。陈少敏大姐就硬是没有举手。陈少敏的举动，使胡耀邦受到莫大震动和启发。把自己同陈少敏相对照，他感到愧疚。以后，每说起这次的举手，他都表示深深的自责。

全会结束后，胡耀邦又得以回到家里。家中再看不到慈爱的老母的身影了，他感到深深的思念和凄苦。故友或死或关，凋落殆尽，尚有少许自由的也相互避嫌，不敢往来。好在可以和家人团聚，一慰几个月来那种压抑、郁闷、孤寂的感觉。老伴李昭也变得憔悴了许多，但她一直保持着镇定，是她以坚定的信念和坚强的精神力量鼓舞着子女们闯过厄运。儿女们虽然都受了不少委屈，但是也都磨炼得更加成熟，这些，都使胡耀邦觉得宽心。

虽然军代表还不断地要他写检查，写交代，写思想汇报，写外调证明，写这写那，但他毕竟可以抽时间读读书、治治病，度过了一段宁静的家居生活。然而，一旦放眼社会，他的思绪就无法宁静。

按照毛泽东的部署，“文化大革命”进入了斗批改阶段。各省、市、自治区的主要领导人，绝大部分都因为成了“中国赫鲁晓夫”在当地的代理人而被打倒，其中不少人是胡耀邦熟悉的具有长期革命经历、德才兼备的干部。各地党和政府都没有了，而代之以“革命委员会”。这种革委会集党政大权于一身。胡耀邦感到迷惘，他不明白这个社会将走向何处去。从团中央改组至今一年半来，他一直被囚禁，被批斗，更多的是思考自身的问题，现在才得以静静地看看社会。而眼前的一切，真有隔世之感。一切都变了，而且变得那么剧烈：正变成邪，丑变成美，宵小之徒变成高级领导，社会主义社会里充满封建色彩，尤其是无产阶级革命领袖成了群众顶礼膜拜的尊神。共产党艰苦奋斗几十年，难道所追求的就是这样一种结果吗？

1969年4月，中共举行第九次全国代表大会，胡耀邦被召去参加。连他自己也奇怪，他怎么又成了九大代表。他一点也高兴不起来，他并不幻想从此他的命运就会有所改变。他只是期望着这次大会能决定一些让全党和全国人民高兴的事情。然而事情却走向了他所期望的反面。

这次大会的主旨是使“文化大革命”的理论和实践合法化，使林彪、江青等人在党中央的地位正式确立。大会主席台的安排就意味深长：陈伯达、康生、江青等“文革”新贵在毛泽东左边一字排开，周恩来、朱德、陈云等革命元勋都坐在毛泽东右手，表明左派同右派泾渭分明。林彪代表中共中央所作的政治报告，对毛泽东提出的“无产阶级专政下继续革命的理论”大肆鼓吹，而完全不理会今后国家的经济建设和文化建设。尤其惹眼的是，大会制订的党章没有关于党员权利的规定，却把林彪“是毛泽东同志的亲密战友和接班人”写入总纲。“这种完全违反党的组织原则的做法，在党的历史上从来未有过。”①

胡耀邦只是听着、看着、思考着，他一丝都没有以前参加党代会那种使命感，只觉得仿佛是卷入一股汹涌大潮里，现在首要的是要辨认东西。

大会选举中央委员会之前，不少人劝他对自己的问题写份“深刻检查”，说他是红小鬼出身，没什么大问题，检查好了仍然可以当中央委员。最初提出的中央委员名单里，也还有他。但他在小组发言时提出，自己对所犯错误认识不上去，请中央从同样是红小鬼出身、与他情况类似，但认识较好的同志中选出一名，把他换下来。他的想法是：在现在这种情况下，做所

① 中共中央党史研究室：《中国共产党简史》，第147页。

谓“深刻检查”，当上中央委员，干什么？还能有所作为吗？无非是可以保住自己的功名利禄。但这样就要说违心的话，做违心的事，这是他万万不愿意的。后来他对亲属说：“禄这个东西要看透，如果为了禄出卖灵魂，活着有什么意思？长征的时候死了多少人，那时候哪里会想到能有后来的禄？我还能劳动，能自己养活自己。没有了禄，对孩子有好处，得自己努力，不能靠天恩祖德过日子，靠天恩祖德就没出息了。”

他没有作检查，没有继续当选中央委员。会后，就被遣送到“五七干校”。

四　发配黄湖

1966年5月7日，毛泽东致信林彪，说解放军和工、农、商、学、党政机关都要办成一个大学校。在这个大学校里，人人学政治、学军事、学文化，亦工、亦农、亦兵，都要批判资产阶级。不多久，这个名为“五七指示”的文件，就由中共中央向全党发布，说“这是马克思列宁主义划时代的新发展”。两年后，黑龙江庆安县在柳河办了一所农场，是专门让干部来劳动的，定名为“五七干校”。《人民日报》在宣传柳河“五七干校”时，又传达了“最新指示”：“广大干部下放劳动，这对干部是一种重新学习的极好机会，除老弱病残者外，都应这样做。”于是各地党政单位风起云涌般纷纷办起了“五七干校”，大批党政干部和知识分子都被下放到干校“重新学习”，实际上是劳动改造。

团中央已被“改组”，直属单位《中国青年报》社、《中国青年》杂志社、《中国少年报》社、中国青年出版社、中央团校、亚非学生疗养院和印刷技工学校等也都停止了工作，两千多名干部、工勤人员、青年师生一时无所适从。于是军代表一声令下，团中央“连锅端”，所有干部员工，包括“老弱病残”在内，统统去干校，甚至连同他们年迈的父母、上幼儿园的孩子。

干校选址在河南省信阳地区潢川县的黄湖农场。这里地处潢川、固始、淮滨三县交界处，原来是淮河蓄洪分洪区，一大片洼地，土质碱化，树木稀疏。虽然名叫“黄湖”，实际上没有湖，只有一条叫做“春河”的淮河支流。“大跃进”年代修筑了一条堤，把春河挡在堤外，在洼地上建起了一个农场。十年光景，农工们开垦了荒地一万二千多亩，还有八千亩有待开垦。此时农工已移往他处，此处早已荒芜，成为布满沼泽蒿莱的荒野。军代表把这许多人弄到这里来，有“长远考虑”：“要选有发展余地的地方作为干校校址。我们应考虑到下一代，要为他们着想，不然今后子子孙孙如何生存呀！黄湖农场这地方不错，选定为干校，可以开荒垦殖，是有发展余地的。”在军代表心目中，这里不仅是这些干部自身、也是他们子孙后代一代一代改造下去的理想之地。

干部们是4月间来到黄湖的。大家挤住在劳改农场遗弃的一些破烂草房里，没有井水、没有厕所、没有电灯、没有蔬菜，惟有这些来自北方的干部不能习惯的绵绵霪雨。军代表的首要之务，是及时把大家编成连排班，夫妻分居，集体住宿，按军事化要求行动。

持续的春雨，使大堤外面的春河水陡涨。这里本来是水患区，洪水一来，无边无际，情景十分可怕。一旦溃堤，顷刻间一切将化为乌有。抱着在劳动中实现自我改造真诚愿望的“五七战士”们，立刻投入抗洪斗争。大家昼夜不停地加固险段，会水的喝两口烧酒跳进水里打桩，大多数人运土上堤加高加厚。这是到黄湖后的第一场考验，所幸洪水很快过去了。

接下来是盖房、打井，超负荷的劳动，早晨还要“天天读”，晚上还要在昏黄的马灯下搞“革命大批判”，批判那些“问题严重”的“牛鬼蛇神”。

胡耀邦是开过九大之后，五月间来到黄湖的。他看到他的这些部下已经是另一种形象，一个个灰头土脸，疲惫不堪。他们用惊奇的目光，或者淡淡的苦笑，无言地迎接他的到来。

胡耀邦被编入一连一排一班。一连是由机关行政部门组成的，家庭出身多为“红五类”。军代表把胡耀邦放到这些人员里，“有深意焉”，是要把他置于阶级感情深的“五七战士”的看管教育之下，给他一个合适的改造环境。

解开简单的行装，胡耀邦同一连“五七战士”合住在一个房间里。两年来的斗争、批判、囚禁、审查，使大家开头对他有点疏远。胡耀邦跟着大家一起干活，他开始深深地沉默着，但肯吃苦，不叫累，很快就把自己融入到这个群体之中。他做事认真、乐于助人、谦逊朴实、热诚坦率，特别是他的一点也没有因为“被打倒”而失去大度的言谈举止，很快就赢得大家的好感，人们淡化了与他“戴罪之身”的界线。

当时一连在场院干活。由精壮小伙子把大包粮食从仓库里扛出来，倒在水泥场上晾晒。派给胡耀邦的活是把粮食摊开，划垄，这活不算重，算是对他的照顾。但他干得一丝不苟，在太阳底下用木锨来回来去翻动，总是一身大汗。而这里天气阴晴无常，一片乌云就会带来一阵骤雨。只要稍有来雨的迹象，人们就得赶紧把粮食敛起、装袋，飞快地扛回库里。每逢这时候，年过五旬、身材矮小的胡耀邦也扛起百多斤的麻袋向仓库奔跑。

由于生活条件艰苦，他的痔疮越发严重，脱肛流血，连走路也困难，加上被打伤的颈、肩、腰部，天气一变就疼痛难忍。见他这样痛苦，已经对他越来越没有“界线”的干部们都十分关心，连长总是尽可能用各种“巧妙”的办法继续照顾他。逢到外出干重活，就在全连集合出发时点名要他在宿舍“值班”，为大家晒被子。在场院抢收粮食入仓时，就派他去过秤、记账。胡耀邦也明白这些同志的善良用心，他一面表示感谢，一面还是尽量去多参加繁重的劳动。

连里脱坯盖房，他去和泥、当小工，也跟着脱坯。一块土坯重约二十五斤，最棒的小伙子一天也只能脱五十块，他用足力气，努力去干，一天竟脱了二十块。

麦子收回后，为了抢天气，昼夜不停地用机器脱粒。胡耀邦同大家一起站在机器旁，随着机器的运转，把麦秸拨向远处，一刻都不能停顿。天气蒸热，空气里弥漫着扬起的尘土和草叶。他勉强支撑，不落人后，一次竟累得跌进场边小沟里，爬起来仍然坚持干下去。

他同年轻人一起，拉架子车到六七十里外去拉砖运石，同年轻人走得一样快。

在插秧季节，更是超负荷劳动。夏日天长，早晨四点多钟天已微明，就要去秧田薅秧。然后除早餐午餐稍作停顿外，连续弯腰插秧，直到夕阳西下，已是晚上八点来钟，才能收工。长时间弯腰做着机械的插秧动作，两腿浸泡在泥水中，蚂蟥往往直爬进裤管里，这使得年轻人也几乎晕倒在水田里。胡耀邦也同大家一样，整天这样挣扎着，却还不停地琢磨怎样插得既快又好，后来竟能一天插六分田。

夏秋多雨季节，堤外春河总要多次暴涨，于是干校便要紧急行动起来，投入抗洪。一次，胡耀邦被派夜间到堤上去巡逻，监视水情。他身披雨衣，穿着高筒雨靴，扛着铁锨，缓步走在堆满沙袋的堤上。头上阴云密布，夜气浑茫；堤内灯火点点，人们在忙碌着；堤外是汹涌的波浪，翻滚着从脚下流过，还常常有黑魆魆的东西打着旋漂浮过来，大概是上游受灾老乡的家具或死猪死羊。这是一种令人恐怖的情景。胡耀邦全神贯注地察看水势的涨落，他又像过去多次的艰险遭遇一样，完全忘掉了个人安危。

他的认真的劳动态度，大大缩短了干部们同他的距离，人们逐渐又恢复了对这位老领导的尊敬。由“五七战士”组成的毛泽东思想宣传队为了在劳动中给大家鼓劲，编写了一些小节目，其中就有赞扬胡耀邦的快板。

开头一个时期，干校生活极其艰苦，军代表还做出种种规定，不许这样，不许那样，连到集上买一点花生米也是“资产阶级思想的表现”，要受到批判。食堂里天天吃熬南瓜。胡耀邦也能习以为常，还开玩笑说，从前江西苏区有个口号，叫“打倒资本家，天天吃南瓜”，当时能吃上南瓜就是好日子了。因为劳累过度和缺少营养，不到两年时间干校就死去七人：团中央国际联络部部长钱大卫，早年是上海大学地下党的领导骨干，是优秀的外事干部，在劳动中猝发心脏病死去。才情横溢的作家吴小武（萧也牧），五十年代初期曾以小说《我们夫妇之间》而文名远播，同时也因这篇小说的“小资产阶级思想感情”而屡遭批判。他像牛马般地被驱赶着去干他多病的体质难以胜任的劳动，最后惨死在一些人的辱骂声中。这些同志的骸骨，被草草埋在荒地上。对这些干部的死，军代表漠然视之，无动于衷。有几个军代表却照旧身背猎枪到处游荡，打鸟，打野鸭，甚至把农民的驴腿打残，再不就是关起门来炖甲鱼喝酒。8 月，为纪念毛泽东横渡长江一周年，军代表下令在干校的一个大水塘里举行游泳活动。一位军代表四仰八叉躺在救生圈上，在水上红旗和标语牌引导下，由“五七战士”簇拥着推着前进，八面威风。当人们把这些情况告诉胡耀邦时，他苦笑着摇摇头。他叹息这场“文化大革命”败坏了党的优良传统，糟蹋了解放军的英名。

军代表按照“伟大战略部署”，在干校一一开展了“整党建党”、“打击反革命”、“清查五一六”等活动。用军代表的说法是，运动越深入，矛盾就越尖锐，斗争就越激烈。这除了要继续注意“阶级斗争新动向”、揪出“阶级敌人”而外，就是要为有各种问题的人“定性”了，而首先要全力进行的，就是要把胡耀邦定为“走资派”。

据“文化大革命”初期的揭发，胡耀邦“一贯反对伟大领袖毛主席”、“一贯反对林彪副统帅”、“一贯反对学习毛主席著作”。根据是：他说“毛主席万岁”这个口号也要分析，作为一种政治愿望可以，但从生理学讲就不科学，人哪有活一万岁的呢？他说提倡学习《毛主席语录》有好处也有不好处，不好处是把分析的东西都去掉了，只剩下了结论。“林彪副统帅”提倡“政治挂帅”，他说现在到处讲政治挂帅，什么都联系政治，这样搞就不是政治挂帅，而是“政治当兵”了。“林彪副统帅”提倡“突出政治”，他说一切都突出政治就讲不通，比如游泳怎么突出政治？游泳要突出鼻子，不然会呛水。这些言论就够严重了，况且胡耀邦把团中央领导得“修到了家”，又“镇压群众运动”，在中共九大上他还不肯检讨。所有这些，不都是不折不扣的“走资派罪行”吗？因此军代表认为，必须把胡耀邦定为“走资派”。

于是，军代表亲自出马，要胡耀邦做检查。胡耀邦说检查可以做，但不是“走资派”。军代表说必须按“走资派”检查。

胡耀邦很认真地写出了一份书面检查交上去。他说他确实对毛泽东的崇拜有过动摇，但从来没有反对学习毛泽东思想，只是认为这种学习必须图实效，而不能走形式。对于共青团工作的评价，他在检查里说："团的工作十七年中的某个时期或某个问题上，我们有错误，这我是承认的；但十七年的工作，不能否定，总的说十七年是红线，不是黑线。在某一时期及某些问题上的错误，我一定好好地检查。"军代表认为，这简直就是同"中央文革的首长"说的十七年间"一条又长又粗的黑线专了我们的政""对着干"。军代表认定了胡耀邦是要"顽抗"。

因为胡耀邦"对自己的问题老是认识不上去"，军代表命令他去各连听取群众意见，接受群众批判。黄湖的面积很大，连与连之间少则三四里，多则六七里。从此，人们便经常可以看到衣衫破旧、孑然一身的胡耀邦来往各连之间。他每到一处，首先都要说，是我不好，连累了大家。他真诚地要大家多给他提意见，帮助他提高认识。这时大家已经从运动初期那种上纲上线的批判中清醒过来，能够实事求是地指出他工作中的缺点错误，没有一个人认为这些缺点错误的性质是"走资派"。而且大家对他十分热情，这给了胡耀邦不小的安慰。

"走资派"问题，一直僵持到1971年年初。当时军代表宣布给团中央书记处书记都"落实政策"，惟独不"解放"胡耀邦。如果不把胡耀邦定为"走资派"，军代表感到难以向"中央文革小组"交代。后来看难以使他低头，就强行给他作了"走资派"的审查结论，要他签字。胡耀邦说："我不是'走资派'，不能签。"军代表拍桌子对他威胁，胡耀邦说："你急什么嘛。你可以把你们的结论报到中央去，我在结论后面写上我的保留意见，请中央决定好了。"最后，军代表不得不让胡耀邦写上了保留意见。

1971年9月，发生了林彪仓皇出逃、摔死在蒙古温都尔汗的“九·一三”事件。过了不久，便有文件下来。胡耀邦听了传达，着实吃惊不小。他怎么也想像不到，党内竟发生这么大的事，林彪竟是这样一个人。就在当天早晨，“五七战士”排队“早请示”时，在三呼“万寿无疆”之后，还三呼“林副统帅”“永远健康”。事情来得太突然，人们都有点发懵。对于林彪这位威名赫赫的统帅，胡耀邦早年一直是很敬重的。但是在庐山会议之后，在林彪出来主持军委和国防部工作之后，就觉得他的表现不很正常，这就是他的一系列言论只围绕一个主题，那就是颂扬毛泽东，而这些颂扬又太别出心裁了。他编出那么多的“新颖”的说法和“理论”，狂热地吹捧毛泽东、毛泽东思想和毛泽东著作，大大强化了个人迷信的社会风气。当上“副统帅”以后，他整罗瑞卿、整杨余傅①，完全是“顺我者昌，逆我者亡”的那一套。特别是林彪大唱政变经，把党内关系说得那样阴森恐怖，说什么谁要是“犯上作乱”，就“全党共诛之，全国共讨之”，以及“站队站错了，一切都错了；站队站对了，一切都对了”等等，胡耀邦就觉得味道很不对了，从而对他产生了怀疑。后来林彪作为毛泽东的接班人被写进《党章》，他隐隐觉得凶多吉少。所以在“八一”建军节时，有些干部请他讲讲井冈山故事，他说，我不能讲呀，现在都把井冈山会师说成是林彪同毛泽东会师了，让我怎么讲呢？然而他万万想不到，事情会演变成这个样子。

后来当他从传达中得知林彪事件的整个过程之后，很长一

① 杨余傅：杨成武、余立金、傅崇碧。1968年3月，林彪向毛泽东诬告三人勾结，要打倒吴法宪、谢富治，篡夺军权。于是撤掉三人全部职务，召开万人大会批判。

段时间里，他的脑子总是绕着这个事件转，心中的波澜难以平息。他觉得党内出了这么大的事，必然有极其深刻复杂的原因，其中最主要的，就是党章、宪法规定的集体领导和民主集中制原则遭到破坏。这场“文化大革命”虽曰无产阶级革命，却处处折射着封建阶级的纲常关系、宗法关系，从高层的残酷斗争到红卫兵的恣意横行，几乎集了封建专制主义的大成。党内民主被践踏，社会民主被践踏，人民群众一部分作为政治斗争工具被利用，大多数被这场“大革命”整得苦不堪言。如何从制度上切实保障人民的权利，保障集体领导，这是需要深深思索的大题目啊！

军代表看出了他一直在沉思着什么，便问他“最近想些什么?”心怀坦荡的胡耀邦竟脱口而出：“在考虑国家体制问题。”军代表听后觉得胡耀邦简直是荒唐透顶，可笑之至。他到各个连队去，用强烈的讽刺口吻说：胡耀邦现在还在考虑什么国家体制问题，我狠狠批评了他，说国家体制用得着你考虑吗？你考虑得了吗？你老老实实考虑自己的问题就行了。

古语说，“燕雀安知鸿鹄之志”，鸿鹄总是志在云天的。胡耀邦身在江湖，心存魏阙，沉重而深刻的思考，激发着他进一步钻研马克思主义的热情，他要从中寻找思想谜团的答案。每天，在经过繁重的劳动，然后再熬过各种会议之后，一般人都要早早休息了，他却不管多累，总是要挑灯夜读。黄湖一年中几乎有五个月的夏天，夏秋之夜潮湿而闷热，蚊子成群，别人都到外面摇着蒲扇乘凉，他却钻在蚊帐里，点起小马灯，戴上老花镜，读起他的“三部四卷”（马恩选集四卷、列宁选集四卷、毛泽东选集四卷），边读边用红笔在书上画出重点，边做笔记，摘下警句，或写下心得。他对人说，我们为什么受假马克思主义的骗，就因为原著读得太少，所以要尽量读原著。尽管过去不止一遍读过马恩原著，但是如今重新阅读《共产党宣言》、《反杜林论》、《共产主义运动中的“左派”幼稚病》等，又有新的更深刻的感悟。到离开干校时，他的读书笔记已经积下一大捆了。

随着时间的推移，胡耀邦以他开阔的胸怀、广博的知识，尤其是总是高人一筹的见识，使得越来越多的人乐于同他接近，有事向他请教，有苦闷向他倾吐。干校清查“五一六”时，一个干部受到怀疑，感到委屈，去找胡耀邦诉说。胡耀邦安慰他不要泄气，告诉他年轻人要经得住坐冷板凳，并且给他在纸上写下了南齐孔稚珪的两句话：

以天下为量者，不计细耻，
以四海为任者，宁顾小节。

那干部明白这是要他把眼光放得更远大，要看到“天下”和“四海”，而不要被眼前的挫折所绊倒。于是他泰然处之，后来果然查清了他与“五一六”无关。

林彪事件在全国传达后，中央下达了一系列揭批林彪一伙反革命阴谋活动的文件，随即全面开展了“批林整风”运动，极左狂潮有所降温。毛泽东为“二月逆流”平了反，还参加了陈毅的追悼会并决定由周恩来主持中央工作。周恩来乘势从全局上推动了“解放干部”的工作。他看到团中央军代表把胡耀邦定为“走资派”的审查报告，迅速将胡耀邦调回北京检查身体、养病治疗。

1971年末，胡耀邦结束了两年多的干校生活，告别黄湖，回到北京。

五 幽居的日子

胡耀邦又回到他的幽静的小院。

其实这小院已经不再幽静，前院已被军代表的家属占据，饭厅、东西厢房也搬进好几户人家来住，成了一个喧闹的大杂院。胡耀邦居住的几间正房，也因多年未加修缮而显得益发陈旧。

回到家里，虽然家中还是一派凄清，小儿、小女都在外地“改造”，但家中还是有了一些变化，令他欣慰的是老岳母还在家里，从她那里可以得到一些亲情的温暖，老伴李昭已在原单位恢复了工作，大儿子已从65军部队农场“锻炼”返京。二儿子被清华留校工作。

但是在很长一段时间里，干校生活的种种情景一直在胡耀邦头脑中萦绕。虽然这几年吃了不少苦，但他觉得这都算不了什么，甚至于还有好处。如果从事的那些劳动是累的、脏的，那么，全国数亿农民不是天天都在从事着这样的劳动吗？他觉得自己身居高位久了，不能切身体验劳动者的甘苦、艰辛，这就是一种危险。干校这一段经历，对以后无论干什么，都会有好处。他对晚辈们常常讲起干校，尽管从性质上说，把这么多人一股脑轰到干校去是一种变相惩罚，是一种人才浪费，是一种人权践踏，但既然已经下来了，从个人来说，就不必怨天尤人，而要利用这个条件，补充自己的不足。他说，经过几年劳动，觉得像这样做一个自食其力的普通劳动者也挺好。他还想写一篇劳动心得体会的文章，让子孙后辈也能从中学到一些东西。

回到北京后，胡耀邦不时被叫到团中央机关“留守处”去参加名目繁多的“学习会”，还要定期向军代表汇报近期的思想状况和检查认识程度，受他们的呵斥。特别是军代表给他作的“走资派”的审查结论，一直像一块大石头似地压在他的心上。虽然他回顾自己的一生，坚信绝不是什么“走资派”，因而写了保留意见，但在那个特殊年代，什么事情都能发生。成千上万的被打倒的老干部，有几个人的“罪名”是可以成立的呢？每想到这里，他就觉得十分憋闷。

但他也想得开：等着好了，大不了当一个普通劳动者度过晚年。

这时已不像去黄湖之前家居时那样孤寂。林彪事件发生之后，政治气候发生了微妙变化，李昭和儿子胡德平都在身边生活，而且逐渐又有客人来访。一些老战友、老同志、老部属常常不期而至，相互携手问候，不胜唏嘘。从黄湖回北京办事的“五七战士”，也多半要来看望他。每逢故友到来，胡耀邦总是非常高兴。他们有谈不尽的话题，谈“文化大革命”，谈社会，谈个人遭遇，谈见闻，也常常交谈对某本书的看法，切磋某个学术观点。他们的谈话又显露了锋芒，过去认为不可侵犯的，现在也画上了问号。有时还有些素不相识的人，径直走进院来，推门而入，胡耀邦也总是放下手头的事情，热诚接待。这些人里有的是慕名求教的，有的是遇到困难求助的，胡耀邦都尽其所能，倾力相助；到了吃饭时候，就留他们同全家一道吃饭，向他们了解社情民情。这些情况被军代表知道了，汇报给此时掌管团中央的谢静宜，不久就传出话来，说胡耀邦家里开黑会，是“裴多菲俱乐部”。胡耀邦听说后只淡淡一笑，并不理会。

时间充裕了，他又开始了他的读书生活。他家有十分丰富的藏书，中国的、翻译的、人文科学的、社会科学的，都有。

他曾说过："我的钱大部分用于买书了"，"读书是我最大的愿望和爱好"。胡耀邦的读书，一方面在于追求新思想、新知识，不断充实和提高自己，更重要的还在于认识和解决现实问题。《毛泽东选集》他曾反复阅读，可以说烂熟于心了。《马克思恩格斯全集》和《列宁全集》陆续出版时，他都一卷卷通读，如今他又选出了有关的篇章重新研读，他要从这些经典著作中探求建国以来革命和建设实践的经验教训和今后的道路。他也广泛涉猎中国的文史哲典籍。很早以前他就曾翻阅《资治通鉴》、《鲁迅全集》，选读过"二十五史"，也热衷于古典小说诗词，有时自己也即兴写一点。"批林批孔"之后，为了弄清儒家思想对中国社会的影响，他想到历史学家侯外庐著的《中国思想通史》，可惜手头没有了，就让北大历史系毕业的儿子胡德平去找侯外庐之女、北大同学侯均初去借。但侯外庐已被打倒，书房被封，侯外庐便让孙儿撬开窗户爬进书房，拿出一套《通史》送给了胡耀邦。这一时期，他还读了《田中角荣传》、《日本列岛改造论》等。他思考的是：我们国家长期经济落后、科学落后，而日本战后也很困难，经过集中精力抓科学、抓教育，经济发展很快，成了工业大国。日本的经验，很值得我们借鉴。读书有所得，或有所疑，他也时常喜欢和胡德平展开讨论。胡德平是个很有知识、喜欢思考、对事有见解的青年。父子俩常常会谈及一些尖锐的社会问题，观点契合了，两人都兴高采烈；有时看法不同，也会争论起来，各不相让。

只要是个人独处，稍稍清静下来，他就会陷入冥思苦想之中。他依偎在沙发上，点上一支烟，思绪随着烟云盘旋，扩大，升腾。一支吸完了，在烟蒂上再接一支。他每每想到，从湘潭下放的后期，到在陕西二百天，直到现在，将近十年了，他一直受批评、批判，这些批评、批判虽然猛烈，但是没能令他服气。他坚信在地方工作期间，把抓生产放在第一位没有错，让老百姓过上好日子没有错。批评他只抓生产而不抓阶级斗争，他觉得这比只抓阶级斗争而不抓生产好得多。至于这回“文化大革命”，他没有孤立、静止、形而上学地看待“文革”，他联想到“文革”的起因、历次运动、共和国建立以来的历程、国际共运和世界形势，并自觉检讨着自己年复一年的所思所为。

他思考着，在错综复杂的党内斗争中，要独立地判断是非，而绝对不能跟风。思想、理论、路线正确与否，要经过实践的检验。

他思考着党内民主问题。党内没有正常的民主生活，领袖人物不受监督，就会造成个人专断，以致党内没有批评，只有顺从甚至阿谀。这样，任何不合理不合法的事情，在最高决策层就都会获得通过，以致错误的东西无限蔓延而很难得到纠正。

他更想到遍地的冤狱。他的许多老战友被无辜打倒、囚禁甚至折磨致死。他的许多老部下也常常来向他诉说自己或子女的冤情。还有过去一次次运动中被强加五花八门罪名的干部和群众，他们戴着“敌对分子”的帽子起诉无门。他忧虑这样多的冤案何时是了……

他思考着今后的社会主义建设将如何起步……

这是一段空闲的岁月，胡耀邦沉浸在读书和遐想之中。这时他的最大一个愿望就是希望毛主席能像过去那样召见他一次，听听他这个老青年工作者的真实情感，更想知道毛主席他老人家为何有如此魄力发动一系列群众运动的真实思想。他常说，延安时期像他这样的党内小知识分子都是在毛主席耳提面命的指导下成长起来的。学生对老师的情怀和尊敬无法割舍。

第十三章 整顿科学院

一 再试身手

1973 年 3 月，根据毛泽东的批示，邓小平恢复了党组织生活和国务院副总理职务，被当做中国第二号“走资派”而打倒的邓小平被重新起用。以后，他又相继被增补为中央政治局委员、被任为中央军委副主席兼解放军总参谋长。接着在十届二中全会上，被选为中央副主席、政治局常委。1975 年 1 月四届人大一次会议上，周恩来在《政府工作报告》中重申了四个现代化建设的宏伟目标。在这次会议上，周恩来再次被任命为国务院总理，邓小平被任命为国务院副总理。会后，周恩来病重，邓小平受命主持国务院和党中央日常工作。他一上台，就对各方面工作实行大刀阔斧的整顿。

就在邓小平复出后不久，1973 年 8 月中共第十次全国代表大会之后，江青、张春桥、姚文元、王洪文在中央政治局内结成“四人帮”，江青集团的势力得到进一步加强。一心想篡夺党政大权的“四人帮”，看到竟是邓小平总揽大权，嫉恨交加，他们一方面向毛泽东告状攻击邓小平，一方面为邓小平实行的整顿出种种难题，设重重障碍。

邓小平的整顿工作在同“四人帮”的斗争中艰苦地进行着。他先是整顿铁路运输然后又整顿钢铁生产，都收到明显成效。在继续开展经济领域整顿的同时，他又部署了科技领域的整顿。作为一个有远见的政治家，邓小平一直高度重视科学技术，认为科学技术上不去，四化建设就是一句空话。很久以来他就关注着集中国科学技术精英之大成的中国科学院，谋划着通过大力的整顿，恢复和健全中国科学院的工作。

科学院在“造反派”控制下，当时已经是百孔千疮。原有的一百零六个研究所只剩了四十多个，北京地区一百七十多位著名科学家，有一百三十多人被作为“反动学术权威”赶进“牛棚”，或者横遭种种迫害；大批科技人员都成为“资产阶级知识分子”，是“资本主义复辟的土壤”；各级领导干部大多数被扣上“走资派”帽子，备受残酷折磨后都已“靠边站”；有几十名科学家和领导干部甚至被迫害致死。科研和各项业务都已停顿，院机关和各研究所多半由“四人帮”帮派分子掌权，他们横行无忌，为所欲为。直属科学院的研究基地、实验设备、资料、标本等大部分散失毁损。特别是江青制造的“蜗牛事件”①，更搅得科学界一片恐怖。中国科学院遭受了空前浩劫。

邓小平需要一个有足够的胆识和魄力的人去解决那些纷乱

① 1973年，中央批准从国外引进彩色显像管生产线的建议。四机部派人赴美国考察，美国康宁公司赠给中方人员每人一件玻璃蜗牛作为纪念品。这本是一种民俗工艺品。1974年“批林批孔”运动中，江青得知后，硬说这是美国人讽刺中国像蜗牛一样爬行，借此大闹。

如麻的问题，去雷厉风行地整顿中国科学院的工作。

其时，胡耀邦正在由王洪文直接领导的读书班“学习”。这个读书班主要是为“四人帮”帮派体系的高级干部开办的，也安排了少数不属于这个体系的、有“严重错误”的领导干部作为“对立面”参加，胡耀邦便是其中之一。在这里，他仍处在被批判被监视的地位。但他不理会那些意在影射邓小平的学习内容，在批判“经验主义”的学习会上一言不发。他仍然按照自己的需要，埋头阅读马列主义原著。

一次，叶剑英被请到这个读书班来讲话。他一眼瞧见坐在后面的胡耀邦，便似乎有意地高声说：耀邦，你也来了？胡耀邦说，我来了，叶参座[①]，您身体好吧？叶剑英于是招呼要他坐到前排来。散会以后，叶剑英询问他近况如何，他告诉说，还没有“解放”。叶剑英鼓励他说：别理他们，让你出来工作就自然解放了。叶剑英回去以后，就向邓小平讲了胡耀邦目前的境遇，并且举荐胡耀邦协助邓小平开展整顿工作。

邓小平同胡耀邦已多年没有见面了，但他对胡耀邦这个时期的遭遇大体有所了解。他相信这个老部下的坚定性、敏锐性和百折不挠的精神不会因饱受磨难而消逝，只要有工作的机会，他会不顾一切地奋斗下去。特别是他相信胡耀邦对于“整顿”会同他持同样态度。

于是，邓小平经请示毛主席后，由中央决定让胡耀邦去中国科学院。

胡耀邦7月16日从读书班回到家里，7月17日，时任国务院副总理、分管科学技术工作的华国锋就找他和李昌谈话，通知他们中央的任命，并且传达邓小平的指示：整顿首先是党的

① 叶剑英曾任八路军参谋长，胡耀邦一直称他为“叶参座”。

整顿，关键是领导班子，搞好安定团结，发展社会主义经济和各部门的业务，要坚决同派性作斗争。邓小平向他们提出三点具体要求：一是了解情况，向国务院汇报，二是搞一个科学院发展规划，三是准备向中央提出科学院党的核心小组名单。第二天，7 月 18 日，他就来到中国科学院。

胡耀邦对于出来工作满心欢喜，已经十年没有工作了呀！虽然，他想到自己对科学技术是外行，也不了解科学院这个环境的深浅，但“协助小平同志进行整顿”这个工作任务，就使他勇气百倍。能够继续在邓小平直接领导下工作，也使他非常高兴。他极为钦敬邓小平统驭全局的气概，相信这又是一次大手笔的举动。他很清醒地认识到，这次整顿，就是要在一些重要部门、一些重要问题上，把“文化大革命”中颠倒了的思想、理论、政策是非重新颠倒过来，把严重的混乱局面扭过来，把无辜被打倒的干部解脱出来，把党的好的传统作风恢复起来。面对这么重要这么有意义的工作，他愿一试身手。

这几年里，胡耀邦对中国政治斗争的惊涛骇浪，政治势力的聚散消长，有了更透彻的感悟。他看出了江青、张春桥等怀着险恶的用心，在窥伺着邓小平的每一步整顿，因而工作中充满风险。但他没有过多地顾忌这些，长期磨难练就的胆气锐气，推动着他以大无畏气概投入了新的战斗。蕴蓄了多年的对是非颠倒的强烈愤懑和重塑历史的鲜明主张，现在有了适当时机，便踔厉风发地喷涌出来了。

同他一起派往中国科学院进行整顿的，还有李昌、王光伟；后来又派来了王屏、刘华清、胡克实。胡耀邦同李昌是晋察冀野战军第四纵队时期同甘苦、共死生的老战友，又在团中央共过事，胡克实原先也是团中央书记，同样是老朋友，现在大家又携起手来，参加新的战斗了。

事情是千头万绪，但胡耀邦指挥若定。他请李昌负责日常的全局工作，王光伟、刘华清负责业务工作，胡克实、王屏负责政治工作，他自己则集中精力搞调查研究，以准备向国务院汇报。除了参加领导层会议之外，就是召开不同内容的、不同人员参加的座谈会，听取各方面情况。同时，也到各研究所去做实地调查。他每周都要去两个所。他广泛接触群众，倾听老科学家和中青年知识分子的意见，从中发现问题并考虑如何解决。

工作中，胡耀邦利用一切机会，尽可能地学习科学技术知识。在刚刚受命来科学院之时，他曾为自己缺少科学知识基础而感到有些“抓瞎”。想来想去，他想到了恩格斯。恩格斯就是一边从事革命理论研究，一边又学习自然科学，后来同杜林作斗争，又继续深入研究自然科学，研究了八年。恩格斯把这个过程叫“脱毛”，就是从无知到有一定知识，他的《自然辩证法》，就是一部把自然科学同哲学思想完美结合的精湛作品。胡耀邦下决心也来一个“脱毛”，只要认真学，总会掌握一些东西。于是，他广泛浏览各种科技发展参考资料、国外科技界动态材料；其中所介绍的许多新的科学技术知识非常专业，但他兴味盎然地钻研并设法记住。许多这样的材料上都留下了他的批语：“很有知识，虽然时间已经两年，对我仍感新鲜。”“这份资料有新知识，上次我去研究所时，他们没有向我谈起。”每次到各个所去调查，他也都非常注意听取对有关知识的介绍，遇有不懂的问题，便真诚地向老专家或有关人员请教。因此，到科学院不多久，他已经掌握了十分丰富的各方面的科学知识和动态。

经过近一个月的调查和思考，8月15日，他召开了领导干部座谈会。根据当时院机关各部门以及下属的研究所许多是

"造反派"在掌权的情况，他针对性明确地宣布，整顿工作主要是全院领导班子的组织整顿和思想作风的整顿，思想作风的整顿可能时间更长，任务更艰巨。思想作风的整顿包括：一、划清正确与错误科技路线的认识；二、划清正确与错误的知识分子政策的认识；三、划清正确与错误的干部政策的认识；四、科技战线政治工作的原则，政治工作要为科研的中心服务。党性和党风的整顿包括：一、分清党性和派性，如何克服资产阶级派性；二、什么是我们党的优良传统，怎样发扬优良传统；三、什么是党的组织原则和党的纪律，我们哪些地方违背了党的纪律；四、各级领导班子的作用，是否应该是党性好、作风好、团结好、敢字当头。他提出这一系列原则问题，启发大家思考。

为了整顿工作的顺利开展，他首先着力纠正各种荒谬观点。他在各种场合，就原本是理所当然而现在被"四人帮"及其帮派分子弄得异常混乱的问题，发表了一系列针锋相对的讲话并采取了相应措施。

"四人帮"及其帮派分子说过去科学院是"三脱离"：脱离无产阶级政治、脱离生产实际、脱离工农兵群众；提出要"三面向"：面向农村、面向工厂、面向中小学。胡耀邦斩钉截铁地说：科研人员搞科研就是结合实际，为什么一定要到工农生产中去？科学院就是科学院，不是生产院、教育院、白菜院、土豆院，科学院就是搞科学的，搞自然科学的。

"四人帮"及其帮派分子鼓噪"开门办所"，否定实验室的工作，让科技人员组成服务队去上街服务，让工农兵进研究所、实验室"掺沙子"。胡耀邦说：什么叫"开门办所"？七机部开门办？原子能所加速器开门办？还要保密呢，连参观都不让。什么"开门办所"？我不懂，我看这种独创性还是少搞点为好。

胡耀邦还明确指示把所长、主任这些被取消了的职衔都恢复起来。他说，设所长就是修正主义？设室主任就是修正主义？我看这是形而上学。有人说这是“复旧”，复旧就复旧，不要在乎！要从工作利益出发，不要拿罪名吓人。最重要的是把科研搞上去，谁破坏这个，谁就是修正主义。他还指出：“选所长、副所长，室正副主任，最好是对本行业务比较精通或比较有权威的，为科学界所公认的，是一流的……这些人一上来，实际上是一种无形的影响，他会使人感到有奔头，这是一种精神力量。”“要重视选拔业务工作骨干，没有这一条对大干快上不利。”

当时有的研究所只搞器件的仿制，理论研究基本没有。胡耀邦在同科技人员反复讨论后鲜明地指出，新技术的研究要搞，理论也要搞，要一手抓原理的追求，一手抓反复的实验。

针对喧嚣一时的对所谓“业务挂帅”的批判，他在各研究所大声疾呼：“所有搞科研工作的共产党员，业务上非上去不行！……今后二十五年赶上世界先进水平，这是我们赌了咒、发了誓的。科研工作搞不上去，不仅是犯错误，而且是犯罪。……搞业务的台风要刮起来”，“刮十级台风不够，要刮十二级台风。……对科研事业着急的人，才有党性，才有爱国心。”

这些话，在当时可谓是“石破天惊”之谈，是有意的宣战。正像他在古脊椎动物与古人类研究所讲话时借题发挥说的：“我们现在脱离了单纯的脊椎动物，有了脊椎就有了骨头，可以爬行，可以站起来。人没有骨头还行吗？一个马克思主义者，一个革命者，要搞点马克思主义，搞点骨头。”又说：谁好谁坏，一时弄不清，但埋在地下的化石都挖出来了，历史的面貌是怎么也埋没不了、混淆不了、歪曲不了、抹杀不了的。科研人员们好久没听到这样令人振奋的讲话了。一时之间，他的每一篇讲话都迅速在不同单位传播开来。胡耀邦支持搞科研的鲜明观点，他的敢于否定各种谬论的气概，甚至他所使用的那些极富个性的尖锐的语言，都使科研人员欢欣鼓舞，感到得以一舒长期郁积在胸的闷气，感到有了依靠，又可以从事科学研究为国效力了。造反派头头的气焰也不得不有所收敛。胡耀邦很快获得科技人员的信任。

胡耀邦还注意到，科研人员在生活上还有诸多困难，长期得不到关怀。他指示有关人员要想方设法，尽快解决补贴工资、调整住房、两地分居、孩子入托、煤气灶具等问题。这些都是非常棘手的事。他亲自同有关部门领导磋商，请求支持，终于使大部分问题得到解决。这就是后来在科学院被传为美谈的“五子登科（票子、房子、妻子、孩子、火炉子）”。

经过同李昌等领导成员的反复研究和同有关方面的充分酝酿，胡耀邦等向中央、国务院提出了中国科学院党的核心小组组成人员的建议。10 月，党中央根据这个建议，正式任命郭沫若院长继续担任核心小组组长，胡耀邦担任第一副组长。李昌、王光伟担任副组长，刘华清、王屏、胡克实等任核心组成员，稍后又增加武衡、王建中、秦力生、郁文。以前造反派组织头头列席核心小组会议，这个做法以后废除。按照邓小平关于整顿领导班子的指示，将新的领导班子建立了起来。

二　起草《汇报提纲》

对基本情况已经掌握，胡耀邦同其他领导成员按邓小平的要求，积极准备向中央提交一份提纲挈领的汇报。8 月 1 日，胡耀邦部署提纲的起草工作。他对提纲的框架和主要思想都讲了想法，限一星期交卷。随后就由李昌、王光伟、胡克实带领一个起草小组分头起草。草稿写出来后，从8月7日到11日，胡耀邦多次主持修改。他们边议论，边分章、分节、逐句、逐字定稿。8月11日拿出了第一稿，定名为《关于科技工作的几个问题（汇报提纲的讨论稿）》。

《提纲》共分六个部分：一、关于肯定科技战线上的成绩问题；二、关于科技工作的组织领导问题；三、关于力求弄通主席提出的科技战线的具体路线问题；四、关于科技战线知识分子政策问题；五、关于科技十年规划轮廓的初步设想问题；六、关于科学院院部和直属单位的整顿问题。

同“四人帮”一直宣扬的科学院执行的是“一条反革命修正主义黑线”截然相反，《提纲》的第一部分从农业、工业、医疗卫生以及原子能、激光、红外等现代新兴的科学技术等方面概括了中国科技事业二十多年来所获得的伟大成就，指出“建国以来”“建立了一支具有相当规模的和一定科学技术水平的科学技术队伍”，“这支队伍的绝大多数人是拥护社会主义、愿意为人民服务的。这支队伍为独立自主地解决经济建设和国防建设中的一些重大科学技术问题做出了贡献。”肯定了“科技战线上的绝大多数领导干部、科技人员和广大职工，辛勤努力，作出了贡献，成绩是主要的。”

第二部分着重提出了全国科技战线专业研究机构的组织调整和领导等问题。

第三部分共讲了六个方面的关系：政治与业务、生产斗争与科学实验、专业队伍与群众运动、自力更生与学习外国长处、理论研究与应用研究、实行“百花齐放、百家争鸣”方针。这一部分是《提纲》的核心内容，是对“四人帮”种种论调的一次集中的批驳，也是在科技战线上进行政治上、思想上、业务上全面整顿的鲜明纲领。

在这一部分里，胡耀邦要着力阐明的是什么是政治以及政治工作的作用问题。因为从林彪开始，一些人利用毛泽东“政治挂帅”的口号，把它夸大到了荒谬的地步。而“四人帮”又用这个口号将科研和各项业务工作冲击得几近崩溃。长期以来，政治成了整人和扰乱社会的符咒，造成严重的精神恐惧和思想混乱。在起草提纲时，胡耀邦用十分简明的语言表达了政治和科研的关系，政治是要挂帅的，但政治工作是为科研服务的。这就从本质上摆正了两者的关系。胡耀邦还指出，政工干部不能做空头政治家。他说，科学院的政工干部的责任在什么地方？在本世纪内帮助党培养出上千个一流的专家、上万个二流的专家，我们的历史贡献就不小了。

关于生产斗争和科学实验的关系，《提纲》指出，科学来源于生产，又指导生产、促进生产。在这一部分里，胡耀邦明确提出了“科学技术也是生产力”这一论断，提出科研要走在前面，推动生产向前发展。

当时“四人帮”把科研工作中必要的查阅外国文献、参考借鉴外国已有的科研成果，一概批判为“洋奴哲学”、“爬行主义”，给同外国科学界共同进行资源考察扣上“卖国主义”帽子，闹得国际学术交流几近中断，没有人再敢去研究国外科技动态和发展成果。针对这种情况，胡耀邦提出要实行“拿来主义”，即有分析有批判地将外国的东西拿来，为我所用。他说：要说洋人的东西、外国的东西不能学，那马克思主义也是从外国引进来的，马克思、恩格斯也是洋人。我们对马克思主义就是实行“拿来主义”。在他的授意下，《提纲》里写下了这样一段话：“要像鲁迅所说的‘拿来主义’，把外国的先进科学技术拿来为我所用。”

在“关于实行百花齐放、百家争鸣方针”这一节里，《提纲》毫不含糊地指出了不容混淆学术问题和思想政治问题的界限，指出：“在科技战线要大力加强学术活动，广泛开展学术交流，鼓励学术上不同意见的争鸣和讨论，改变学术空气不浓和简单地以行政方法处理学术问题的状况。”“在科技工作中，遇有不同意见，要区分问题的性质，分清界限。有的是属于政治路线方面的问题，有的是属于世界观方面的问题，有不少则是属于不同学术观点和具体方法的问题。既要看到相互之间的联系又要区别主次，分清性质，不能混淆。”《提纲》进一步写道：

> 自然科学学术问题上不同意见的争论是好事不是坏事。这种是非要通过学术讨论的方法，通过科学实践来解决，不能用行政命令的办法轻易下结论，支持一派，压制一派。更不能以多数还是少数，青年还是老年，政治表现如何来作为衡量学术是非的标准。不能把资本主义国家、修正主义国家的科学家的学术观点都说成是资产阶级的、修正主义的，随意加以否定。

关于科技战线的知识分子，“四人帮”早就把他们一口否定：从旧社会过来的，是当然的“资产阶级知识分子”；建国后培养起来的，只要是努力钻研业务，也都成了“白专”典型，修正主义苗子；连科技人员中的党员，也是“戴红帽子的最危险”。这样，这个庞大的知识分子群就被压得喘不过气来，更谈不上发挥应有的作用。胡耀邦在《提纲》的第四部分，讲到科技战线知识分子政策问题时，首先对不同情况的知识分子作了具体分析，对他们中的绝大多数，从政治上作了充分肯定。《提纲》写道：

一、从解放前旧学校毕业的知识分子，绝大多数是拥护社会主义、愿意为人民服务的。对他们要大胆使用，吸收他们参加一定的业务领导工作。对于受审查的，要尽快落实政策，作出实事求是的结论。二、建国以后留学的有近万人，是党和国家从各方面条件比较好的人中选拔派遣的，现在一般都是工作中的骨干。不能认为他们到修正主义国家学习过，就是“修正主义苗子”，不能把他们在修正主义国家学到的科学技术知识说成是修正主义货色，对他们中有学问、有干劲的要放手使用。三、解放后我们自己培养的，占绝大多数。他们中的绝大多数是好的和比较好的，而且年轻力壮。他们中不少人下放劳动多年，要采取措施，使他们所学的专业知识得以发挥作用。四、从工农兵中培养提拔的技术人员，他们技术上好，熟悉生产，有实践经验，但不少人科学理论知识不足。要为他们创造条件，鼓励他们向工农知识化的方向前进。

《提纲》中明确指出，对知识分子的政治工作，就在于“造就一大批无产阶级自己的专家（包括改造旧的和培养新的）”，“如果我们的政治工作使科技人员不敢钻研业务，不敢学外文，不敢看业务书，那就是失败的政治工作。如果我们的政治工作是反对钻研业务，那就是空头政治，就是在政治上犯了方向错误。”这些话是太尖锐了，文件起草人有顾虑，主张不要写，胡耀邦语含诙谐地说：“我就这么一点创造性，你们就把它留着吧。”

《提纲》还从“猛攻关键技术，组织钢铁、粮食两个科学技术大会战”，“为加强国防现代化，研究发展一批新材料、新装备，提供两弹、卫星、飞船、核潜艇所需的各项配套新技术”，“狠抓几项新兴技术（计算机与自动化技术、激光技术、遥感技术、仿生技术）”，“加强基础科学和理论研究，向认识自然的深度和广度进军”等四个方面，勾画了“科技十年规划轮廓”，描绘了一幅鼓舞人心的科技现代化、科技为四化建设服务的壮阔图景，那真是大气魄、大手笔的杰出构想。

三　苦心经营

《提纲》第一稿写成的第二天，8 月 12 日，胡耀邦就拿着先去征求邓小平的意见。他边读边讲，谈了两个小时。邓小平听完，赞赏地表示“很好”，并且说：“科技工作很重要，第一次汇报，长一点也可以。”他进一步指出，“主要先抓科学院本身的问题，要重点解决派性问题”，“还有班子问题。”

从邓小平那里回来，胡耀邦和李昌召集科学院各部门和各直属单位负责人开会，对《提纲》第一稿进行讨论。会议之后，快马加鞭，8 月 15 日改出了第二稿，题目没变，结构没变，只是文字有些改动，增加了一些毛泽东论科学技术的语录。这一稿还分送给国务院政治研究室负责人胡乔木、于光远，国防科工委主任张爱萍等人征求意见。他们分别提出了一些具体意见。胡耀邦日夜加班，只隔一天，8 月 17 日就赶出了第三稿。这一稿题目和框架仍然不变，但又作了一些文字修改，一方面对某些提法作了进一步斟酌，如“如果我们的政治工作是反对钻研业务，那就是空头政治……”等等那一番话，都改得较为平缓。另一方面，对前两稿一些讲得不够充分的地方，又作了强化。比如对那些热衷于造反的人，就更加明确地指出，“有极少数人，受林彪修正主义路线的影响，这几年被派性迷了心窍，搞歪门邪道，在思想政治上并没有入党，却处处盛气凌人，以改造者自居；在业务上自以为是，指手画脚；在组织上只知有派，不知有党，动辄以我画线，打击异己，甚至公开与党的路线和党的领导相对抗。”胡耀邦对这种人深恶痛绝，在口头讲话时他更严厉地指出，这种人如不改变，就会成为法西斯。

胡耀邦把这份稿子送给邓小平，同时写了一封信。信中说：“送上我们多次反复修改的汇报提纲。这一稿在几个关键的地方是按你的指点改过的，有些地方是接受了参加讨论的一百多位同志的意见，乔木同志最后为我们做了很多很好的修改。这一个月我是把全部精力放在这个文件上的，用一句老话，是拼了一点老命的。我怀着一种渴望的心情，祈望得到你的进一步指点，祈望得到你对我们展开工作的支持。”

8月26日，邓小平把胡乔木找去，布置他主持《提纲》的修改，并要胡乔木转告胡耀邦、李昌：他们的稿子涉及的问题太多，不必要太锋利，这样站不稳。要他们少在群众中讲话，等提纲改好了，国务院通过了，毛主席批准了，让提纲自己说话，让群众在讨论提纲时自己说话。邓小平还说，这个文件很重要，要加强思想性，多说道理，但不要太尖锐。道理要站得住，攻不倒。胡乔木当天就打电话给胡耀邦，转达了邓小平的指示，告诉说邓小平已将《提纲》交给他修改，请胡耀邦去政研室讨论如何修改。

8月27日上午，邓小平又找了胡耀邦去，提醒他要“慎重一点、平稳一点。《提纲》要缩短，原则都保留，棱角磨掉一些，写得平稳一些，修改工作由乔木办，你催着点。”邓小平叮嘱胡耀邦：要发动群众，什么事，群众起来了就好办了，不管搞（掉）派性，搞规划，都是这样。可以先抓落实政策，搞好班子，要挑选有学问、有劲头、有组织能力的搞科技工作。

胡乔木接受修改任务之后，先让于光远组织修改。国务院政治研究室是由邓小平直接领导的单位，这一年的七月初才正式建立，它的负责人除胡乔木、于光远外还有吴冷西、胡绳、熊复、李鑫、邓力群，是一个“秀才”班子。任务是整理准备收入《毛泽东选集》第五卷的文稿，以及撰写理论文章，收集文艺、教育、科学、出版方面的情况，代管中国科学院哲学社会科学部，胡乔木为主要负责人。于光远“文化大革命”以前就是中宣部科学处处长，并兼任国家科委副主任，熟悉科学技术工作。他对《提纲》作了一些结构上的改动，压缩了篇幅，改写了一些地方，用了两三天时间拿出了一份草稿。但邓小平认为这个文件非常重要，要求胡乔木亲自负责。

8月31日，胡乔木、胡耀邦召集李昌、吴冷西、胡绳、于光远等讨论《提纲》的修改，科学院的吴明瑜、罗伟、明廷华，国务院政研室的孙小礼，教育部的甘子玉和龚育之也参加了讨论。胡乔木传达了邓小平显然是出于策略上考虑的意见：科学院起草的稿子太锋利，站不稳，要重新搞。科学院是个有争论的单位，所以每一句话都不能轻易去说，无论说什么都要好好考虑。要慎重，不要什么都讲得那么凶。话要少说，说多了，要说得稳妥很困难。胡乔木还对《提纲》如何修改提出了具体意见。他说，像第三部分的题目，就不要用“力求弄通”的讲法，这个讲法有徘徊的意思，要讲“坚决贯彻”。他提出：“要把主席（有关科学技术的）指示排一下，指示就是我们的路线、方针。”他还提出现在的稿子文字太陈旧，没有“文化大革命”以来写文件的那些语言。

接着，9月2日，胡乔木拿出了由他亲自执笔的修改稿，即《提纲》第四稿（未定稿）。这一稿在结构、内容、文字上都有很大改动，题目改为《科学院汇报提纲》，全稿由六部分改为了三部分：一、中国科学院科研工作的方向任务；二、坚决地、全面地贯彻执行毛主席的革命科技路线；三、关于科学院的整顿问题。在第二部分里选编了毛泽东有关科学技术的论述，共集纳了十条。《提纲》之外，还编了一个《汇报提纲第二部分中所引用的毛主席关于科技工作指示的出处》，作为附件。后来，由于有人对《提纲》中关于哲学不能代替自然科学的提法有疑问，邓小平又指示编了一本恩格斯、列宁、毛泽东的有关语录，名为《哲学只能概括、引导而不能代替自然科学》，作为第二个附件。

9月3日，胡乔木将《提纲》第四稿的未定稿交给了邓小平。邓小平看后表示很满意，说这个文件很重要，不但能管科学院，而且能对整个科技界、教育界和其他部门也起作用。

《提纲》在完成第四稿之后，报送国务院审议。9月26日，邓小平主持召开国务院会议，听取科学院汇报。副总理李先念、陈锡联、纪登奎、华国锋、王震、谷牧、孙健都到了，政治研究室的胡乔木、于光远以及国家计委、国家建委、国防工办、国防科委、教育部等部委负责人参加了会议。胡耀邦首先按《提纲》分几个部分简要汇报。他说：解放以来，我国科学技术的发展速度是比较快的，我们用了二十年的时间，走过了资本主义国家一二百年的路程。但我们与世界先进水平还有不小的差距。他说，科技战线的任务，第一，是为生产需要服务；第二，是发展新兴科技领域；第三，是研究基础科学。他还对科学院整顿进展情况作了简要汇报。李昌和王光伟也相继作了汇报。会上气氛很热烈，大家不断地插话，提出问题，共同讨论。邓小平兴致勃勃，在汇报过程中也插了许多话。胡耀邦汇报到差距很大时，邓小平说，这一点是要谦虚一点好。胡耀邦汇报说现在不敢讲红专，邓小平说，实际上是不敢讲“专”字，应说清楚。胡耀邦汇报到落实政策问题时，邓小平说，所以研究室不调整，很难说落实。一个县、一个工厂不把班子弄好，谁来执行政策？归根到底是领导班子问题。胡耀邦讲到自己有“辫子”会被人抓住时，邓小平说，比我强一点。我说过我是维吾尔族姑娘辫子多。有时说错话，办错事，他们抓住不放，拆台。

听完汇报，邓小平讲话说，科学研究是一件大事，要好好议一下。如果我们的科学研究工作不走在前面，就要拖整个国家建设的后腿。在谈到科技队伍的现状时，他说，大大削弱了，接不上了。靠老的，也靠年轻的，年轻人灵活，记忆力强。大学毕业二十多岁，经过十年三十多岁，应该是出成果的年龄。这一段时间一些科研人员打派仗，不务正业，少务正业，搞科研的少了。少数人秘密搞，像犯罪一样。陈景润就是秘密搞的。这些人还有点成绩，这究竟算是红专还是白专？像这样一些世界上公认有水平的人，中国有一千个就了不得。说什么“白专”，只要对中华人民共和国有好处，比只占茅坑不拉屎的，比闹派性的、拉后腿的人好得多。邓小平强调说，广大科研人员实在是想搞科研，闹派性的人是少数。领导班子，特别要注意提拔有发展前途的人。对于那些一不懂行、二不热心、三有派性的人，为什么还让他们留在领导班子里？邓小平还着重谈了教育问题，他说，我们有个危机，可能发生在教育部门，把整个现代化水平拉住了。究竟大学起什么作用？培养什么样的人？有些大学只是中等技术学校水平，何必办成大学？一点外语知识、数理化知识也没有，还攀什么高峰？中峰也不行，低峰还有问题。要解决教师地位问题。几百万教员，只是挨骂，怎么调动积极性？

会上原则通过了《汇报提纲》。邓小平提出要把专家治所、高中毕业生直接进大学等内容以及会上的一些重要意见增补进去，再改出一稿，就可以报送中央了。

胡乔木等根据邓小平的指示，于9月28日改出了第五稿。这一稿作为定稿，以胡耀邦、李昌、王光伟三人的名义上报，由邓小平转呈毛泽东。

这时的胡耀邦，有一种完成一件大事的轻快心情，只等着毛泽东的批复了。同时，他的内心也有一份苦涩和几分遗憾。他认为援引罗列那么多毛主席语录，必要性究竟大不大；对初稿中理论性论述的部分被删去，深感惋惜。结束了《汇报提纲》的起草工作，他继续开展科学院的各项整顿。

10月24日，中国科学院团委举行纪念长征胜利四十周年大会，请胡耀邦讲话。在这个有二千五百多名青年科技人员出席的大会上，胡耀邦发表了题为《实现四个现代化是新的长征》的讲话，响亮地提出了“进行新长征”的口号。他热情洋溢地说，这个新长征是什么呢？这就是毛主席号召我们的，要求我们的，要在本世纪末实现四个现代化，把我们可爱的祖国建设成为伟大的社会主义强国。我们的伟大的长征、伟大的惊天动地的事业的进军号已经吹响了！他还说，四个现代化实现不了，总有一天我们大家全部完蛋，我们的子孙后代要骂我们的。

他在讲话中向青年提出了四条要求：大学革命理论，大树革命雄心，大讲革命纪律，大长革命精神。他说，在到2000年前的二十多年里，年轻的同志怎么办，怎么前进？无非有三种可能：一是陷到修正主义里去；二是马马虎虎混他半辈子，从现在混起，再混二十五年，也是“老革命”了；三是为社会主义，为党的事业，为四个现代化立下丰功伟绩。他说，这第三种人一定不是少数。

末了，他深情凝重地说："我今天正式向同志们建议，二十五年后的今天，到2000年10月24日，再开这么一个大会。我想，那时候坐在台上的，将是为我们伟大祖国四化贡献力量的人。如果我能挣扎到那天，有可能也向他们说几句祝贺的话。"这时候全场响起了热烈的掌声，表达了大家对他的感谢和祝愿之情。胡耀邦接着说："同志们不要鼓掌，那种事情大体上没有希望了，正因为我自己没有希望，所以我今天就将满怀全部的希望献给在座的同志们……"

他的讲话在青年们激动的、经久不息的掌声中结束。这次讲话影响很大，它是那样的顺乎人心、感人肺腑。社会上一再把讲话记录稿翻印传抄，"新长征"也很快成为人们的行动口号，成为报纸上喜闻乐见的主题。正是在胡耀邦这种思想、精神的感召和鼓舞下，科学院许许多多青年更加坚定起来，显现了昂扬奋发的姿态。

但是胡耀邦确实没有能够参加二十五年后的聚会，他过早地离开了人世。

四 又被打倒

万万没有想到，《汇报提纲》上引用的一条毛泽东语录惹出了麻烦，最后是前功尽弃。

原来，在报送毛泽东的《汇报提纲》第二部分里，以黑体字引用了毛泽东的一句话："科学技术是生产力"。《提纲》送上以后，邓小平去毛泽东那里汇报，毛泽东说不记得说过这句话。邓小平说马克思也讲过这样的话，毛泽东还是说记不得自己说过。邓小平说，请主席把稿子退回给我修改，毛泽东没有退。

从来都是善于从一件具体事情入手破解全局的毛泽东，这个举动显然不在于对一条语录有异议，而是隐约表明了他对这个文件的不满了。

直到10月24日，也就是胡耀邦做“进行新长征”报告这一天，毛泽东才把《汇报提纲》退还给邓小平。邓小平又找胡乔木修改，改出了《汇报提纲》的第六稿。然而这时又“风云突变”，形势急转直下，首当其冲的正是邓小平，因此这次的修改稿就没有报送了。

形势的逆转，源于刘冰等人给毛泽东写信事件。

刘冰是一位老干部，当时任清华大学党委副书记。1968年，解放军八三四一部队宣传干部迟群、中央办公厅机要局干部谢静宜带领工人宣传队进驻清华大学，以后迟群任清华大学党委书记、谢静宜任副书记，他们很快成了江青的亲信，跟着“四人帮”兴风作浪。他们作威作福，独断专行，任人唯亲，搅得清华乱上加乱。特别是四届全国人大以后，野心勃勃的迟群没有得到提升，便消极怠工，酗酒滋事，发泄怨气，闹得一塌糊涂。他们的种种恶劣表现引起许多干部和师生的强烈不满，早已忍无可忍的刘冰，便同另外三名校党委负责干部惠宪钧、柳一安、吕方正于8月间写信给毛泽东，揭发迟群。但这封信根本无法直接送到毛泽东那里，刘冰等觉得由邓小平转最为合适。可是又怎样才能送交邓小平呢？他们想到了胡耀邦。

刘冰早年也是青年团干部，是胡耀邦的老部下。在此之前，他去探望胡耀邦时，就曾谈到过有迟群、谢静宜这么两个人，闹得实在太不像话。这次他来到胡耀邦家，说了写信的事，胡耀邦表示：“我支持你”，并且说：迟群、谢静宜“他们哪里是干革命，是投机嘛。这种人在咱们革命队伍中不是个别的”。他把信仔细看了一遍，说：“信要实事求是，要注意用事实说话。

……你们信里的‘装疯卖傻’，‘乱蹦乱跳’，这些就是形容词，是空话嘛。”刘冰说明了实际情况就是如此，同时提出请胡耀邦将信转给邓小平。胡耀邦说，科学院和清华大学不属一个组织系统，由他转信不合适。他把邓小平的地址和邓小平秘书的电话号码告诉了刘冰，说由他们直接把信送到邓小平家就可以了。

邓小平见到信后，立即递交给了毛泽东，毛泽东没有反应。刘冰等出于急切解决清华问题的心情，10月间又写了第二封信，这封信将谢静宜的问题也讲进去了。这回他们托人送给了胡乔木，胡乔木送到邓小平那里，邓小平又转呈给了毛泽东。

本来，邓小平领导的整顿工作，已经触及了“文化大革命”的极左错误，逐渐发展成为对“文化大革命”的比较系统的纠正，这已是毛泽东所不能容忍的。加上邓小平又不肯回应毛泽东关于“文化大革命”七分成绩、三分错误的评价，更使毛泽东不快。这回毛泽东在看了又是由邓小平转来的信后，他说，清华大学刘冰等人来信告迟群和小谢。我看信的动机不仅是想打倒迟群和小谢，他们信中的矛头是对着我的。我在北京，写信为什么不直接送给我，还要经小平转。小平偏袒刘冰。一直窥伺毛泽东意图的“四人帮”于是借机发难，叫嚷说这是右倾势力回潮，邓小平再次陷入被动。刚刚露出曙光的天空，霎时又阴云密布。

11月中旬，“四人帮”策划要清华大学党委向政治局作汇报，以借机闹一场。11月15日政治局开会，叶剑英、王洪文、张春桥、江青、姚文元等政治局委员参加，作为毛泽东联络员的毛远新以及迟群、谢静宜也参加了。毛泽东指定参加了邓小平“整顿”工作的胡乔木、胡耀邦、周荣鑫（教育部长）、李昌以及刘冰参加，说参加会议也是一种帮助。胡耀邦和李昌事先得到通知，要准备就科学院的整顿中的“错误”作检查。会上，迟群、谢静宜否认刘冰对他们的揭露，然后就一致对邓小平大肆攻击。会上把替刘冰转信也作为一个严重事件追问。王洪文发言说，他到上海去了一趟，听到下面有许多反映，对胡耀邦、周荣鑫意见很大，说胡耀邦的“右倾回潮”的言行“和无产阶级专政下的继续革命背道而驰”。张春桥、姚文元、江青也不断讲话，指责科教方面出现了“逆流”，大刮“翻案风”。

第二天晚间继续开会，由被“帮助”的五个人作检讨。胡耀邦第一个站起来，大声说：“我讲些意见。主席要我们五位同志来参加会，是对我们的关怀，我在这里对主席表示衷心的感谢。昨天晚上，王洪文副主席对我讲了许多话，我在这里郑重声明，他说的那些问题我没有，说我说了什么话，我没有说过，请求中央查证。”对于替刘冰转信一事，他说：“我对他说过我支持你，但我们不是一个组织系统，信要由你自己送”。他讲完后，王洪文没有吭声，会场上好久没有人说话。[①]

高层的动向很快传到清华、北大，两校“造反派”立即贴出大字报，批判邓小平的“唯生产力论”，继而由“四人帮”操纵，在社会上掀起了铺天盖地的“反击右倾翻案风”的狂风恶浪，开展了对邓小平提出的“以三项指示为纲”[②] 的批判。与此同时，也展开了对《汇报提纲》的批判。由于《汇报提纲》的第五稿里有大量毛泽东语录，难以下手，“四人帮”竟将最早的第一稿拿出来作为靶子。他们批判《汇报提纲》是“邓小平妄图从科技阵地‘打开一个大缺口’，否定毛主席的科研路线，篡

① 刘冰：《我竟成了“右倾翻案急先锋”》，《我亲历过的政治运动》，第 396 页。

② “三项指示为纲”：当时毛泽东在不同场合提出了要学习理论、反修防修；要安定团结；要把国民经济搞上去。邓小平据此提出：这三条指示，“就是我们今后一个时期各项工作的纲”。

改党的团结、教育、改造知识分子的政策，翻‘文化大革命’的案，算‘文化大革命’的账，反对无产阶级在上层建筑领域对资产阶级实行全面专政，以达到他复辟资本主义的罪恶目的。”他们把根据“以三项指示为纲”写成的文章《论全党全国各项工作的总纲》、《关于科技工作的几个问题（汇报提纲）》和国家计委起草的《关于加快工业发展的若干问题》连在一起，说成是“三株大毒草”，动用了一切宣传机器，使用了一切吓人字眼，企图全面推翻已见成效的整顿工作。

从此，科学院“四人帮”帮派分子卷土重来，自行改组了科学院党的核心小组，胡耀邦和李昌等停职反省。

“四人帮”帮派分子得意忘形地把《汇报提纲》和国务院讨论《汇报提纲》时邓小平的插话讲话记录稿印了成千上万份在院内外散发，鼓动群众起来批判。他们哪里想到，今非昔比，科技人员看到这两份材料后，都觉得这是说了他们的心里话，不是毒草而是香花，不是谬论而是为党为民的金石之言，不仅不应当批判，还应当充分肯定。“四人帮”帮派分子多次想组织批判大会，但群众对什么“批邓反右”十分反感，拒不参加，后来只好化整为零，让各研究所分别去开。在院机关，在由几个科室联合起来召开的一次会上，可容纳一百多人的会议室只零零落落坐了几十个人。胡耀邦和李昌坐在台上一张小桌旁等待质问和批判。有的造反派跳上台去指着胡耀邦大吼：胡耀邦，你一到科学院就上蹿下跳到处开座谈会、讲话、作报告，蛊惑人心，你安的什么心？胡耀邦鄙夷地望着他说，毛主席指示，没有调查就没有发言权，党中央、国务院派我到科学院的任务是提出切合实际的发展科学技术的规划，我不去各单位去调查研究，征求专家学者的意见，怎么向党中央、国务院汇报？又有造反派跳出来追问：你们在《汇报提纲》里说：科学技术也是生产力，要走在前面，这不是在搞“唯生产力论”吗？胡耀邦不屑地说：我不懂什么“唯生产力论”，我只知道科学技术在社会发展中的重要性。没有瓦特发明蒸汽机，能有英国的工业革命吗？台下的群众，每当听到“造反派”提出那些愚蠢透顶的问题，就会毫不客气地发出嗤笑声，而当胡耀邦对答时，又情不自禁地发出啧啧赞叹，使那几个“造反派”尴尬万状，只得草草收场。

1976年1月8日，周恩来与世长辞，胡耀邦感慨万千，不胜悲痛。“四人帮”竭力压制全党全国人民对周恩来的怀念，下禁令不准开追悼会，不准戴黑纱白花，不准宣传等等。胡耀邦当时正受批判，但他还是鲜明地支持科学院下属刊物突破禁令，刊登周恩来的照片、党中央的讣告和邓小平的悼词。

胡耀邦在“批邓反右”斗争中气愤和郁闷交加，又病倒了，住进了协和医院（时称“反帝医院”）。科学院“造反派”头头竟蹿到医院去揪他，医生们出面坚决阻止，声明如果粗暴劫持，一切后果由不听医生劝阻的人负责，“造反派”才悻悻而去。到7月，他们声称得到“中央批准”，把胡耀邦揪到了大连，要在全国科学会议上批斗。他们把腐烂了的水产品给胡耀邦吃，使他得了急性中毒性肠胃炎，腹泻、呕吐不止。7月28日回北京的路上，正赶上唐山大地震，幸而火车在秦皇岛附近停下，才算躲过了这一劫。

胡耀邦再次过起了家居生活。他的家为了防震，在厅里搭了个双层铺，上接屋顶，以拦接震下来的砖瓦，下层住人。就在这样局促的环境里，勤于思考的胡耀邦一直在沉思科学院这一场交锋和那些重大观点。为了进一步弄清科学技术是生产力这个观点，他细细研读马克思的原著，包括《政治经济学批判大纲》。这部马克思的笔记性著作一共有四册，七八十万字，译文艰涩，读起来十分吃力，胡耀邦静下心来，硬是一字一句读下去。那时于光远常去看望胡耀邦，他们一起从这部书的《资本的流通过程》部分中找出了五条马克思关于科学技术是生产力的论述，两个人认真领会了这些论述的含义。后来于光远追述说："在讨论中我看到耀邦对马克思的这本书看得很细，也理解得很清楚。""我没有见过任何一个做实际工作的老同志肯下功夫啃这样难读的著作。"

胡耀邦在科学院的工作，前后共一百二十天，他对自己的这一段工作是满意的，只是万万想不到就此中断了。他曾对人说，这是又一次"百日维新"，要真正做点工作太难太难。但正像人们说的，胡耀邦到哪里工作，哪里就有声有色。这次在科学院工作的时间虽短，但他的一系列作为，大大解放了人们的思想，使大家在一团漆黑中看到了光明。

责任编辑:乔还田　侯　春　王世勇
封面设计:肖　辉
版式设计:马　杰

图书在版编目(CIP)数据

胡耀邦传　第一卷(1915—1976)/主编　张黎群　张定　严如平
唐非　李公夭/唐非 撰.
-北京:人民出版社　中共党史出版社,2005.11
ISBN 7-01-005287-5

Ⅰ.胡…　Ⅱ.①张…②唐…　Ⅲ.胡耀邦-传记　Ⅳ.K827=7

中国版本图书馆 CIP 数据核字(2005)第131421号

胡 耀 邦 传

HUYAOBANG ZHUAN

第一卷(1915—1976)

主编　张黎群　张定　严如平　唐非　李公夭

唐非　撰

人民出版社
中共党史出版社　出版发行

(100706　北京朝阳门内大街166号)

北京瑞古冠中印刷厂印刷　新华书店经销

2005年11月第1版　2005年11月北京第1次印刷
开本:710毫米×1000毫米 1/16　印张:28.5　插页:4
字数:300千字　印数:000,001-100,000册

ISBN 7-01-005287-5　定价:50.00元

邮购地址　100706　北京朝阳门内大街166号
人民东方图书销售中心　电话 (010)65250042　65289539

责任编辑：[illegible]
封面设计：[illegible]
版式设计：[illegible]

图书在版编目（CIP）数据

[illegible] 第一卷 1915—1926 [illegible]
[illegible]
[illegible] 出版社，2005.11
ISBN 7-01-[illegible]

[illegible]

中国版本图书馆 CIP 数据核字（2005）第131421号

[illegible]
[illegible]（1915—1926）

[illegible]

（100706 北京朝阳门内大街166号）

[illegible]

2005年11月第1版 2005年11月北京第1次印刷
[illegible] 开本：[illegible] 印张：[illegible]
字数：[illegible] 印数：[illegible]

ISBN 7-01-005287-[illegible] 定价：[illegible]

邮购地址 100706 北京朝阳门内大街166号
人民东方图书销售中心 电话（010）65250042 65289539